Pirática

Pirática

Tanith Lee

Traducción de
María Angulo

Rocaeditorial

Título original: *Piratica*
© 2004 Tanith Lee
First Published in the English language in 2004 by Hodder Children's Books

Primera edición: septiembre de 2006
Segunda edición: noviembre de 2006

© de la traducción: María Angulo
© de esta edición: Roca Editorial de Libros, S.L.
Marquès de l'Argentera, 17. Pral. 1.ª
08003 Barcelona
correo@rocaeditorial.com
www.rocaeditorial.com

Impreso por Brosmac, S. L.
Carretera Villaviciosa - Móstoles, km 1
Villaviciosa de Odón (Madrid)

ISBN 10: 84-96544-59-1
ISBN 13: 976-84-96544-59-8
Depósito legal: M. 47.839-2006

Índice

Primer Acto: La hija de Molly

Capítulo I
1. No soy un ángel 17
2. El rosa, para las chicas 27
3. Charlas en el parque 38

Capítulo II
1. Pistolas para dos, ¿café para quién? 53
2. Hundiendo a Molly 73
3. Después del teatro 89

Capítulo III
1. Gansos y huéspedes 99
2. Rompiendo el hielo 115
3. Hou, Port Mouth 122

Segundo acto: La hija de Pirática

Capítulo I
1. El Pudin de Port Mouth 145
2. Todos al mar 158
3. Cambiando de caras 174

Capítulo II
1. Enemistad y suerte 185
2. Cuatro hombres sabios 208
3. Own Accord 215

Capítulo III
1. Comerciante y traidor 233
2. Embarcaciones que navegan a medianoche . . 244
3. Al sur por el sureste 266

Tercer Acto: Pirática

Capítulo I
1. Alumbrando los lienzos 293
2. Un rubio explosivo 308
3. Aguas extrañas 321

Capítulo II
1. La Isla del Tesoro 333
2. La moda de los loros 344
3. Mareas 367

Capítulo III
1. Caminando sobre tablones 397
2. En el mismo bote 414
3. Ensayo y error 426

Último acto: Lockscald Tree 447

Esta novela se desarrolla en un mundo paralelo muy cercano al nuestro y empieza en el año 17ψ2 (mil setecientos diecidós), que correspondería, según nuestras fechas, al 1802.

Nota del autor

Tal y como veréis, el mundo en el que este libro se inscribe es muy semejante al nuestro, y a su vez, muy diferente. Puede que los nombres os resulten familiares, y a su vez extraños. Algunos de ellos pueden ser auténticos nombres antiguos que podréis encontrar en un libro de historia, mientras que otros nombres verdaderos se pueden ver modificados con pequeñas triquiñuelas. Todos los lugares, o casi todos, que se mencionan pueden encontrarse en un atlas mundial, aunque los nombres no son exactamente los que esperas y algunos pueden estar en una posición geográfica ligeramente diferente.

Así pues, ésta no es exactamente una novela histórica, pero tampoco fantástica. Además ocurre en una época que nosotros nunca tuvimos.

El soneto que aparece de Shakespeare es el original escrito por Shakespeare, pero en el mundo de Art éste se llama Shakespur.

«Do not laugh... In tales, pirates always have these. Tis a map to find buried treasure.» [No es una broma... Según las leyendas, los piratas siempre tienen uno: un mapa para encontrar un tesoro enterrado.]

The Ill-Made Mute
(Primera parte de la trilogía
The Bitterbynde Trilogy)
CECILIA DART-THORNTON

PRIMER ACTO

La hija de Molly

Capítulo I

1. No soy un ángel

Art tenía dieciséis años cuando de repente, un día, se acordó de su madre. Fue gracias a que Art se cayó escaleras abajo y se dio un golpe en la cabeza con la barandilla de madera tallada en forma de águila.

Se sentó ahí mismo, la cabeza no paraba de darle vueltas y de pronto vio que en lo alto de la escalera había un grupito de niñas impertinentes que no paraban de reírse tontamente y de señalarla con el dedo. Sus cabellos excesivamente rizados parecían una corona sobre aquellas cabezas en las que enormes libros intentaban hacer los más ridículos equilibrios. Fue entonces cuando Art pensó: «¿Quiénes son ésas?». Y después...

Y después le vino a la cabeza la imagen de una mujer fuerte y esbelta, no muy alta, aunque lo parecía porque tenía unas piernas larguísimas perfectamente perfiladas por los pantalones y las botas que llevaba. Tenía el pelo color bermejo recogido hacia atrás y los ojos del color de la esmeralda. Esa mujer era Molly Faith. Era su madre. Durante seis años, Art jamás había pensado en ella, jamás había podido recordar a su inolvidable y maravillosa madre, quien en otro tiempo había capitaneado una tripulación pirata en alta mar.

Art, quien tan sólo diez minutos antes era conocida, y ella misma se conocía, como la señorita Artemesia Fitz-Willoughby Weatherhouse, sacudió la cabeza y se despejó, como también lo hizo su memoria.

Se levantó y dijo en voz alta:

—El cañón estalló. El cañón de Molly al que ella llamaba «Duquesa». Ése fue el impacto que recibí, y el motivo de mi cicatriz.

Art se puso una mano en la cabeza, sobre su cabello cuidadosamente arreglado. Sabía de sobra que su pelo se veía de color castaño oscuro, pero, cuando corría, en el lado derecho se le asomaba un mechón anaranjado, como el pelaje de un zorro feroz, que ella siempre maquillaba para intentar disimular, como si tuviera que avergonzarse de ello.

Aquella cicatriz y el mechón color naranja la causó *Duquesa*, o quizá otro cañón que estalló antes, cuando Art tenía ¿cuántos años? ¿Dos? ¿Tres?

—¿Estás bien, Artemesia? —susurró una de las insolentes jovencitas, esperando más bien que realmente no lo estuviera.

El hecho de que alguien se hiciera daño siempre resultaba interesante en un sitio tan aburrido como ése. Art pensó: «¿Lo estoy?», y se dijo a sí misma: «Sí, estoy bien». Entonces corrió escaleras arriba, de tres en tres, tan rápidamente que ni siquiera se dio cuenta de que se había rasgado la falda larga que llevaba puesta.

Las jovencitas de cabello rizado se habían caído varias veces por la escalera antes que ella, y muchos de sus libros habían resbalado y caído al suelo formando un enorme estruendo.

Todas ellas habían estado practicando Conducta Femenina, incluso Art. Conducta Femenina consistía en andar con la espalda y el cuello completamente rectos, ya que si no lo hacías de esa forma, el libro que llevabas sobre la cabeza se caía al suelo. Y el libro que llevaba Art sobre la cabeza se había caído, pues Art había perdido el equilibrio.

Lo curioso era que, a pesar de que apenas podía recordar quiénes eran esas personas y esa mansión donde vivían, de paredes color pastel y de suelos resplandecientes (la Academia de Ángeles para Jóvenes Señoritas en Rowhampton, cerca de Lundres), de repente todo era menos real que el pasado que había olvidado y que ahora le traqueteaba en la cabeza como un vagón de tren fuera de control.

—¡Cuidado! —gritó alguien—. ¡Ya viene la Detestable Eeble!

¿La Detestable Eeble? ¿Quién era? Ah, sí. La señorita Eeble era una de las profesoras de la academia. El tipo de profesora que nunca aprendió nada por sí misma, ni enseñó nada a los demás, excepto el sarcasmo o el miedo.

Ahí venía, justo acababa de doblar la esquina del pasillo y llevaba puesto un vestido liso como un mantel. Su cara de culo denotaba la satisfacción que le producía enfadarse. Le encantaba pillarte en alguna travesura.

—Por el amor de dios, ¿qué es todo este barullo?

19

—¡Artemesia se ha caído por la escalera!

Entonces, la Detestable Eeble echó una mirada feroz, primero a la que la había informado de lo sucedido y después a Art. Art pensó: «¿Conozco a esta mujer?».

—No hay razón alguna para que te caigas por la escalera. Eres una señorita perteneciente a una familia de alta alcurnia. Deberías ser elegante, cortés y femenina todo el tiempo, un ornamento para tu género femenino. Una dama como dios manda jamás se cae.

Art miró fijamente a la señorita Eeble y a continuación se irguió con su ridículo vestido, volvió la cabeza y apoyó su mano izquierda sobre la empuñadura de un imaginario alfanje que en otro tiempo, seis años atrás, pendía de su cadera izquierda. Tan sólo era un pequeño sable, pero es que entonces tan sólo tenía diez años. Sin embargo, Art podía recordar cómo se le amoldaba y lo bien que le sentaba. A diferencia del libro que tenía que llevar sobre la cabeza, con el alfanje lograba el perfecto equilibrio.

—Señora —dijo Art con arrogancia a la señorita Eeble, que estaba completamente desconcertada—, ¿qué son todas estas chorradas que está soltando como una descosida?

Eeble se quedó boquiabierta y después volvió a su actitud habitual. Tan sólo dijo una frase, tan inflexible como siempre:

—Artemesia, creo que tienes que ser debidamente castigada por tu falta de respeto.

Art sonrió y dijo:

—¿Sabe qué le digo? ¡Que se vaya a freír espárragos, señora!

Las jovencitas gritaban y los libros caían al suelo como hojas de otoño haciendo un ruido ensordecedor, ¡bang!, ¡pum!, ¡pam! Mientras, abajo, en la escalera, Art brincaba de un lado a otro. Como un remolino, empezó a dar vueltas por el descansillo de la escalera. En su cabeza retumbaba el estallar de los cañones, se encaramaba por todo tipo de jarcias, sentía el crujir de la madera, percibía la voz de su madre, Molly. Antes de que sus ojos flotaran sobre las doradas costas de Amer Rica, Persis y Zanzibari, los delfines saltaban como balas plateadas disparadas de las azules bocas de las olas.

—¡Su padre tiene que venir a por ella! —gritó la señorita Eeble—. ¡Se ha vuelto loca!

—Cuerda —recalcó Art—, me he vuelto cuerda.

Entonces, Art hizo una reverencia a la barandilla en forma de águila, pues ésta la había liberado de todo eso y le había devuelto su pasado.

Esa noche era Nochebuena y la oscuridad se había abatido sobre la ciudad junto con la nieve.

Por todo el paisaje, una blancura sombría resplandecía desde la tierra hasta la sombra blanquecina del cielo.

Inglaterra era entonces una república. Más de veinte años atrás, todo el país se rebeló contra la monarquía y ésta se vio obligada a abdicar. Aquéllos fueron días de caos y violencia en los que las personas se sentían libres y poderosas y tenían el mando de sus propias vidas. Más tarde, las cosas se calmaron y, a pesar de que el orden ya había vuelto, la realeza y los títulos reales no regresaron jamás. Hoy en día, aunque a una mujer se la pueda llamar «dama», si es que ésta pertenece a una familia de clase alta, ya nadie obtendrá el título de «lord» ni será llamado «rey» o «reina». Aunque el padre de Art, George Fitz-Willoughby Weatherhouse, en ese entonces era propietario de muchas tierras, se le llamaba «landsir».

Landsir G.F.W. Weatherhouse recorría a toda prisa el invernal y nevado paisaje montado en su carruaje. Cuando al fin llegó a las puertas de la Academia de Ángeles, un hombre se apresuró a abrirlas. Con la nieve, el portero parecía un fantasma. A decir verdad, aquélla parecía una noche de fantasmas y Weatherhouse frunció el ceño nada más verlo.

Su finca, el parque de Richman, estaba a poco más de dos kilómetros de la escuela, así que la carta que le habían escrito desde la Academia le había llegado esa misma tarde.

Art se había vuelto loca, eso es lo que decían. Weatherhouse pensó: «Igual que su maldita madre».

La Academia de Ángeles se encontraba en la ladera de un bosque, no muy lejos de Rowhampton y Arrowhampton. Un poco más allá, se expandía el parque Wimblays, que bandidos y ladrones solían frecuentar (diez por cada kilómetro cuadrado, según el *Lundon Tymes*, periódico nacional), y especialmente el inquietante caballero Jack Cuckoo. El carruaje del señor Weatherhouse, y le encantaba presumir de ello, no tenía por qué cruzar ni tan siquiera las zonas periféricas de ese parque.

El carruaje producía un enorme estruendo detrás de

los resoplidos de los caballos mientras ascendía por la avenida adornada de tilos que habían quedado desnudos al caer las últimas hojas de otoño.

Desde la calle, se apreciaba el tenue amarillo de las luces que alumbraban la mansión. Cuando el carruaje se detuvo, Weatherhouse se apeó y mostró su refinamiento y exquisitez con su abrigo bordado con hilo dorado, su chaleco con botones de oro, su bastón de puño de plata y su peluca perfectamente empolvada.

Revoloteando como mariposas delicadas, la señorita Detestable Eeble y la señorita Grasienta Grash, la directora de la escuela, lo invitaron a pasar y a recorrer los brillantes pasillos.

—Está ahí dentro.

—Bien, déjeme pasar, señora.

—Oh, señor, usted cree que...

—Cállese y hágase a un lado —le ordenó Landsir Weatherhouse, quien podía llegar a ser de lo más desagradable. Pero las señoras estaban demasiado intranquilas.

—Señor, tememos que sea peligrosa.

—O que incluso esté armada.

—O...

—¡Cállense! ¡Tranquilícense! Y si no pueden, fuera de aquí.

Las señoritas E y G huyeron corriendo. Weatherhouse abrió la puerta bruscamente y entró.

—¡Por Dios! Pero ¿qué es todo esto?

Art, que estaba recostada junto al fuego, se giró perezosamente para echar un vistazo a ese hombre que iba emperifollado de arriba abajo y al que de lo furioso que estaba incluso le salía humo por las orejas. Ese hombre era su padre.

Art sabía que si, tan sólo un día antes, su padre hubiera irrumpido con igual cólera en esas mismas circunstancias, se hubiera sentido culpable y muy disgustada. Pero ahora no lo estaba en absoluto, incluso sonrió.

—¿De qué diablos te estás riendo? ¡Mírate! Te he tenido aquí durante seis años, pirata de pacotilla, para convertirte en toda una señorita. Te envié aquí para que mejoraras, no para que empeoraras.

—¡Oh! ¿Es que acaso estoy peor, señor?

Art estiró las piernas y se retiró del fuego. Llevaba unos calzones de hombre, unas botas de chico, una camiseta blanca y un abrigo de terciopelo mate lleno de remiendos. Ya no tenía el pelo rizado ni recogido, y a través de su melena color marrón avellana recién lavada podía distinguirse ese destello de fuego anaranjado que Weatherhouse había visto por primera vez hacía ya seis años.

—Eres como tu madre.

—Mi mamá fue una muy buena persona.

—No conmigo.

—Entonces, papá, ¿por qué la deseabas tanto?

—¡Cómo te atreves a hablarme así!

—¿A quién más podría decírselo? Tú te casaste con ella.

Weatherhouse gruñó. El berrido fue tan fuerte que las frutas y plantas trepadoras de escayola del techo se tambalearon.

Art se encogió de hombros y sacó una manzana de

invierno de su bolsillo y se la comió tranquilamente, mientras su padre deambulaba alrededor de la habitación dando enormes pisotones y golpeando las patas de la mesa con su bastón.

—¿Es que acaso no sabes que tu miserable madre, Molly, fue una de las peores mujeres de este mundo?

—Fue una pirata.

—Si tú lo dices... Una especie de pirata.

A lo que Art contestó:

—Alardeaba de que nunca había matado a una sola persona, tan sólo les quitaba sus riquezas con trucos de habilidad y triquiñuelas. Y eso es verdad.

—Ya habías olvidado todos estos disparates —dijo bruscamente su padre. El milagro, y la recuperación de la memoria de Art obviamente lo era, lo hacía enfurecer aún más.

—El cañón estalló. Ahora lo recuerdo. Después de eso lo olvidé todo, y así he estado durante años. Esta escuela, estas idiotas, esta cárcel. Y hablas de disparates —dijo Art, con una mirada fría como el hielo y dura como el acero—. Esto es lo que ha sido un disparate.

—¿De dónde has sacado esa ropa tan descarada y fea? —Art soltó una carcajada.

—De dos chicos que trabajan en el establo. Era su traje de domingo, y la chaqueta y la camiseta del portero de la escuela. Les pagué por la ropa, y por el lavado y por el planchado. Les pagué con tu dinero, lo siento, pero ya me lo habías dado.

—Te lo di para que te compraras un vestido nuevo.

—Bueno, pues aquí tienes mi vestido nuevo.

Weatherhouse se apoyó en la repisa de mármol de

la chimenea, mirando con ira a su propia hija, quien en esos momentos, por todos los santos, se parecía mucho más a su ex mujer, Molly Faith.

—Si te acuerdas de todo esto, también te acordarás de lo mosquita muerta que era tu madre, ¿verdad?

Art se dio la vuelta. Se giró como un gato cuando ve a otro de su especie que no le gusta demasiado. Weatherhouse, aún con el ceño fruncido, no daba crédito a lo que veía.

—Mi madre, señor, era una Reina de los Mares, una emperatriz de los piratas, con una flota de más de veinte embarcaciones.

—Ese juego... esa mentira...

—Su nombre ha estado dando vueltas alrededor del mundo, señor. No como Molly, no como Faith, no con tu nombre, papá, no con el que tomó cuando se casó contigo. Desde luego que no.

—Era una persona normal y...

Entonces Art se levantó y dos enormes lágrimas se deslizaron desde sus ojos a sus mejillas, aunque eso no le otorgaba un aspecto de debilidad. Aquellas lágrimas eran como dos medallas de plata que sus ojos habían creado fruto de su orgullo.

—Se llamaba Pirática.

—Crece, Pirática —comentó Weatherhouse con sarcasmo, mezquindad y crueldad— está muerta. Tan muerta como el ridículo melodrama en el que estaba metida. Muerta y enterrada, o si lo prefieres, pasto de los peces.

—Lo sé.

—Y en lo que a ti se refiere, Artemesia, aquí se

cumplen mis órdenes. Espero que estés cómoda en esta habitación, pues aquí estarás, pequeña, hasta que entres en razón. ¿Una cárcel dijiste? Entonces, te quedarás aquí encerrada sin comida, sin las deliciosas bebidas para señoritas como el té caro, el café, el chocolate o los zumos. Un vaso de agua y punto. Ah, y no eches más madera al fuego.

—Feliz Navidad —dijo Art.

—Ya tuve suficiente con Molly —concluyó su padre—. No dejaré que te pase lo mismo a ti.

Cuando cerró la puerta, Art se inclinó hacia el fuego y murmuró:

—Y ella también tuvo suficiente contigo, señor, y es por eso que te dejó y me llevó con ella cuando tan sólo era un bebé. He perdido seis años de mi vida. Eso para mí también es suficiente.

Atizó el fuego con la vara de metal y luego la sacó, ardiente y con cenizas. A continuación, escribió en letras grandes en la blanquecina pared que estaba junto a la repisa de la chimenea el verdadero nombre de su madre.

2. El rosa, para las chicas

Fuera, algo retumbaba de forma rara en la oscuridad de la noche. Era un ciervo que correteaba por el bosque colina arriba.

Desde la ventana, se podía ver cómo los copos de nieve caían como jirones blancos. En la chimenea, el fuego se iba desvaneciendo poco a poco y ahora en la habitación ya empezaba a refrescar, pero a Art eso no le importaba. En cierta manera, ella sabía que, a pesar de las palabras de su padre, de la inamovible puerta y de las selladas ventanas, iba a conseguir salir de allí. Así que lo mejor era que se acostumbrara al cambio de clima.

De todas maneras, por el momento, lo que había hecho era darle vueltas durante toda la mañana y toda la tarde a aquello que lograba recordar, recuperando del olvido todo cuanto podía. Las imágenes que recordaba eran tan vívidas que parecía que estuvieran pintadas en su mente.

Podía ver una a una las diferentes escenas marítimas: días soleados de mar en calma, días en que el reflejo del sol bañaba los mares de un color verde aceituna y otros en que los cielos se teñían de negro y lanzaban astutos relámpagos que destrozaban los mástiles mientras las olas galopaban velozmente. Entonces el barco empezaba a tambalearse bruscamente, de un lado para otro, como si quisiera tirarla por la borda. ¿Acaso Art se había asustado alguna vez? Quizá tan sólo una. Uno de sus recuerdos más vívidos era éste: Molly la tenía acurrucada entre sus brazos cuando sólo tenía dos o tres años.

—¡Mira qué espectáculo! —gritaba Molly—. ¡Mira qué maravilla! —Y después continuaba—: Jamás temas al mar, es el mejor amigo que las personas como nosotras podamos tener. Mejor que cualquier tierra firme, por muy hermosa que parezca. Respeta el mar, eso sí, pero jamás pienses que las acciones del mar son crueles o injustas. Son las personas las que son crueles e injustas. El mar es tal y como lo ves. Y este barco tiene mucha suerte, pues se lleva muy bien con el mar y ambos saben muy bien cómo tratarse el uno al otro.

Fue entonces, en ese preciso instante, cuando una enorme ola color turquesa inundó las cubiertas del barco. De repente, empezaron a izar las velas y la tripulación de Molly empezó a agarrarse y a balancearse como si fuera un grupo de monos por los mástiles. Art y Molly estaban empapadas, y Molly le decía a su hija:

—Y aunque naufraguemos y nos hundamos en las profundidades del mar, tampoco a eso debes temerle, pues aquellos a los que el mar retiene consigo duermen entre sirenas y perlas en reinos sumergidos. No te importaría, ¿verdad, cielo?

Pero el barco que supuestamente tenía suerte... Aún no, aún no es hora de pensar en eso.

En lugar de pensar en eso, Art recordaba los fascinantes continentes y las apacibles excursiones en tierra firme. También lograba recordar blancas casas con grandes columnas a las que eran invitadas por el gobernador de ese o aquel lugar, quien intentaba complacerlas por las riquezas que los piratas le habían traído y les invitaba, tanto a Molly como a su tripulación, a una cena o a un baile en su honor. Art solía sentarse en un sillón de terciopelo mientras contemplaba a su madre, que en esas fiestas lucía elegantes brazaletes y abalorios y vestidos de color escarlata o verde turquesa, dando vueltas por la pista de baile con esos gobernadores o con otros hombres de su misma calaña. Los manjares que servían allí eran exquisitos, los helados deliciosos e

29

incluso el centelleo del champán recién servido parecía una llovizna de diamantes. Mientras, en las terrazas cubiertas de palmeras y de estrellas relucientes, la elegante tripulación de Molly se dedicaba a robar besos a las más prestigiosas damas. Todo el mundo quería a esos piratas. Todavía podía recordar las calurosas bienvenidas acompañadas de aplausos y ovaciones que recibían allá donde desembarcasen y, cómo no, los cofres en cubierta desbordantes de joyas, monedas, rubíes, esmeraldas y oro.

Ahora era el momento de pensar en las batallas que libraron en alta mar. Bueno, de hecho, también habían sido bastante provechosas, pues luchaban contra embarcaciones de gobiernos de países en los que no eran bien recibidos, o más a menudo, contra piratas rivales que perseguían a la famosa embarcación de Molly.

Su navío se llamaba la *Inoportuna Forastera*, y era como un pequeño, astuto y escurridizo galgo, a pesar de sus altísimos mástiles. El tipo de embarcación era como un enorme barco de vela, parecido a una carabela, una embarcación mercantil que necesitaba de grandes velas para transportar el cargamento lo más rápido posible. Pero Molly había robado el navío gracias a uno de sus trucos y éste parecía amarla por ello. Se convirtió en una embarcación con suerte bajo la siniestralidad de su nombre, y, obviamente, al igual que Art, la embarcación disfrutó mucho más siendo pirata.

Oh, ¡cómo olvidar la bandera! Art la recordaba perfectamente. En un principio, era la típica y temida bandera de Jolly Roger, una calavera blanca y unos huesos cruzados sobre un fondo negro. Pero más tarde, Molly, una de de las pocas mujeres que capitaneaba una tripulación pirata, decidió cambiarla. Y vaya si lo hizo, cambió el negro por el rosa intenso. El rosa, para las chicas. Y la calavera y los huesos en vez de blancos, de color negro. Después de esto, toda la tripulación y todo el mundo que navegaba por los Siete Mares empezó a llamar a esta bandera la «Jolly Molly».

Y así, mostrando una bandera con calavera y huesos cruzados sobre un fondo rosa, la *Inoportuna Forastera* conquistaba puertos extranjeros que la recibían con una oleada de aplausos y flores. En cambio, cuando estaba en alta mar, con embarcaciones enemigas que intentaban acercarse mientras los cañones retumbaban, con balas de cañón y cenizas que dividían el aire y el océano y con nubes de humo como nata sucia, se zambullía en el agua como un pato, se sumergía poco a poco para después escapar volando sana y salva.

Y en sus aventuras, la *Inoportuna Forastera* atacaba a flotas enteras de buques mercantes, a veces sola y en otras ocasiones acompañada por algunas o todas las embarcaciones de la flota de Molly —unas quince o veinte—. Art podía advertir perfectamente el sonido de las flautas y los silbidos, de los berridos de las trompetas y el estruendo de los tambores que la banda pirata de la *Inoportuna* tocaba lo más fuerte que podía para asustar a sus presas. Mientras tanto, se podía sentir el retumbar de las pistolas y el ensordecedor sonido de los cañones estallando. Pero sólo disparaban para dejar inutilizada la embarcación a la que atacaban, jamás para hacer daño a la tripulación enemiga. Y si alguna vez alguno de sus enemigos decidía rendirse ante el ataque, Molly trataba a aquellos que había robado muy educadamente, como también lo hacía su tripulación, a quien Molly tenía prohibido comportarse de forma burda o violenta. Art recordaba a Molly inclinándose hacia una jovencita y diciéndole:

—Y este topacio, dime, ¿pertenecía a tu amado padre? Si es así, quédatelo, es todo tuyo.

Pero si, por el contrario, se desencadenaba una batalla, Art recordaba a Molly con elegancia y soltura y con su alfanje brillando como una aguja de plata. Con él, golpeó la espada de un hombre que osó desafiarla, se la quitó de las manos y después le arrancó con su sable todos los botones de los pantalones de forma que se le cayeron hasta los tobillos. Después todo el barco volvía a balancearse, pero esta vez por culpa de las carcajadas de quienes habían presenciado tal espectáculo. Una maliciosa y perversa broma, desde luego.

Un barco con suerte. Con tanta suerte como la de Molly, quien se había ganado el título más preciado de capitán pirata: a prueba de balas. Así era, indestructible y afortunada. Una vida maravillosa.

Y ahora, por fin, Art había logrado llegar a regañadientes al día en que sus vidas dieron un vuelco y dejaron de ser tan maravillosas. El día en que la *Inoportuna Forastera* se hundió.

Art, a sus dieciséis años, cayó profundamente dormida ante la chimenea fría. Había soñado con ello, había soñado con la escena final, con el desafortunado día, en el que ella tenía tan sólo diez años.

Fue así: Art estaba sentada en la cubierta de la *Inoportuna Forastera* mientras observaba estupefacta a

Molly, con su habilidad de pavonearse y bajando por el mástil central. Art también podía subirse por todos los mástiles del barco y además podía ayudar a clavar clavos y a izar o arriar las velas. Art, como todos y cada uno de sus tripulantes, conocía el barco de arriba abajo y de izquierda a derecha. Era su hogar, era su mundo.

—Alguien nos está persiguiendo —advirtió Hurkon Beare, a quien de repente, Art podía ver de forma impecable y clara en su sueño. Era el primer oficial de capitán. Hurkon Beare nació en Canadia, cojeaba de una pierna y tenía el cabello canoso a pesar de su juventud (en ese entonces, no mucho mayor que Art ahora). Pero en el sueño, que era el pasado, Art tan sólo tenía diez años y Hurkon parecía bastante maduro. En su hombro había algo posado, algo de colores vivos y llamativos, y también un poco sucio.

Las velas estaban izadas y los mástiles desprendían una blancura jamás vista. La *Inoportuna* navegaba a toda máquina gracias a un viento favorable.

Pero, en el horizonte, Art ya podía divisar la forma de una segunda embarcación, su perseguidora.

En el sueño, también en el pasado, la apariencia de esa segunda embarcación era vaga, como un agujero humeante que rompía con la armonía de los rayos de sol. «Sus velas, ¿eran también oscuras?»

—Preparad los cañones —ordenó Molly a Hurkon. Molly se acercó a Art y le sonrió. Molly no emanaba temor, y Art tampoco. De hecho, Art se levantó de un salto y corrió hacia el entrepuente para contemplar las cinco bocas de cañón que se balanceaban en sus posiciones y cómo sobresalían de las cañoneras.

33

Las escotillas de la cubierta estaban abiertas y Art aún podía ver a su madre dando zancadas de un lado para otro, escuchar su voz y la de Hurkon.

Después, Salt Walter, un joven pelirrojo, empezó a empujar a Art detrás de la escalera de forma amistosa y afable.

—Vete con tu madre. —Siempre la trataba como a una niña, a pesar de que él tan sólo era dos años mayor que ella. Pero Art no se lo discutió y obedeció, pues en las batallas nunca hay tiempo que perder.

De nuevo en la cubierta superior, escuchó a Hurkon decirle a Molly:

—Esa embarcación es la *Enemiga*. ¿Lo ves? No tiene bandera pero cada vela negra lleva dibujada la calavera y los huesos cruzados.

«¿Qué es eso que tiene en el hombro? ¿Una fregona de plumas? Ah no, está vivo, y además, ¡vuela!» Art, con diez años, sabía que eso era un pájaro. Con dieciséis, en sus sueños, aún está perpleja, pero de todos modos obedece. Y a continuación oye a Hurkon decir:

—La *Enemiga*. Jamás se rinde. Quiere el mapa del tesoro, Molly.

Ciertamente, la *Enemiga* estaba muy cerca, y ya se sabe el porqué. El barco oscuro navega imperturbable por el océano, con las velas orientadas favorablemente y con un aspecto amenazante. Sus maniobras son nítidas y esmeradas.

Empiezan a tronar las pistolas. Fuego.

Art está sentada a horcajadas en el único cañón superior de cubierta, la *Duquesa*. Pero ¿por qué? ¿Acaso no debería estar ahí? Quizá había subido hasta allí para tener una mejor vista.

Intentan dar media vuelta para atacar a la *Enemiga* y así devolverle los cañonazos.

Y después, de todas partes llega no otro cañonazo o estruendo, sino un sonido seco que desemboca en un silencio sordo y ardiente. Un ardiente silencio y un vacío frío.

Entonces Art abrió los ojos.

Entonces Art abrió los ojos y se halló sentada en una silla y aún encerrada en su nueva habitación de la Academia de Ángeles para Señoritas.

No era un cañón, pero otro ciervo estaba revoloteando en la oscuridad del bosque.

Más tarde, cuando Art tenía diez años, al despertarse en una cama de sábanas recién lavadas y planchadas tan sumamente arropada que difícilmente podía moverse, alguien le había dicho que su padre la había rescatado.

Art ahora se acordaba del severo Landsir Weatherhouse. A sus diez años fue la primera vez que lo vio, pues desde que era un bebé no había sabido nada de él.

Seis años antes, su padre ya tenía ese terrible aspecto. La miró enfurecido y le dijo:

—Perdónela por los pecados de su madre.

En ese entonces, Art no podía entender cuáles eran esos pecados, pues no se acordaba de ningún pecado ni de nada hasta este preciso instante.

Más tarde, la envió aquí, a la Academia de Ángeles, donde sólo había aprendido que su madre era una mala mujer y que había muerto. Eso era todo.

35

Hasta hoy, Art no había podido recordar a su madre, Molly.

Algo estaba revoloteando y repicoteando en las selladas ventanas de la habitación de Art. Art miró fijamente mientras cogía la vela, cuya luz cada vez era más tenue. Era de los mismos colores que los vestidos de baile de su madre, escarlata y verde turquesa. ¿Qué era eso? Algún pedazo de tela, o quizá algún juguete. Mientras los copos de nieve seguían cayendo, el desconocido objeto salió disparado hacia el lado contrario y desapareció.

La *Duquesa* había estallado. La *Enemiga* había agujereado a cañonazos el barco y éste se había hundido en las profundidades del océano.

La madre de Art ahora yacía, con su barco y con su difunta tripulación, entre sirenas y perlas. Para siempre.

Un ruido alarmante y extraño abarrotó la habitación. Parecía que los ladrillos que aguantaban la repisa de mármol de la chimenea cobraran vida y se movieran.

Art daba vueltas por toda la estancia y estuvo a tiempo de ver algo de color negro que hacía estallar una mancha de hollín y mugre por encima del fuego.

Fue directamente hacia ella. Unas alas se sacudían sin sentido alguno, quitándose el hollín. Empezaron a dejarse entrever pequeñas manchas de colores. Verdes y rojas.

—¡Piezas de ocho! —gritó el pájaro. Era el inconfundible loro de Molly Faith, capitana de la *Inoportuna Forastera*—. ¡Piezas de troncho!

—Mi madre me sacó de allí —murmuró Art mirando al loro, que agitaba las alas y graznaba—, ahora lo recuerdo. El bote pequeño, me metieron ahí, justo antes de que la *Inoportuna* se hundiera. Sólo me metieron a mí, sólo a mí.

—¡Piezas de corcho! —insistió el loro. Después, se dio la vuelta y voló por la chimenea.

Art abrió los ojos por tercera vez, aunque realmente era la primera de verdad, y se encontró sola y sin el loro en la oscura y ya gélida habitación.

Ni un solo sonido, excepto el tictac del reloj de la repisa de mármol. A duras penas se dio cuenta de que faltaba un cuarto de hora para la medianoche, para que empezara el día de Navidad. ¿Acaso había soñado que el loro había descendido volando por la chimenea porque quizá pensó que era Papá Noel? ¿O quizá tan sólo necesitaba algo que le recordara la chimenea?

37

Ésta conducía directamente al tejado, pasando por las habitaciones de toda la mansión. Seguro que se podía trepar y trepar hasta llegar arriba del todo y luego empezar a bajar. La Academia era una mansión de cuatro plantas, con muchas esculturas y adornos de piedra, que resultarían muy útiles a la hora de trepar. La mugrienta y negra chimenea tenía peldaños dentro, para facilitar el trabajo a los deshollinadores. Para una jovencita que, desde pequeña, había recorrido de arriba abajo todos los mástiles de un barco pirata, esto era una pequeñez.

Art sólo se preguntaba, con lo fácil que le había resultado introducirse en el diminuto espacio de la chimenea, cómo podía ser que no hubiera pensado en eso antes hasta que se le apareció el fantasma de un loro para mostrárselo.

Ahora, en la habitación vacía, el nombre que había escrito con el atizador de la chimenea aguardaba en la pared: PIRÁTICA.

3. Charlas en el parque

Pasaban diez minutos de la una de la madrugada cuando Art se acercaba más allá del bosque a las dos grandes avenidas del parque. Fue entonces cuando advirtió un pequeño destello de luz en la distancia. Obviamente, era la casa de su padre, que se encontraba a unos tres kilómetros hacia el este. Si miraba hacia el otro lado, podía contemplar las farolas de luz tenue del pueblo más cercano, Rowhampton. Arrowhampton quedaba detrás de la colina.

Había parado de nevar en el momento en que Art, cubierta de hollín, había trepado por la última tubería de desagüe ornamental de la Academia, para aterrizar después en la helada cabeza de una estatua clásica situada en el jardín. Ya no había más Eebles ni Grashes alrededor suyo, y todas las jovencitas angelicales, sin duda con dolores de cabeza por culpa de las clases de equilibrios con libros sobre sus cabezas, estarían seguramente acostadas en sus respectivas camas.

Parecía sencillo correr rápidamente a través de los campos hasta las vallas cuyas paredes eran más fáciles de trepar. La casa del guarda de seguridad tenía las luces encendidas, o al menos la de una habitación. Él ni tan siquiera se dio cuenta de que Art merodeaba por allí, y minutos más tarde ya estaba trepando por la pared.

Un estrecho sendero se abría paso entre el bosque. Pero en el lugar en que este pequeño camino se desviaba hacia las ciudades de Row y Arrow, Art decidió tomar otra senda. Ésta era mucho más abrupta y pronto la conduciría al parque Wimblays.

Era una noche extraña, muy oscura y sin luna, a pesar del color pálido y a la vez brillante de la nieve depositada en el suelo. Los árboles, sin hoja alguna que les sirviera de manto, parecían estar encarcelados ahí dentro como caballeros de armadura acicalados con enormes pelucas blancas. Los densos matorrales de este tipo de árboles se expandían por todo el parque y, justo después de que viera las luces encendidas de la casa de su padre, Art se detuvo otra vez. Algo descomunal y muy poderoso se acercaba temerosamente a ella abriéndose paso entre los grandes troncos cubiertos de nieve.

De entre los robles y hayas invernales, Art podía ver a una manada de ciervos que se movían como fantasmas. Entonces, un ciervo macho empezó a correr por el mismo sendero en el que ella estaba. Sus astas macizas, como ramas de árboles, parecían estar pintadas de un color opaco sobre la nieve acumulada. Por un instante, a Art le parecieron las blancas jarcias de un barco a medianoche y sus ojos verdes brillaron de una forma extraordinaria.

Art se quedó inmóvil y lo miró fijamente. No tenía miedo. Una señorita como dios manda seguramente hubiera sentido miedo ante tal situación y, por supuesto, hubiera gritado y, probablemente, se hubiera desmayado. Sin embargo, Art dijo sonriendo:

—Buenas noches, señor Ciervo.

La manada de ciervos tenía la respiración cálida, de tal manera que bajo sus narices se formaba una pequeña nebulosa blanca, como el humo de los cañones al estallar, y después dieron media vuelta y se adentraron en las misteriosas sombras pálidas.

«Una buena señal», pensó Art. Un gran obstáculo acababa de desvanecerse de su camino. Molly hubiera dicho que eso era un buen augurio.

Art seguía caminando con la oscuridad de la noche a cuestas. Hubo un momento en que logró escuchar las lejanas campanas de los pueblos más cercanos que anunciaban las dos. Ese sonido también tenía algo de misterioso, atravesando por completo la inmensidad de la nieve.

El objetivo de Art era encontrar la carretera que conducía hacia Lundres. Incluso en Navidad, un carruaje recorría esa vía a primeras horas de la mañana, un carruaje rápido que siempre intentaba llegar a la ciudad antes del mediodía. Si podía, iba a intentar cogerlo en la parada del pueblo de Hare Bridge, donde el carruaje estaría parado un cuarto de hora más o menos. Tenía suficiente dinero en su bolsillo para pagar el billete. Pero ¿y en Lundres? Su memoria, que de repente había vuelto por completo, había colocado en su mente como una especie de cartel en el que se podía leer: LA TABERNA DEL CAFÉ. Sabía que allí podría encontrar algo de información, que al fin y al cabo quería decir encontrar algo de información sobre la tripulación de Molly que logró sobrevivir.

No recordaba absolutamente nada de la taberna, pero ahora y más que nunca confiaba en su instinto ciegamente, pues éste la había liberado de su cautiverio.

La densidad de árboles que cubría el valle parecía un tupido manto tejido en forma de abrigo. De repente, una luna delgada y enfurruñada apareció en el este. Art intentó orientarse por la posición del astro y después volvió a escuchar las campanas de otro pueblo, que esta vez anunciaban las cinco de la madrugada. Amanecería sobre las siete y media de la mañana.

El bosque volvió a rodearla una vez más, pero no por mucho tiempo, pues Art buscó detenidamente y al fin encontró entre sus columnas de árboles la carretera que conducía a Lundres. Era indiscutible e inequívocamente ésa, no podía estar equivocada incluso a pesar de la nieve que la cubría. Pero, para su sorpresa, Art enseguida vio unas pezuñas y las ruedas de un enorme vehículo con seis caballos. El carruaje hacia Lundres llegaba más temprano de lo normal, y Hare Bridge estaba, al menos, a más de un kilómetro y medio de allí. Art empezó a correr como una condenada.

De repente, escuchó un confuso sonido tan claramente como había escuchado las campanas de las iglesias marcando las horas, y si hubiera llegado antes podría haber visto qué era lo que lo causaba.

Inmiscuyéndose con mucho más cuidado y sigilosamente entre los árboles y arbustos, Art llegó a un

41

alto montículo donde una pequeña cabaña deshabitada le sirvió para esconderse. La escena continuó en la carretera, justo abajo.

El carruaje estaba ahí. Al principio pensó que se trataba de un accidente y que por ello estaba parado y los caballos apiñados. Unos cuantos pasajeros con abrigos de pieles y elegantes capas se habían apeado del vehículo y se habían arremolinado a su alrededor. Un pequeño perro amarillo no paraba de ladrar. El conductor del carruaje y su copiloto no cesaban de discutir a gritos y en algún lugar una mujer, una verdadera señorita de los pies a la cabeza, dejó escapar el chillido perfecto para la ocasión.

Sólo entonces Art vio qué era lo que realmente ocurría.

Entre el conductor del carruaje y la muchedumbre se encontraba un hombre montado en un caballo de color negro oxidado. Él también tenía la piel de ese color, y llevaba un sombrero de tres picos que se unía a una media máscara de color negro, sólo dejando entrever la parte inferior de su rostro, que estaba entrecubierta por una tela color malva que seguramente sería un pañuelo. En su mano derecha tenía una pistola que agitaba con impaciencia y que brillaba ante las luces del carruaje.

—¡Os he dicho que os estéis quietos y me lo entreguéis! —gritó con voz ronca—. ¿Acaso no habláis mi idioma? Significa que no os mováis y me deis vuestras cosas. ¡Sabandijas! Daos prisa o moriré de frío aquí fuera malgastando mi tiempo con todos vosotros.

Un ladrón.

Acostumbrada a los piratas de Molly, Art pensó: «No tiene ni gota de estilo».

El conductor del carruaje volvió a gritar y a lanzar amenazas contra el bandido. Éste respondió apuntando su pistola hacia el cielo y disparando. Una rama se desplomó y salpicó a todos con la nieve que acarreaba, incluyendo al ladrón, pero él tan sólo sacudió la cabeza irritado.

—Jack Cuckoo, ése soy yo —dijo con voz áspera—. Soy peligroso, realmente peligroso, así que entregadme vuestros objetos de valor y nos iremos todos rápidamente de aquí.

La mujer volvió a gritar, pero nadie pareció darse cuenta. El perro continuaba ladrando y el conductor y el copiloto no paraban de sudar. Molesto a pesar de su aguante, el caballero Jack Cuckoo, si ése era su verdadero nombre, volvió a disparar por segunda vez al cielo.

Entonces, los caballos, que hasta ese instante habían permanecido apiñados, empezaron a asustarse, o quizá también perdieron la paciencia. Y en una ráfaga de nieve, el desocupado carruaje comenzó a tambalearse y a deslizarse detrás de los caballos, que iniciaron una veloz carrera en dirección a Hare Bridge.

En ese instante, el conductor del carruaje gritó:

—¡Mi carruaje! ¡Mi carruaje! —Se giró y empezó a correr tras él, seguido de su compañero, del impaciente perro amarillo, de la mujer gritona y de la mayoría de los demás pasajeros.

Tan sólo una figura masculina permanecía abandonada sobre el manto de nieve, de pie y mirando a Jack

Cuckoo, quien intentaba retomar su posición y recargar sus pistolas para después empezar a disparar por todo el suelo.

—Pues hala, largaos, ¿por qué no? ¡Sabandijas! —dijo Jack con voz deprimida.

Art apenas podía distinguir al último pasajero, quien se agachó y recogió algunas de las balas que Jack Cuckoo había disparado, devolviéndoselas con buenos modales.

—Gracias. Chupasangres sin escrúpulos, ¡menuda educación! Ahora, dame ese anillo que llevas.

El último pasajero, bajo su sombrero, tenía el pelo de un color increíblemente brillante, de una blancura que ni tan sólo los polvos de talco hubieran conseguido, casi incluso como la misma nieve. Art pensó que se trataba de un anciano, pero luego, cuando lo escuchó hablar, se dio cuenta de que su voz sonaba joven, como la de un muchacho de dieciocho años. Su voz era muy educada y a la vez musical.

—La verdad es que este anillo no vale mucho, ¿sabe?

—¿No es un rubí?

—Me temo que no. Es un simple cristal. Soy un artista de poca monta.

—¿Cristal? A ver, continúe. —Jack Cuckoo se inclinó peligrosamente desde su viejo caballo y echó un vistazo al anillo del pasajero—. Bueno, a ver, ¿qué más tiene?

—De hecho, tan sólo la ropa que llevo encima. Y créame que tampoco vale mucho.

—Venga, un caballero como usted...

—Bueno, no es exactamente así. Soy más pobre que una rata.

—Lo habría podido hacer muchísimo mejor —observó el caballero Jack Cuckoo—, si mi muñequita hubiera estado conmigo. Doll Muslin, ¿la conoce? Ella sabe muy bien cómo robar un carruaje y sacarle algo que valga la pena. Pero es Navidad —dijo Jack Cuckoo con aire triste—, y dijo que cocinaría algo para cenar. Sabe de sobras que a mí me encanta hacer ese tipo de cosas, pero no, es Jack el que tiene que salir fuera y robar al dichoso carruaje que va a Lundres. Ya verás qué nochecita de Navidad me espera, se me va a echar encima cuando me vea.

—Tome, es mi última moneda.

—No, no. Guárdesela, yo mejor sigo mi camino.

—Quizá debería intentar trabajar en algo diferente, Jack.

—¿Como qué? Como pasar hambre, supongo.

La nieve empezaba a caer otra vez mientras el bandido se subía a su caballo. Sus siluetas se desvanecían en la oscuridad de la carretera mientras se dirigían al pequeño montículo. De repente, el caballo y el jinete se tambalearon y segundos después se cayeron, el ladrón tenía los ojos rojos y no paraba de gruñir. Les faltó muy poco para golpear a Art mientras ésta corría en su dirección. De improviso algo cayó y chocó contra los pies de Art como si fuera un regalo del cielo. Pensó que sería un ladrillo que se había desprendido del tejado de la casita donde había estado refugiada. Pero no lo era.

El segundo buen augurio.

Art se dio la vuelta y miró con atención y con dureza a la única figura que quedaba en la carretera.

Le gustaba la ropa que llevaba y excepto por un pequeño detalle no eran todas de color negro y con hollín.

De un salto brincó de la caseta donde estaba y aterrizó, con ambos pies, como si fuera un gato ágil y habilidoso, a unos dos pasos detrás de él.

De repente, el joven se dio la vuelta bruscamente hacia ella y la miró fijamente, con unos ojos como platos.

Art lo inspeccionó con la mirada. Tenía el rostro más bello que jamás había contemplado, incluso más que el de los galantes piratas de su madre. Además, su aspecto resultaba de lo más atractivo. Art no daba crédito a lo que estaba viendo. Y su pelo largo sí era real, tampoco estaba empolvado, era blanco como el mismo hielo.

—Hola —le dijo Art—, ¡en guardia!

—¡Oh! —contestó el joven, carraspeó y continuó—. Así que tú eres el famoso bandido.

—Ése soy yo —dijo Art. Y con un impecable movimiento rápido de muñeca, sacó la pistola que Jack Cuckoo había dejado caer con torpeza y sin darse cuenta a sus pies. Tenía la cabeza ladeada y colocada perfectamente para poder ver con claridad el encantador rostro del joven. Él era unos cinco centímetros más alto que ella, pero por otra parte tan sólo era un poco más grande en lo que a envergadura se refiere.

Tenía unos ojos azules intensos y, mirándola fijamente, parecía que creyera que ella era un muchacho, o como él, un jovencito. El hecho de que Art llevara el rostro cubierto de hollín hacía que fuera muy fácil pensar que era el enmascarado Jack Cuckoo.

—Bien, le cogeré —empezó Art— su abrigo y su capa.

—Debe estar de broma.

—¡Quíteselos!

—¿Con este tiempo?

—¿Quiere que le dispare? —le preguntó Art cortésmente—. Ahórrenos tiempo a los dos.

—No, por favor. Si lo hiciera, probablemente agujerearía el abrigo.

—Entonces, lo mejor será que se lo quite. A cambio le daré el mío. No se congelará, pues yo no lo he hecho. Lo llevaré a una caseta que hay ahí arriba, cómoda y agradable. También aceptaré su sombrero.

—Vil traidor —dijo el pasajero en voz baja, quitándose la capa y el abrigo y entregándoselos a ella.

Sus manos eran finas y delicadas, a pesar de que las uñas las tenía de un color sucio, pintadas quizá, pues había mencionado antes que era artista. Art se dio cuenta de que la camiseta que llevaba parecía desgastada, pero se notaba que era de buena calidad y que tiempo atrás habría costado una fortuna.

Art extendió la mano y rozó el anillo que el joven llevaba puesto.

—Y esto, también me lo llevo.

—Pero no es...

—Sí que lo es. He visto suficientes piedras preciosas para saber cuándo un rubí es verdadero a simple vista.

Art se quitó el abrigo lleno de hollín que llevaba puesto y se lo tiró al chico mientras se vestía con las prendas ajenas que aún estaban calientes, pues el joven acababa de desprenderse de ellas y ahora parecía estar congelado. Pero tampoco estaba demasiado preocupada por él, pues cuando el chico escapara de la pequeña caseta encontraría sin problemas el pueblo de Hare Bridge, que quedaba muy cerca de allí.

—Era —dijo el pasajero— el anillo de mi padre.

—Ya, de su padre. ¿Acaso eso importa?

—Sí —dijo el pasajero cabizbajo—, sí que importa.

—Entonces, quédese con el anillo.

El paseo hasta el montículo donde se encontraba el pequeño refugio fue realmente muy pesado. Mientras ascendían por el valle nevado, él se comportaba como un absoluto zoquete recogiendo hongos y diversas plantas, cosa que llevó a Art a pensar que quizá estaba intentando embaucarla con alguno de sus trucos. Ella lo apuntó con la pistola directamente a su cabeza, ahora sin el sombrero, recubierta por todo ese cabello maravilloso, y él le lanzó una soberbia mirada de dolor.

Finalmente, lograron llegar al refugio. Art abrió la puerta de una patada y lo empujó hacia adentro.

Realmente era un lugar deprimente y además sin fuego, lo que le hacía parecer mucho más sombrío y a la vez siniestro. Pobre chico.

—Se quedará aquí hasta que las campanas de las iglesias anuncien las siete en punto. ¿Lo ha entendido?

—Me quedaré aquí dentro, tiene mi palabra de honor.

—Se lo voy a decir así de claro: si me sigue, o sigue al carruaje, le dispararé a muerte. Tan sólo necesitaré una bala, y créame, jamás fallo, señor.

—Me lo imagino. Pero ¿qué explicación les daría a las personas que lo vieran asesinarme tan alegremente?

—Simplemente les diría que usted era un cómplice del caballero Jack Cuckoo. Después de todo, usted era el único que se quedó con él cuando el resto de los pasajeros huyó corriendo.

—Fue por educación. Él no tenía la intención de hacer daño a nadie, era obvio, y además parecía fastidiarle hacer eso.

—¿Quién piensa usted que creería que se quedó por eso?

—¿Usted?

—Me da lástima —le dijo Art. Después cerró la puerta a su prisionero y por si acaso la bloqueó con la nieve que había posada en la rama rota de un árbol.

49

Fuera de la caseta, la joven se limpió el rostro que aún tenía cubierto de hollín y de repente le pareció escuchar al hombre a quien había robado canturrear. Éste continuó cantando, y Art empezó a pensar que realmente tenía una voz muy melódica. Entonces, de repente, a Art le dio un salto el corazón: ella conocía esa canción, aunque no sabía de qué. Pero ahora no tenía tiempo para pensar en eso, así que se echó a correr por la carretera confiando en que alguien habría detenido a los caballos y al conductor y que, después de todos los alborotos, el carruaje aún no habría partido camino a Lundres.

Por supuesto, ella jamás le hubiera disparado.

El tañer de las campanas en la mañana de Navidad despertó al joven Felix Phoenix. Abrió sus maravillosos ojos azules y miró a su alrededor, un tanto sorprendido de encontrarse en una caseta medio en ruinas al lado de las cenizas de un fuego que, sin éxito, había intentado encender en la chimenea.

Alguna criatura extraña había estado brincando justo detrás suyo esa noche, algo como una cría de leopardo, que tenía una mirada como de acero. Eso era lo que le había encerrado ahí dentro.

De todas maneras, había prometido no escaparse del refugio hasta que fueran las siete, y ahora, según las campanas, ya eran las ocho de la mañana.

—Feliz Navidad, Felix —se dijo a sí mismo afligido, deslizando una mano por su cabello blanco como la nieve.

Intentó abrir la puerta con una patada después de haberlo probado en varias ocasiones de la forma usual, con la mano.

Afortunadamente, el abrigo lleno de hollín que la criatura le había dado a cambio de sus pertenencias había resultado ser bastante caliente. Una vez en el exterior, empezó a correr enérgicamente hasta alcanzar el pueblo sin demasiados esfuerzos. El sol brillaba con fuerza y el cielo estaba completamente azul.

Justo a las afueras de Hare Bridge, Felix se encontró con una muchedumbre de gente rodeada de maletas en la parada donde supuestamente debía llegar el carruaje, a pesar de que allí no había carruaje alguno. Sin duda, ya hacía tiempo que había partido, con el leopardo en su interior y con su capa, su abrigo y su sombrero.

La gente, al ver a Felix, se dio la vuelta y lo miró detenidamente. Tan sólo había silencio. De repente, gritos, palabrotas e insultos empezaron a emerger del gentío. Los fornidos granjeros empezaron a rodearle.

—Hola —dijo Felix.

—¡Es él! ¡Es el caballero Jack Cuckoo!

Un cúmulo de acusaciones empezaron a revolotear a su alrededor, como cuervos volando a baja altura.

—No, de hecho creo que... —intentó decir razonablemente Felix.

—O quizá sea su cómplice, su maldito cómplice —dijo entre dientes una mujer corpulenta y con delantal—. Es peor que el mismísimo Jack.

—Este...

—... se come a mordiscos las narices...

—... se come las ruedas de los carruajes...

—¡Un demonio!

El leopardo le había mentido, pensó Felix.

A continuación, se protegió la cabeza con los brazos, se abrió paso a empujones entre la muchedumbre y salió corriendo por la carretera. Un primer patinazo por el hielo que había en el suelo le deslizó bastante lejos, pero en cuanto se enderezó pudo comprobar que esa gente ya había iniciado su caza. Entonces, salió de la carretera que conducía a Lundres y se adentró en el bosque, injustamente acusado y perseguido por todos los huéspedes de Hare Bridge, que no cesaban de abuchearlo.

51

Capítulo II

1. Pistolas para dos, ¿café para quién?

Durante todo el camino hacia Lundres el amarillento perro no paró de ladrar. ¿De quién era? Parecía no tener dueño. Puede que él mismo se pagara su billete.

Art estaba ojo avizor y vigilante, no se fiaba ni un pelo de los otros cinco pasajeros que la acompañaban. Tres de ellos parecían pensar que ella era el encantador joven caballero, el señor Phoenix, el mismo que un día antes había viajado junto a ellos, los otros dos pasajeros sospechaban que era tan sólo lo que se veía a simple vista, una impostora que había robado los ropajes del encantador señor Phoenix y que ahora se los había apropiado y los llevaba puestos.

Art no musitó palabra durante todo el viaje. Deslizó su «supuesto» sombrero hacia abajo, de manera que su rostro quedaba cubierto y así podía aparentar que estaba dormida, aunque en realidad en ningún momento cerró los ojos.

A los caballos, que tan sólo habían galopado hasta la

parada de Hare Bridge, se les había dado avena y ahora estaban de un humor bárbaro, con lo que el carruaje había cogido una velocidad considerable. La noche se iba desvaneciendo dando lugar a un alegre abanico de colores invernales: la nieve parecía seda, como mármol recién tallado, el cielo era de color turquesa y todos los tilos estaban cubiertos por un suave manto de nieve que los rayos del sol perfilaban con una delgada línea dorada. Las campanas sonaban por todos los lugares. Ya era Navidad. Con su peculiar espíritu navideño, los pasajeros se quejaban, refunfuñaban y gritaban al darse cuenta de que llegarían tarde a la celebración de las comidas familiares.

El paisaje mostraba extensos campos y pueblos que parecían de juguete bañados por los níveos copos de nieve, y éstos parecían multiplicarse a ritmo constante según iban desplazándose. Pero, poco a poco, este panorama navideño sacado de un cuento de hadas se fue convirtiendo en un paisaje más sucio y las callejuelas de los pueblos empezaron a apiñarse como caimanes escamosos. Para entonces, en el horizonte apareció la ciudad de Lundres, que se alzaba en la distancia como un cuadro pintado al óleo.

¿Había estado ahí Art alguna vez? No estaba del todo segura. El pueblo que mejor conocía y que se encontraba a unos doscientos kilómetros hacia el suroeste se llamaba Port Mouth. Allí se había construido un canal por el que no se debía pagar impuestos y además era un lugar de grandes embarcaciones, algunas de ellas embarcaciones piratas secretas.

Art sacó la cabeza por la ventanilla del carruaje, al

igual que los otros cinco pasajeros y, cómo no, el perro. Entonces pudieron ver: una media naranja dorada, aún con la cáscara, en la cúpula de la catedral de San Paulus; la cúspide del Puente de Lundres; el rojo y el blanco de la Torre de Lundres, donde se rumoreaba que guardaban las antiguas joyas de la corona y también leones; el negro portón de Monk; mercados grasientos y el pantanoso barrio de Sheerditch.

El carruaje llegó a su destino final bajo el grandioso reloj de la Cruz de la Santa Caridad, en la playa del Tamsis. Entonces, el conductor empezó a presumir de la hora a la que había alcanzado llegar a su destino, pues tan sólo pasaban cinco minutos del mediodía.

En cuanto al perro, cuando los pasajeros empezaron a apearse de uno en uno del carruaje, él también lo hizo. Meneando la cola y bastante solo, su silueta fue desapareciendo a medida que se adentraba por las callejuelas.

Art permaneció de pie en la orilla cuando de repente una oleada de carruajes la salpicó al pasar por encima de la nieve casi derretida. Se encontraba en medio de una muchedumbre y rodeada por altísimos edificios en la parte más baja del río Tamsis. El río era azulado y sus orillas estaban rodeadas de monumentos de granito y estatuas. El grueso hielo se había aposentado sobre sus aguas, flotando en pedazos entre los diversos barcos.

—¿La Taberna del Café? —El hombre miró a Art con los ojos entornados cuando ésta le preguntó por el lugar y le respondió:

—Es como un grano en el culo, como un orzuelo. Camas como pasteles, pasteles como camas, pulgas tanto en los pasteles como en las camas. Tienes que ir al barrio oeste, y una vez estés allí preguntas por la avenida Ramble.

Art dio media vuelta y se dirigió hacia la zona oeste de la ciudad.

Las campanas de la iglesia de St. Martins in the Fields, situada en el centro de la ciudad, tocaban magníficamente detrás de ella, sobre una pradera cubierta de nieve. El republicano Jack de la Inglaterra Libre se podía contemplar desde casi todos los campanarios de las iglesias y tejados de las casas de color rojo, blanco, verde, amarillo y azul.

Art dio tan sólo una rápida ojeada a Lundres a pesar de que era una apasionante y ruidosa ciudad, pues tenía cosas que hacer.

En el interior de La Taberna del Café, o al menos lo que la puerta entreabierta dejaba descubrir, había una atmósfera marrón por el humo del café y de las cenizas de las pipas de tabaco.

Por encima de la puerta colgaba un cartel con forma de una tinaja repleta de granos de café, y debajo de éste, se encontraba el perro amarillento, ladrando en el umbral.

Al ver a Art, el perro meneó la cola y después se precipitó directamente hacia el interior de la taberna. En el interior, figuras sombrías se tambaleaban y se maldecían las unas a las otras mientras el perro corría disparado entre ellas, doblando una esquina de color marrón oscuro más allá de la cual había una ventana que dejaba entrar una luz brillante. Fue entonces cuando se escucharon enormes chillidos que le daban la bienvenida al perro:

—¡*Muck*! ¡*Muck*!

De repente, Art se quedó paralizada. No daba crédito a lo que escuchaba. Conocía esa voz.

—Oye, éste es *Muck*, el perro más limpio de toda Inglaterra.

—¿Dónde has estado, viejo amigo?

—Pásame el café, Walt. Le daremos un plato al perro.

Art los conocía a todos y cada uno de ellos.

Se fue adentrando en la taberna poco a poco, y se colocó en un rincón. Los bebedores cafeteros estaban sentados con la espalda encorvada de forma que no podían descubrirla. En un lado se estaba celebrando un combate de lucha libre en el suelo. Una jovencita, no se sabe cómo, llevaba diez jarras rebosantes de café, pero, a pesar de todo, era un lugar sombrío. Estimulados por la cafeína, como si fueran alondras, los clientes canturreaban pesadas y estridentes canciones para luego volver a arrellanarse con sus jarras. Todo el mundo estaba concentrado en su vaso.

Art se plantó delante de una larga mesa, alrededor de la cual estaban sentados todos esos hombres.

Salt Walter, un joven que ahora tendría la mayoría de edad con una fogosa cabellera que incluso brillaba en la oscuridad; Salt Peter, su hermano, un hombre de unos veinte años y experto en cañones; también estaban Dirk, Whuskery, el segundo oficial Ebad Vooms (más negro que el carbón) y Eerie O'Shea, tercer oficial.

Art tardó unos instantes hasta que sus ojos se adecuaron a la nueva intensidad de luz. Ahora los podía ver mucho mejor, a pesar de que ninguno de ellos la había visto aún.

Art no podía pronunciar palabra. Sentía cómo los latidos de su corazón eran lentos e impetuosos.

Esos hombres iban vestidos con ropajes de piratas, tal y como ella los recordaba: camisetas con bordados rasgados y cordones, abrigos remendados con parches de colores y con borlas y trenzas doradas, botas altas de color negro, cinturones anchos de los que colgaban cuchillos, cinturones de balas atiborrados de pistolas, pedreñales y alfanjes pendidos de sus caderas. Sombreros de tres picos, plumas, joyas, pendientes de aros y lentejuelas del tamaño de la oreja de un pirata.

58

—El perro está más ansioso por el café que tú, Ebad. Se lo ha zampado todo. —Eerie se giró para pedir más café y fue entonces cuando se dio cuenta de que una persona estaba detrás de él.

Entonces Art dijo, con voz gélida y clara y con el corazón latiéndole con fuerza:

—El perro ha llegado hoy desde Rowhampton. Debe de estar sediento.

—¡Por todos los demonios!

—¡Por...!

Empezaron a dar saltos súbitamente, brincando de un taburete a otro, sin dar crédito a lo que veían.

Se colocaron en semicírculo alrededor de la mesa. Concretamente eran seis hombres, seis hombres que miraban atónitos a Art. Uno por cada año que había estado encarcelada en la Academia de Ángeles.

Nadie musitó palabra.

De repente, emergió de la nada otra canción:

Bebed el sabroso café, dulce y marrón
Sobre el Puente de Lundres caerá un chaparrón

—¡Por todos los dioses! —exclamó Ebad Vooms. Y suavemente murmuró—: Es Molly Faith.

—Sí —contestó incrédulo Salt Walter con los ojos como platos soperos—. ¡Es un fantasma!

Art hizo caso omiso y fue Eerie quien dijo:

—Ésta no es Molly, no puede ser Molly.

—No —contestó entonces Art—, es la hija de Molly.

De repente, algo con la cabeza como una fregona mojada descendió de las húmedas vigas y aterrizó justo en el hombro de Art. Realmente, no le sobresaltó ese hecho, y menos después de todo lo que había sucedido. Giró la cabeza y vio los ojos color gris perla del loro de Molly, *Plunqwette*.

—¡Piezas de ocho! —dijo el loro—. ¡Polly quiere un dólar!

—Buena chica —dijo Art, quien tenía algo en la garganta y carraspeaba. Pestañeó tan sólo una vez, y eso fue todo.

Pero, en la mesa, *Muck* empezó de nuevo a ladrar, y el loro, que salió volando del hombro de Art, se lanzó directamente para picotear al amarillento perro.

De pronto, plumas de colores y pelos de perro empezaron a revolotear por el aire mientras tazas de café rodaban por el suelo y se hacían añicos.

—¡Pelea de gallos! —gritó la muchedumbre cafetera, y se levantaron de la mesa para hacer sus apuestas.

—¡El amarillo! ¡Mira, mira!

—¡Qué va! ¡El verde!

En ese momento se acercó el encargado de la taberna, quejándose por la vajilla rota:

—Ah, sois vosotros, cómo no. Maldita plaga de andrajosos.

—No nos puedes tocar un pelo —le dijo Salt Walter, mientras hacía cabriolas sobre las mesas, entre las trizas de la vajilla china y la pelea entre el perro y el loro.

—Ahora somos la Tripulación del Café —le dijo Salt Peter a Art.

—Café Pirata, cielo —añadió Dirk.

Art no entendía nada, pero tampoco ellos entendían qué hacía ella en un lugar como ése, así que se podría decir que estaban en paz. Entonces, tan pronto como Art se sentó, le sirvieron una taza de café.

—Cuando aquello pasó —dijo Ebad—, después de eso...

—Te refieres a cuando nuestro barco se hundió —prosiguió Art.

—Bueno, es una manera de hablar.

—Era el barco de Molly —apuntó Walter, quien a continuación rompió a llorar mientras su hermano le quitaba la taza de café puro para que no quedara salado.

—La verdad es que Molly fue una gran pérdida

para todos nosotros —dijo Eerie mientras se sonaba la nariz—. Una gran pérdida para nosotros y para todo el mundo.

—Y después de eso, bueno, en realidad hemos estado perdiendo el tiempo. La más elegante tripulación... por dios, ¿por qué nosotros? Hemos cambiado de trabajo y, en fin, sin hacer nada de provecho.

—Sobrevivisteis —dijo Art.

—Eso es cierto, realmente cierto.

—Pero ¿cómo lo lograsteis?

Todos la miraban sorprendidos. Ahora, en esa penumbra color chocolate que quedaba más allá de la deslumbrante ventana, todo el mundo veía perfectamente a todo el mundo. Incluso *Muck* y *Plunqwette* habían parado de pelearse y, molestos, los jugadores que participaban en la pelea de gallos se habían marchado.

—Hicimos esto y aquello —dijo Dirk—, bueno, corramos un tupido velo y hablemos de otra cosa.

Whuskery se limpió la espuma del café depositada en su maravilloso bigote color azul oscuro y añadió:

—Nos mantuvimos unidos, somos como una gran familia... una gran familia feliz.

—¿Por qué no intentasteis conseguir otro barco? —preguntó Art.

—¿Qué?

—Si lograsteis sobrevivir cuando la *Inoportuna* se hundió...

—Nadie —comentó Ebad— nos hubiera dejado tener otro barco.

—Molly hubiera conseguido otro —afirmó Art con entereza.

—En eso llevas toda la razón. Molly era capaz de hacer cualquier cosa. Nos cuidaba mucho —se lamentó Eerie—, incluso mejor que cualquier hermana. Era como una madre para nosotros.

Alzaron sus tazas y brindaron en honor de Molly. Incluso *Muck* brindó por ello. Tan sólo *Plunqwette* estaba sentada aislada, arreglándose las despeinadas plumas color verde y rojo. Entonces Art preguntó:

—Pero ¿qué pasó con el resto de la flota de Molly?

Nadie contestó. La miraban de una forma muy peculiar. Finalmente Ebad se aventuró a decir:

—¿Su flota?

—Sí, Ebad. Por lo menos había quince embarcaciones, ¿no? ¿Ninguna acudió en vuestra ayuda? ¿Eso fue lo que pasó? —Ebad la miraba fijamente, estupefacto como si de repente estuviera hablándole en otro idioma. Art entonces pensó: «¿Qué le pasa a éste? Seguramente el resto de la tripulación pirata abandonó la *Inoportuna Forastera* y su buque insignia la dejó en manos de la suerte». No entendía por qué a esos hombres les costaba tanto hablar de ello.

En este nuevo silencio que se había formado, Eerie acabó de confirmar las sospechas de Art exclamando en un tono de voz falso:

—Pero háblanos de ti, Art. Tu padre te acogió, ¿verdad? Después de... después de que nos hundiéramos.

Art frunció el ceño.

—¡Por todos los mares! —dijo Salt Walter—. Miradla, es clavadita a su ma...

—Incluso más Molly que la mismísima Molly —afirmó Eerie.

—Tu padre, ¿ha cuidado bien de ti todos estos años? —preguntó resoplando Salt Walter.

Art arrojó su taza de café al suelo con ferocidad.

—Escuchad. He pasado años encerrada en una cárcel por culpa de mi padre.

—¿En una cárcel?

—Sí, una escuela que se dedica a refinar a las jovencitas para hacer de ellas distinguidas señoritas. Mi padre es un monstruo.

—Ah, Molly también lo decía.

—Olvidé todo mi pasado. A vosotros, a ella, a nuestro cañón, la *Duquesa*... aquel estallido me hizo olvidarlo todo, pero ahora...

—Bueno —dijo Ebad mientras asentía con la cabeza—, eso lo explica todo. No temas, nosotros cuidaremos de ti. Por los mares y los cielos que lo haremos.

—Señor Vooms, yo no necesito que me cuiden —contestó Art mientras los miraba fijamente uno a uno—. Yo seré quien cuide de vosotros.

Nadie contestó.

Art podía escuchar cómo sus mentes susurraban al unísono diciendo: «Ella no es Molly Faith».

—Nosotros tenemos ahora un trabajo —saltó de repente Eerie.

—¿Y en qué consiste?

—Ayudamos a vender café.

—Café Pirata —añadió Salt Peter—. Podemos beber todo lo que queramos mientras hagamos publicidad y además nos dan alojamiento, comida y algo suelto para meternos en el bolsillo. Resulta igual de agradable que un pañuelo de seda al tacto.

Art giró la cabeza y empezó a reírse a carcajadas.

—¿Que vosotros, qué?

Enormes lágrimas se deslizaban por el rostro de Salt Walter, quien con una sonrisa de oreja a oreja trinaba:

La nueva bebida, el Café Pirata es,
Si lo pruebas, verás qué exquisitez,
Sube con nosotros y te sorprenderás,
No te arrepentirás.

—¡Cállate!—ordenó Art—. Yo os diré qué vamos a hacer. —Los piratas esperaban con inquietud hasta que finalmente Art añadió—: Vamos a volver al mar.

—Eh... Art... es que... ¿el mar?

—¿Es que jamás ha oído hablar de él, señor Salt? Ya veo. Habéis perdido todo vuestro valor, pero no importa. La tripulación de Molly era la más magnífica de los Siete Mares. Vuestro coraje volverá a salir a flote, os lo prometo. Cogeremos una embarcación y la llamaremos la segunda *Inoportuna Forastera*. Nos haremos ricos gracias a nuestra astucia y a nuestros planes, y no utilizaremos la crueldad ni la maldad. Actuaremos tal y como Molly lo hizo en su tiempo.

Ahora un silencio total se cernía entre ellos e incluso Art pensó que jamás volverían a pronunciar palabra. Segundos después, muy débilmente, Eerie dijo:

—De hecho, ya tenemos una especie de barco.

—El Barco del Café —exclamó Salt Walter, quien se sonrojó hasta tal punto que las mejillas cobraron el mismo color que el de su cabello, o incluso el color de las rojizas plumas del loro. Incluso en la oscuridad Art podía darse cuenta de ello.

—Tienes que entender que tan sólo es publicidad —aclaró Ebad con seriedad—. Navegamos a través del río Tamsis hasta llegar al alegre Grinwich, después descendemos por éste en dirección a la costa oeste, quizá hasta Port Mouth. Sí, somos piratas, pero de los que hacen publicidad al Café Pirata, ¿me estás siguiendo?

Felix descubrió horas después cuál había sido el malentendido cuando vio su rostro reflejado en una moneda de plata. Entonces se dio cuenta de que el leopardo que lo había asaltado y que le había robado el abrigo, la capa y el sombrero no había dado falsas informaciones a las gentes de Hare Bridge. Fue precisamente él quien, sin querer, lo había hecho.

El hecho de que apareciera justo después de que el caballero Jack Cuckoo hubiera detenido un carruaje e intentado robar a los pasajeros de éste provocó que Felix, quien en ese momento llevaba una antigua capa remendada y algo sobre sus ojos que parecía ser una media máscara, diera una impresión equivocada.

La máscara estaba manchada de hollín del fuego que había intentado encender en la pequeña caseta, o incluso, a juzgar por su abrigo, parecía que se hubiera metido por una chimenea. Y por supuesto, a pesar de que él no pudo verse en el espejo esa mañana, el gentío sí que lo había visto...

Felix recorrió kilómetros.

Resbalaba y se deslizaba, patinaba por gráciles colinas, chocaba contra los árboles, se caía, se levantaba y emprendía de nuevo la carrera.

Al fin perdió de vista a la muchedumbre. Probablemente tuvo suerte, aunque también pensó que había estado corriendo en todas las direcciones posibles, ahora este, ahora norte, y que además se había caído en matorrales nevados, se había deslizado a cien kilómetros por hora por muchas colinas que nadie, en su sano juicio, hubiera descendido a no ser que tuviera muchísimo cuidado. Así que había podido perder de vista a la muchedumbre porque ésta tenía más juicio que él.

Cuando finalmente se dio cuenta de que había logrado escapar, Felix se detuvo pensativo durante unos instantes apoyado en un árbol. Estaba magullado y golpeado, pero aun así estaba de una sola pieza. Se rio ligeramente de sí mismo, del mundo entero, intentó enderezarse el sombrero, pero se volvió a dar cuenta de que ya no tenía sombrero, caminó por un campo cubierto de nieve rodeado por árboles y fue directo hacia...

—¡Ahí está! Llega muy tarde, señor. ¿Se puede saber por qué?

—Por nada —contestó Felix mirando a los cinco elegantes caballeros, quienes tenían una expresión de desagrado. En la mesa había botellas de brandy, vendajes y un cofre abierto con dos bonitas y brillantes pistolas con incrustaciones.

—¿Nada? ¿Está siendo sincero con nosotros, señor? ¿Eh, señor?

Felix esperó con cautela.

—Miradlo. Acaba de estar en un baile y se ha olvidado de la máscara. ¿Acaso no sabe cuál es su función aquí? ¡Cría cuervos y te sacarán los ojos! ¿Se le ha comido la lengua el gato, o qué?

—Puede ser.

—Así que al señorito se le ha comido la lengua el gato, ¿eh?

Uno de los hombres se dirigió a él dando grandes zancadas y le lanzó una mirada feroz.

—Este tío me da mala espina. No me fiaría de él ni siquiera para que me hiciera un absurdo recado, así que mucho menos para que sea el cirujano de este duelo.

Ah, un duelo. Ahora entendía por qué estaban las pistolas sobre la mesa. Entonces Felix dijo:

—Yo no soy...

—No es el qué, a ver. ¡Suéltelo!

—Eso, dese prisa. Quiero endiñarle una bala a éste entre ceja y ceja aquí y ahora, y salir pitando para llegar a tiempo a mi cena de Navidad. Ya hemos perdido demasiado tiempo esperándolo, concretamente más de una hora.

—Yo no soy cirujano.

—Ahora nos salta con que no es cirujano. ¡Rayos! Entonces, ¿qué eres?

En ese momento, el otro hombre que participaba en el duelo y que había comentado lo de su cena de Navidad se acercó dando pisotones.

—Yo he sido quien ha organizado este duelo para hoy y quien contrató sus servicios anoche, cuando Harry y yo acordamos batirnos a la mañana siguiente.

—Y desde luego que lo hiciste, Perry. Me acuerdo perfectamente. Justo después de que dijeras que yo era un tramposo jugando a las cartas y que yo te abofeteara con mis guantes y te dijera que tendría una bala lista para ti por la mañana.

Unidos como hermanos, Harry y Perry, los furiosos duelistas, empezaron a gruñir contra Felix.

—No podemos llevar a cabo un duelo sin un cirujano. Está en contra de las normas, así que va a tener que serlo y punto.

—No tengo ni idea de cirugía...

—Ni falta que hace. Uno de nosotros disparará al otro y éste no acudirá a su cena.

Dos de los hombres que estaban presentes empezaron a animar a los contendientes. El quinto hombre dijo con severidad:

—Tengo que estar en Republics a las diez en punto para arbitrar un duelo del honorable Landsir Whack. Soy un hombre ocupado, como puede ver. Además, tengo otro a mediodía.

—¿Lo ve? —intervino Harry—. Venga, hombre, no nos haga perder más tiempo. Cuanto antes acabemos mejor, así que váyase preparando.

Empujaron a Felix hacia la nevada pradera. En la blanca cima de los árboles estaban sentados los cuervos graznando y soltando carcajadas. Mientras tanto, los adversarios escogían sus pistolas.

El severo árbitro levantó su mano derecha y dijo:

—Tan sólo una bala. Espalda contra espalda, caballeros. Contaré hasta diez, que serán los pasos que daréis. Después os daréis la vuelta y dispararéis a muerte.

—Siempre me ha gustado eso —remarcó Harry amistosamente a Perry—, disparar a muerte; ten cuidado Muerte, es lo que siempre digo.

Felix estaba junto a la mesa. Los vendajes estaban esparcidos y completamente desordenados y los instrumentos de metal de las cajas parecían de la Edad Media, incluso tenían más mugre que las pistolas.

Los contendientes ya estaban espalda contra espalda, listos para la cuenta atrás e incluso bromeaban entre ellos alegremente.

—¡No! —exclamó Felix.

—¿Qué? Pero ¿qué pasa ahora?

—No quiero formar parte de todo esto. Vosotros sois amigos.

—Bueno, los amigos también pueden dispararse —comentó uno de los hombres que observaba el espectáculo de forma aburrida.

—Ya lo sé —prosiguió Felix—, está demostrado por la cantidad de asesinatos que hay en el mundo. Y yo no soy un médico, así que si os hacéis daño yo no podré ayudaros. Así que mejor dejadlo.

Los cinco hombres se dieron la vuelta para verse cara a cara con Felix, pero no lo lograron, pues Felix ya estaba de espaldas y marchándose de aquel lugar.

—¡Detened al ladrón!

Como si fueran uno solo, Harry y Perry dispararon contra la nieve, apuntándole en los pies. Los dos eran muy buenos en el arte del disparo. Las balas le rozaban el borde de las botas y la nieve burbujeaba en dobles arcos.

Después, los dos espectadores empezaron a correr

69

hasta que lo lograron atrapar y a continuación lo arrastraron hasta la mesa.

—¡No pienso hacerlo! —gritó Felix—. ¡Es una maldita estupidez!

Harry, recargando su pistola, se quedó embobado y dijo:

—Vuelve a escaparte otra vez.

Perry le dio una palmadita en la espalda a Harry y dijo:

—Está bien, jovencito. Ahora me voy a ocupar yo de esto. Escuche —añadió agarrándole la camiseta con fuerza a Felix—, o se hace pasar por cirujano o no tendré compasión con usted. Por su voz veo que es todo un caballero, así que hará lo que le digo. Voy a batirme en duelo con alguien, y usted podría ser ese alguien.

—Yo no me bato en duelo —exclamó Felix, pálido e inmóvil—, he oído por ahí cuáles son las consecuencias. Además, tampoco puedo disparar.

Harry se abrió paso entre ellos:

—Ya he tenido suficiente. Por lo más sagrado que ya he tenido suficiente. ¡Tome esto! —le espetó mientras le propinaba al chico una bofetada con su guante de piel.

—¡Y esto! ¡Y que le zurzan! —exclamó Perry abofeteando a su vez a Felix con su guante de piel.

—Ahora somos nosotros quienes le retamos a usted —añadió Harry, en un intento de explicarse mejor—. Maldito cirujano, lo haremos sin él igualmente. Escoja su arma, señor.

—No.

—O la escoge o le dispararé a muerte de todas maneras.

Felix ahora estaba completamente pálido como la nieve, lo que hacía que sus ojos parecieran de un azul tan intenso que llegaban a rozar el negro y que el color de su cabello fuera en cierta manera más vívido. Después, cruzó los brazos.

—Yo no lucho. Ni disparo. Ni soy médico.

Pero alguien puso una pistola cargada, presumiblemente, en la mano de Felix. Éste la arrojó con indignación en la nieve. Nadie se percató de lo ocurrido. Lo habían colocado de espalda contra la espalda de uno de ellos, Harry. El árbitro volvió a explicar las reglas.

—¡Ten cuidado, Muerte! —gritó Harry.

A continuación Harry caminó los diez pasos.

En cambio, Felix no. Pero, cuando acabaron de contar, se dio media vuelta y dirigió una mirada penetrante a los ojos de Harry, que relucían como balas de plata.

Harry pestañeó, se dio la vuelta mirando de reojo y disparó a quemarropa, a una distancia de tan sólo diez pasos, a Felix Phoenix.

En el momento en que la pistola escupió la bala y el ruido, Felix cayó sobre sus rodillas.

—Pero qué demonios... ¿he fallado?

Felix se sentó sobre la nieve y susurró:

—Eso parece.

Perry y los dos espectadores estaban escudriñando el suelo, intentando encontrar la otra pistola que había llegado a las manos de Felix y que éste había escondido bajo la nieve.

—¡Nunca fallo!

—Otra vez será... —susurró Felix.

—Pero se ha derrumbado —le comentó Perry a

Harry—, y ha escondido la pistola. Mejor no te enfrentes con él. Jamás he visto a un tipo que se mueva tan rápidamente como él. Aunque se ha desmayado. Cayó justo una fracción de segundo después de que tú dispararas.

Felix ya se había levantado. A Harry estaban a punto de saltarle las lágrimas. Y, en su berrinche, se negaba a ser consolado por haber fallado.

Esta vez, su mañana de Navidad se había arruinado y el espíritu navideño se había esfumado. Ni siquiera intentaron pararle los pies a Felix.

—¡Adiós y buen viaje! —gritó alguien.

A kilómetro y medio, sacó la pistola que había podido meterse, de manera inexplicable, en el bolsillo al caer. Un duelo con una sola pistola, ni siquiera Harry o Perry hubieran podido hacer lo mismo. Si Felix hubiera lanzado la pistola, quizá alguien inocente habría podido encontrarla, así que se quedaría con ella hasta que tuviera la oportunidad perfecta para deshacerse de ella, a pesar de que resultaba ser una carga muy pesada para su conciencia.

Felix estaba deprimido. Estaba desconcertado examinando la pistola. Y fue entonces, en el resplandor plateado del arma, cuando de nuevo vio repentinamente el tenue reflejo de su rostro, con la media máscara de hollín que le hacía parecerse al ladrón.

Ebad Vooms hizo una pausa mientras echaba la vista atrás por toda la avenida Ramble, y fue entonces cuando distinguió a una alta y esbelta jovencita que vestía como un alto y esbelto jovencito. Salt Walter y Peter caminaban junto a ella y Dirk, Whuskery y *Muck* también. El loro no paraba de dar vueltas sin sentido a su alrededor, molestando a las palomas lundinenses.

Sí, realmente Art se parecía mucho a Molly, aunque el tono del cabello de Molly era más rojizo y el verde de sus ojos más intenso. Sin embargo, Art era más alta. Ebad recordaba perfectamente la estatura de Molly, quien parecía más alta por sus larguísimas piernas. En realidad, Art era casi como Molly. Lo difícil sería...

—¿Está chiflada? —preguntó Eerie, algo melancólico, a Ebad.

—Qué va. Le viene de cuando el cañón estalló. Le hizo muchísimo daño y le afectó a la memoria, según dice.

—Eso fue hace seis años, Ebad. Seis largos años.

—La chica dice que no se acordaba absolutamente de nada hasta ayer por la mañana.

—Dale un poco de tiempo entonces —dijo Eerie.

—Tiempo y marea no esperan a nadie.

—Así es.

2. Hundiendo a Molly

Tomaron el carruaje de caballos hasta Grain Dock. Diez caballos tiraban del vehículo abarrotado de pasajeros que viajaban el día de Navidad, cuyas cestas estaban a rebosar de gansos, algunos aún sin cocinar y otros ya listos para la cena, de botellas, de mandarinas y de regalos atados con cintas doradas. Un enorme árbol de Navidad ocupaba casi cuatro asientos delanteros. La atmósfera estaba cargada de la esencia de la madera de pino, de humos, de excrementos de caballo, de cenas navideñas en todas sus etapas culinarias y de púdines cociéndose en pastelerías a lo largo de toda la calle.

—Ni siquiera tenemos un triste pedazo de pastel de carne con frutas... —se lamentó Eerie.

—Ninguno de nosotros celebrará las navidades.

—Así es la vida de los anunciantes.

En Grain Dock la nieve se amontonaba en ambos lados de la escalera y el hielo, de un grosor considerable, se incrustaba en el dique. Los barcos se mantenían a una cierta distancia del río, con sus mástiles desnudos como árboles invernales. La mayoría de los tripulantes eran hombres comerciantes que parecían estar oxidados y su ruta consistía en ascender y descender el río Tamsis con cargas pesadas y macizas que les imposibilitaban ejercer de piratas.

Art sentía mucha curiosidad por el barco del que le habían hablado. ¿Le serviría de algo? Todos se habían referido a esa embarcación como «el barco del café», y no como «la embarcación del café», así que no prometía mucho. Pero por lo que había comentado Ebad, el velero supuestamente navegaba no sólo por el río, sino que además lo hacía por toda la costa sur, llegando incluso hasta Port Mouth. Así que, al menos, algo de provecho sí que le podía sacar.

Pero Art no se sentía segura, no estaba feliz. Había algo que le hacía dudar de la tripulación de su madre. En seis años habían perdido toda su energía, pero no

sólo eso. En otro tiempo habían sido los piratas más famosos y célebres del mundo y ahora, ¿cómo era posible
que estos hombres deambularan por las calles lundinenses y trabajaran de anunciantes de café? Algunos
puertos, como por ejemplo el de Port Mouth, eran muy
permisivos con ellos y les dejaban ir y venir a la vez
que disfrutaban de las pícaras inglesas ricas venidas de
Inglaterra. Pero en Lundres no era lo mismo. En la capital, la ley se imponía como si fuera el mismísimo Jack
el Republicano. El destino de cualquier pirata, como el
de cualquier vulgar ladrón, era, una vez capturado, enfrentarse a un juicio en la cárcel de Oldengate para después ser ejecutado en el muelle de Execution.

Y allí estaban, sin pasar desapercibidos y más anchos que panchos caminando libremente.

¿Acaso les habían perdonado? ¿O es que se habían
vuelto locos?

¿Se habían vuelto locos cuando al fin ella se había
vuelto cuerda?

Ella no les había presionado mucho y ahora los miraba con atención. Una oscura desconfianza se había
apoderado de Art. Realmente ella no esperaba encontrar ni tan sólo a uno de ellos tan pronto, y menos aún
encontrarlos a todos tan repentinamente para luego...
verlos así.

Debía esperar, observar y comprender.

Después, el barco llegó remolcado hasta el muelle.

Oh, dios mío. El barco.

—Aquí tienes un bonito barco.

—Eso... ¿es vuestro? —preguntó Art.

—Es el *Café Pirata* —contestó Salt Walter.

Y realmente lo era.

Estaba pintado de marrón café, con líneas rojas y amarillas brillantes. Era como una especie de barco pirata pero en miniatura. Tan sólo medía nueve metros de popa a proa, los mástiles eran delgados y de poca altura y las velas eran de un color crema que parecían un escupitajo que la primera ráfaga de viento hubiera echado sobre ellas. A un lado del barco estaba escrito su nombre, *Café Pirata*. Bajo el bauprés se asomaba la figura de la cabeza de una dama sujetando una cafetera. Y lo peor de todo era que en el *Café Pirata* ondeaba la bandera de Jolly Roger. Art lo miraba atónita, no daba crédito a lo que estaba viendo. En un fondo negro estaba pintada, en vez de la calavera, una taza de café de porcelana china con dos cucharitas de café cruzadas.

—Si os montáis en esa cosa —dijo con voz áspera la joven—, la maldición de cada océano caerá sobre vuestras cabezas.

—No te desanimes, Art —dijo Ebad con un tono de voz muy forzado.

Entonces Art se dio cuenta de que ya era demasiado tarde. La maldición ya los acompañaba, pues una pequeña parte de la tripulación de Molly ya estaba a bordo. En la barandilla del barco, se asomaban otros dos rostros conocidos del pasado: el malhumorado Black Knack con su barba negra y con un parche negro sobre un ojo y Honest Liar, de cara redonda como una hogaza, con un pañuelo rojo y con aros en las orejas.

—¡Adelante, camaradas!

—¡Deteneos, babosas marinas! No sois bienvenidos a bordo.

Muck ladraba.

—¡Cállate! —le gritó Art injustamente. Aun así, *Muck* empezó a brincar por toda la pasarela mientras el loro de Molly sobrevolaba a baja altura y de vez en cuando descendía en picado para molestar al perro.

—Mirad a quién hemos encontrado —exclamó Eerie presentándoles a Art.

Black Knack miraba con curiosidad y para poder ver con más claridad se quitó el parche que llevaba en el ojo.

—No necesitamos a nadie más para este viaje. Además, no hay suficiente dinero para pagarnos a todos.

—Black Knack, es la hija de Molly Faith.

—No puede ser. Si es un muchacho. Venga, bájate del barco, jovencito.

Art caminó por la pasarela y empezó a dar zancadas alrededor de Black Knack. Mientras andaba, oyendo el cambio del crujir de la madera, incluso en esa diminuta cubierta, sentía que los músculos de las piernas se le agarrotaban. Poco después se encontraba cara a cara con Black Knack.

—Deberías avergonzarte, Black Knack. Y tú también, Honest. Mirad este mechón de mi cabello. ¿Quién soy?

—Está bien, te reconozco. —Honest se sonrojó, bajó la cabeza y agregó—: Te conocía. —Después sonrió de oreja a oreja y sacó el silbato empezando a pitarle a ella y a los demás para que subieran a bordo.

Art aún estaba encarada a Black Knack.

—No sólo deberías avergonzarte por no haberme reconocido, sino también por el barco.

—El barco, es verdad —contestó Black Knack mirando hacia otra parte—. Tuvimos nuestra época de gloria, éramos los mejores. Ahora hemos caído en el olvido.

—Guárdate eso para luego. Ya hablaremos sobre eso más tarde —comentó Ebad.

—Dime una cosa —preguntó entonces Art—, ¿quién capitanea este barco?

—Digamos que al patrocinador eso no le importa mucho. Cualquiera... —Black Knack hizo una pausa y añadió finalmente—: Cualquiera de nosotros.

Art se marchó por la cubierta acompañada de Ebad y Eerie. Le mostraron las escotillas, la escalera, el camarote del capitán, que era como una caja de cerillas y que además estaba a rebosar de sacos de café, y las cubiertas posteriores, que también estaban llenas de sacos y barriles.

—Ahí llegan los marineros —anunció Salt Peter desde la diminuta cubierta del alcázar.

Art se dio la vuelta rápidamente.

—¿Marineros?

Un grupo de marineros de cubierta estaban subiendo a bordo, con barrigas cerveceras y llenos de alquitrán. Parecía que vinieran de cualquiera de los barcos comerciantes del puerto.

—Nosotros —exclamó Art— somos la tripulación.

—Aquí no. Ahora ya no —dijo Ebad con voz grave y resignación.

—¡No necesitamos a ningún marinero!

—El patrocinador del café, la compañía... Es su espectáculo. Ellos deciden quién hace el qué —intervino Eerie.

Un joven se columpiaba agarrándose de las jarcias del diminuto mástil. Debía de ser más fuerte de lo que parecía a simple vista.

Art saltó con rapidez hasta el mástil principal, de hecho, el único que había en el barco, confiando en que podría aguantar su propio peso.

Fue subiendo, mano sobre mano, mientras los rayos de sol le deslumbraban los ojos, y su cabello ondeaba como una bandera. Cuando finalmente logró alcanzar la cima del palo, se sentó y le echó una sonrisa al invernal cielo azul. Ahí, justo ahí, a pesar de todo, estaba su sueño, en cierta manera hecho realidad.

—Sí, es la hija de Molly —susurró Ebad—. Aún sabe cómo hacerlo.

—Cómo desearía que Molly estuviera aquí.

—Molly está muerta —recordó Ebad—. Tanto tú como yo, y todos y cada uno de nosotros, lo vimos con nuestros propios ojos. Tuvimos mucha suerte al sobrevivir. Y la pequeña Art también la tuvo.

—Tengamos paciencia y calmémonos.

—¿No sería mejor —irrumpió Salt Walter— decírselo de golpe y sin rodeos?

Los piratas estaban de pie, con las cejas arqueadas. Mientras, los demás marineros, ajenos a todo aquello, se enjambraban por los delgados mástiles y Art seguía sentada en la cima sonriéndole al sol.

Café Pirata navegaba por el Tamsis con destino a Grinwich y las islas Hog.

A medida que la tarde avanzaba ésta se hacía más

pesada y el oeste se tornaba rosado, la multitud aún saludaba a los que estaban en los bancos de la orilla del río y pronto agitarían los faroles. Las farolas empezaban a encenderse por todos los muelles y destellos amarillos centelleaban en el agua helada.

—Nosotros somos como la nave de Cleopatra de la obra de Shakespur —explicó Whuskery—. ¿Lo recuerdas, Dirk?

—Por supuesto, camarada —respondió Dirk—. Es difícil olvidarlo después de aquella noche en...

—¡Shht! —dijo Whuskery—. Art está delante.

Dirk estaba apoyado en la barandilla y parecía estar nervioso. Art también estaba ahí, mirando la orilla pasar. Los monumentos y los descomunales edificios de Lundres se habían convertido en gloriosos árboles, isletas con cañaverales y muelles de barcos vacíos que esperaban ser pulidos.

Art se movía con sigilo, como una sombra. Cuando vivía, Molly también lo hacía así. Silenciosa y, de pronto, maravillosa.

—Debería saberlo.

—Haz lo que quieras. Pero piensa que es un riesgo —dijo Dirk arreglándose las uñas bajo la luz de las farolas del barco.

Llegaron a las islas Hog al atardecer. Pasaron por Budgerigar Wharf, un monumento adornado por dos altas y oscuras torres y almacenes mientras navegaban por entre y sobre el pálido reflejo de las columnas de la iglesia egipcia de Hawdsmoore, San Edwige.

—Esta noche atracaremos aquí. Mañana empezará el espectáculo.

—Lo primero —dijo Ebad—, el teatro. Vamos para allá.

Art miró hacia el lado donde estaba Ebad, con la noche cayendo sobre sus espaldas. El color de su piel detrás de la luz ayudaba a que fuera difícil distinguirlo.

—¿A un teatro? ¿Ahora?

Art podía sentir en algún lugar de sus entrañas una extraña sensación, como el rugir de un león desde la Torre de Lundres. Y encogió los hombros.

El barco cafetero llegó navegando por aguas poco profundas, con trozos de hielo surcando a su alrededor. La tripulación pirata se dirigió hacia la orilla, como si fueran anuncios publicitarios con patas del Café Pirata.

81

Los cerdos gruñían y hurgaban en las orillas del río de las islas Hog. Se los oía, pero era imposible verlos por la opacidad de la noche. Las calles principales que conducían hasta el teatro de Grinwich estaban alumbradas por farolas callejeras.

—¿Por qué estamos aquí?

—Tan sólo estate atenta, Art. Fíjate en esas paredes de color verde intenso repletas de carteles de viejas obras de teatro y representaciones.

Art miraba a su alrededor de mala gana, y sólo lo hacía para complacerlos. A pesar de que ella recordaba perfectamente a la tripulación, ahora esos hombres le parecían, cada minuto que pasaba, más desconocidos. ¿Eran forasteros? ¿Oportunos forasteros?

Mientras permaneció sentada en la cima del mástil esa tarde, Art había estado reflexionando sobre cómo había logrado encaramarse hasta allí arriba. Se engaña-ba a sí misma pensando que estaba en un verdadero barco en alta mar.

Walter se quedó paralizado ante un enorme y an-drajoso cartel.

—«El Célebre Zimbaldo» —leyó—. «Mago y Lec-tor de mentes», ¡lo recuerdo! Un farsante genuino, y aquí tenemos a «la Señora Clora Snutch y sus gallinas parlantes».

—He oído algunas cosas sobre ella —comentó con desprecio Dirk— y esas gallinas.

Ebad tenía una llave que abría la puerta del teatro. La entrada principal estaba vallada con tablas de made-ra. Art imaginaba que su tripulación tenía en mente quedarse esa noche a dormir allí. Realmente, la idea no resultaba demasiado tentadora.

—Me parte el corazón ver este precioso lugar en ruinas —confesó Eerie.

Entraron y Peter encendió un pequeño farol. Subie-ron con suma cautela por una escalera en forma de ca-racol, en la que colgaban telarañas que parecían humo solidificado.

—Se me encoge el alma —susurró Eerie.

«¿Por qué? —pensó Art—. Oh, seguramente debió de presenciar una obra de teatro aquí alguna vez.»

El teatro era como un laberinto. Había pasillos por todas partes, pero ninguno estaba iluminado. El farol se tambaleaba de un lado a otro encendido, hasta que fi-nalmente se cayó al suelo. Fue en ese preciso instante, en silencio, cuando Art recordó algunas cosas estallan-do, hasta que se encendieron más luces.

De repente, toda la tripulación estaba animada y enérgica. Estaban riéndose a carcajadas y adoptando diferentes poses, empuñando sus alfanjes y fingiendo luchar los unos contra los otros, explicando chistes, recitando cosas que sonaban a mala poesía, incluso mucho peor que la canción del café. El perro de pronto estaba tranquilo y sobre sus talones y Art no tenía ni idea de hacia dónde se había dirigido el loro.

¿Por qué a los hombres de Molly les gustaba tanto este teatro?

—Ahora, Art y yo vamos a ver el escenario. Vigilad esta sala donde... bueno, vigiladla —dijo Ebad.

—Ebad —comentó Art—, este teatro no me interesa para nada.

—Art, tan sólo acompáñame.

—De acuerdo. Si es tan importante.

Los dos solos caminaron por el laberinto a oscuras con la ayuda del farol de Ebad. El teatro estaba helado, pero un temor aún más frío se estaba infiltrando en los huesos de Art. «¿Debo fiarme de Ebad? —pensó la joven—. Aún conservo la pistola de Jack Cuckoo.»

Odiaba pensar así, pero si alguno de ellos era su enemigo, se iba a arrepentir de ello, aunque la muerte no era estrictamente necesaria para pararle los pies a un hombre.

El escenario apareció ante ellos como una extensa cueva donde varios objetos estaban desparramados fruto del olvido, como propiedades que nadie había querido, o no se había acordado de recoger. Había un árbol descolorido de madera, una cortina devorada por las polillas, un taburete roto, un plato... Las candilejas se alineaban al pie del escenario, con los cristales hechos pedazos y sin luz alguna que alumbrara.

Pero ¿qué sabía Art sobre candilejas? ¿Es que había actuado alguna vez en una obra de teatro cuando era pequeña? No, estaba segura de que no. Nunca había tenido tiempo para ello, pues siempre estaba en alta mar con Molly.

—Fíjate en aquello de allí arriba —exclamó Ebad mientras señalaba con la luz hacia arriba.

En lo alto, había cuerdas que colgaban hacia abajo, extraños aparatos de madera para alzar o transportar objetos que en su mayoría estaban torcidos. Desde algún lugar de las altas sombras, unas alas descendieron en picado como un rayo de colores. ¿El loro? No, una paloma.

Art se giró hacia Ebad.

—¿Qué es todo esto?

—No lo sabes, ¿verdad pequeña Art?

Art esperó, mirando fijamente a los huesudos y desconocidos pero a la vez familiares ojos de Ebad. Algo se movía detrás del escenario, ¿palomas? La joven no podía determinarlo.

—Ven a ver los camerinos —propuso Ebad.

—¿Para qué?

—No los has visto.

—Y no los veré. Ya he visto suficiente.

—No, cielo. Aún no. Por aquí, sígueme.

Art estaba fría como el hielo. Volvió a notar ese mareo que sintió cuando se golpeó la cabeza con la escalera de águila en la Academia de Ángeles y todo su pasado volvió a desbordarse como cuando sube la marea.

De repente se dio cuenta de que debía seguir a Ebad y con ambos pies entumecidos a pesar de las botas siguió la deslumbrante luz.

Bajó otra escalera, recorrió otro pasillo, abrió otra puerta.

En esta última puerta permanecía casi intacto otro cartel.

Ebad se detuvo una vez más, apuntando con el farol hacia arriba.

—Léelo, Art.

Art leyó el cartel de la obra. Trataba sobre una vieja obra de teatro de hacía años. Lo leyó una y otra vez, pues en cierta manera no tenía mucho sentido.

Leyó el cartel unas tres o cuatro veces, y aún no sabía qué era lo que decía o qué significaba el dibujo, con un grabado de madera en blanco y negro en la cabeza del cartel... tres cosas estaban fijadas en una cuña con forma de queso. ¿Qué era eso? Además, estaba en una lengua que Molly no le había enseñado, persa u holandés. Art tenía nociones de francés, español e incluso africaniano, así que no podía ser ninguno de éstos.

Pero no era eso.

Ebad, que la miraba con atención, podía ver que no lo había entendido. Sin embargo, no articuló palabra. No sabía qué más podía decir, aparte de la aplastante verdad.

Fue Black Knack quien les había seguido como un gato sigiloso y quien ahora en un severo timbre de voz les leía cada palabra del cartel de la obra:

—«Para el gozo y deleite de nuestros patrones, desde el escenario lundinense tenemos el placer de presentar a Molly Faith y a su incomparable tropa, la Tripulación Pirata de la célebre *Inoportuna Forastera*. Esta noche, y durante seis noches consecutivas, podrán maravillarse con las audaces aventuras de la Tripulación de la *Inoportuna*, y con las de Rob de Zanzibari en las costas de las Amer Ricas. Este espectáculo pondrá punto y final de la forma más espléndida y sin escatimar en gastos con una infernal batalla marina con el viejo rival de la *Inoportuna*, Golden Goliath, interpretado por Trevis Wilde, a bordo de la *Enemiga*, afilada por el demonio...»

—Ya es suficiente, Black Knack —murmuró Ebad.

Pero Black Knack no se detuvo y continuó leyendo:

—«Jamás contemplarán un espectáculo semejante, con cañones resplandecientes y veleros hundidos en océanos salados. Si consideran que nuestra presentación es poco realista, intenten imaginarse a ustedes mismos en alta mar.»

—Black Knack.

—«No se pierdan la gloriosa oportunidad de vivir las asombrosas victorias y las trágicas derrotas de la famosa reina pirata, temida y amada por todo el mundo: PIRÁTICA. Un chelín cuesta cada butaca para esta exclusiva representación. Se otorgan concesiones especiales para marineros, aunque se requerirá una prueba de la profesión náutica que lleven a cabo.»

Art agitó la cabeza hasta volver en sí.

—¿Estás intentando decirme que alguien escribió una obra sobre Molly, el barco y todos vosotros? —preguntó Art con frialdad.

—No, Art —contestó Black Knack.

Art miraba atónita el cartel. El peculiar dibujo era

de un barco, ahora podía verlo con claridad. Tres mástiles. Un gran velero con galgos color gris pintados a ambos lados...

—Éramos nosotros —dijo Ebad.

—Te refieres a que es como lo de la publicidad. Ya lo tengo: vosotros y ella veníais aquí e interpretabais vuestra vida en alta mar en una obra de teatro.

—Art —dijo Ebad—, nunca tuvimos una vida en alta mar, tan sólo sobre el escenario. Aquí arriba, sobre estas tablas, estaba nuestra cubierta. En éstas y en las de la mitad de los teatros que hay desde Lundres hasta la frontera con Escocia. Y el barco era falso, construido con una madera muy fina que se balanceaba sobre cintas correderas, muy bien reforzadas para que cuando las olas de madera se mecían, también lo hiciera el barco. Éramos el opio del pueblo. Y Molly, nuestra deslumbrante estrella.

—Mi madre era Pirática. Era una capitana pirata.

—Tu madre —continuó Black Knack rotundamente— interpretaba a una capitana pirata. Pirática era su personaje. Molly la hizo famosa, y nosotros hicimos famosa a su tripulación.

—Vosotros sois piratas...

—Nosotros somos actores, Art. Actores. Molly era una actriz. Y tú también lo eras. Una niña prodigio muy famosa.

—Ahora lo recuerdo —dijo Art mientras escuchaba a su propia voz a kilómetros de distancia—, la cubierta sumergiéndose bajo nosotros...

—Maquinaria, tal y como te he dicho antes. Como las olas de madera.

—¡De madera no! Estábamos empapados...

—Nena, a veces tiraban cubos de agua sobre nosotros para hacerlo todo más realista a ojos de los espectadores.

—¿Y los mástiles? Yo trepé por ellos, vosotros también.

—¿Cuántas veces más te lo tengo que decir? El barco estaba especialmente construido para eso.

—El cañón —murmuró Art—, la pólvora...

—La pólvora era la misma que la de los fuegos artificiales. Y los truenos se hacían golpeando láminas de metal.

—¿Y qué me dices de las batallas? ¡Nosotros luchábamos!

—Simulaciones.

—¿Y los palacios de los gobernadores? —musitó Art, quien ya no hablaba en voz alta.

De todas formas, Black Knack le contestó:

—Todo eran diferentes escenas de una obra de teatro. Derribábamos la casa y cada noche, cuando el barco se hundía, pura maquinaria, te sacábamos del barco y escapabas sola en ese pequeño bote hacia los bastidores. A todos los del público se les humedecían los ojos.

«Piratas —pensó Art sin pronunciarlo—, océanos...»

—En mi vida he navegado por alta mar —afirmó Black Knack—, incluso ese río me revuelve las tripas.

Ebad colocó su mano sobre el hombro de Art. El horror que le producía aquello no tenía límites, era mucho más que rabia, ya no se fiaba de él.

—Pero nuestra querida Molly pereció, Art. La última noche. Algo no funcionó bien. Aquel cañón, un cañón del escenario, la *Duquesa*. Demasiada pólvora. Explotó. Logramos tirarte, pero el conjunto de esa máquina pesada nos derrumbó. El barco se hundió del todo e instantes después traspasó el suelo del escenario hasta llegar al sótano.

—Ay... pobre Molly —dijo Eerie, oculto en la oscuridad de la escalera situada detrás de Black Knack.

Vagamente, Art empezó a darse cuenta de que todos aquellos hombres estaban allí de pie.

—Una Molly infinitamente jocosa y de una exquisita elegancia. Fue como una reina, una hermana y una madre para todos nosotros. Al menos este recuerdo, Artemesia, era real.

3. Después del teatro

La Navidad se desvanecía en Grinwich a medianoche amenizada por las campanas de San Edwige.

Art permanecía en el muelle.

Mirara donde se mirara, se alzaban extensos bosques invernales como mástiles de barcos, y por encima de éstos, una luna amarilla surcaba por el cielo en dirección oeste.

Era igual que antes. Art a duras penas podía recordar cómo logró salir del escenario, aún fría como el hielo intentando encontrar el camino hacia la puerta del teatro, cosa que le resultó muy fácil, como si realmente lo conociera.

Todo formaba parte de un sueño.

Molly no era una pirata. Y Art, tampoco. No existía

ninguna embarcación, ninguna emocionante vida perdida a la que regresar. Nada.

Art pateaba los guijarros.

En algún lugar, verdaderos marineros estarían cantando una habanera desde alguna cubierta real de donde colgaban faros reales.

—Pero me acuerdo de...

«No —pensó—. No te acuerdas. Las batallas marinas, el chirrío de espadas, las cenas en grandes mansiones, las joyas, el viento en las jarcias, los delfines pirueteando, los trucos, las triquiñuelas... Todo era una mera fantasía inventada.»

Aunque todo le había parecido, y aún le parecía, tan real. Más real que la mismísima realidad.

«Entonces, ¿qué es lo que voy a hacer ahora? ¿Ir otra vez donde está mi maravilloso padre, el cadavérico Landsir George Fitz-Willoughby Weatherhouse, o volver a la Academia de Ángeles? Eso jamás.»

Art echó un vistazo sobre su hombro hacia la deslumbrante luz de San Edwige. En la parte baja del río, los marineros habían dejado de cantar y ahora un nuevo y amenazador griterío alborotaba las callejuelas situadas detrás de la iglesia.

El volumen del sonido iba aumentado cada vez más. Los guijarros crujían. De repente, escuchó un grito lloroso, lo que significaba que los que producían ese vocerío se estaban acercando.

«Una muchedumbre borracha y yo tan sólo soy una actriz. Una chica normal y corriente entrenada para aguantar libros sobre la cabeza y para desvanecerse con estilo. Inútil.»

Art no se movió. Tan sólo miraba cómo dos hombres desconocidos saltaban sobre el bajo muro de uno de los lados del muelle y se caían de bruces mientras se reían. Habían reconocido a Art, desde luego, y además mostraban interés por ella. Parecían gente pudiente y sus relucientes espadas colgaban de sus caderas.

—Os lo dije. Es un hombre.

—Ven para aquí, jovencito, y vacíate los bolsillos.

Más ladrones. ¿Por qué lo hacían? No parecían ser pobres.

Pero ¿quién era Art para juzgar si ella jamás había sido una ladrona, aparte de aquella vez en la carretera de Lundres donde robó un abrigo y un sombrero, y aún menos una pirata?

—¡Mirad! ¡Se está acercando! ¿Cómo se atreve?

—Tú se lo has ordenado.

—¿Ah sí? Bribón insolente.

Art se dirigió hacia ellos y se inclinó.

—Alto, jovencita.

—¡Alto! ¡Alto! —gorjearon.

Pero la pistola de Jack Cuckoo estaba en la mano izquierda de Art apuntando directamente a la nariz de uno de los hombres.

—¡Rayos y truenos! ¡El chico está armado!

—¡Recórcholis!

Art se fue acercando con delicadeza a la espada del hombre rico hasta lograr quitársela, con la ligereza de un suspiro, de su vaina.

Dio un paso hacia atrás mientras dibujaba círculos con la cuchilla de la espada, que blandía con su mano derecha mientras sonreía.

—Tal y como habéis dicho, bolsillos vacíos, caballeros. Dejad vuestro dinero amablemente sobre las piedras.

Gritando y tartamudeando, los dos pobres desgraciados que se habían tropezado con la hija de Molly hicieron lo que se les ordenó. Instantes después, estaban suplicándole para que los dejara volver a casa.

—Pero es que me encanta su compañía, señores —dijo Art, metiéndose en los bolsillos los objetos de valor.

—Oh, a nosotros también la suya, igualmente, pero por favor, nos esperan para cenar, ya sabe... odiamos disgustar a nuestra nana...

—Por favor, qué poco caballerosos son. ¿Alguno me va a conceder un pequeño baile? Desprendeos de vuestra espada. Ese de ahí aún tiene una y sabemos que podéis volver a intentar robar a otras personas en el muelle, si es que os dejan. Veamos quién se atreve a luchar conmigo.

Incluso a la luz de la luna y bajo el reflejo de la iglesia egipcia, Art podía ver que los dos caballeros de clase alta se habían puesto de color verde por el mareo y el que aún tenía el arma se abalanzó sobre ella.

Se movía bastante rápido, pero Art aún más que él. De repente, el arma de aquel hombre cayó al suelo rodando hasta el Tamsis y, un segundo después, ya no tenía botones y llevaba los pantalones por los tobillos: el golpe maestro de Molly, a pesar de que sólo fuera sobre un escenario.

Con esas pintas, el caballero se quedó sobre el puente sin saber qué decir ni qué hacer mientras el otro se arrodilló gimoteando.

—Un consejo, no me busque porque me encontrará. Levántese.

—No me mate.

—Jamás mato. Nunca he tenido la necesidad de hacerlo. Soy muy transigente. Entrégueme su vaina. Tendré a buen recaudo su espada. Se ve que me prefiere a mí.

No opuso resistencia.

Con la espada colgando de su cinturón, Art lo dejó ahí. Su amigo se había desvanecido detrás de la pared. Art se movía con rapidez en tierra firme. Ahora, riéndose, se dirigía corriendo hacia los helados y brillantes guijarros. Ya no quería pensar en nada, ni que nada más se entrometiera en su camino, como si la noche le hubiera revelado los pasos a seguir.

—Me he vuelto cuerda —recordó Art a los muelles de Grinwich y a los barcos de mercancías de cascos redondos y mástiles como cornamentas que golpeaban con fuerza las anclas a la vez que la marea del Tamsis se adentraba en el muelle.

93

Los piratas-actores ya no estaban en el teatro, sino en su barco cafetero lanzando cuidadosamente otros pequeños barcos, hechos a base de láminas de papel de cera, al río. En cada uno de esos pequeños veleros ardía una mecha en una diminuta vasija de barro con aceite. Mientras navegaban río arriba, con esa flota en miniatura, las llamas se agitaban como pequeñas mariposas en la oscuridad. El perro trotaba por todo el largo de la embarcación, ladrando a todos por igual.

—Una costumbre de la Indie —dijo Whuskery, sin mirar cara a cara a Art—, esos papeles con luces. No es la estación más apropiada... de hecho, no he podido hacerlo en su momento este año... pero dicen que trae buena suerte.

—¿Cómo sabes todo esto si jamás has viajado a la Indie? —preguntó Art.

—Ah, aparecía en una de las obras de Pirática —contestó Dirk—, en una de las más aclamadas, de hecho. El público nos aplaudía durante horas. Pero mira, esta cera ha arruinado mis uñas...

—¿Ninguno de vosotros ha estado en el mar? —volvió a preguntar Art.

Mirándola con curiosidad, pudieron comprobar que ya estaba mucho más relajada, incluso les estaba sonriendo, saludando con la cabeza a los diminutos barcos con luces que flotaban a lo lejos y acariciando a *Muck*.

De repente, una sensación de alivio se apoderó claramente de la tripulación. Empezaron a observarla de cerca. Estaban seguros de que su Art se calmaría y todo volvería a la normalidad. Era la pequeña de Molly, así que cuidarían de ella, pobre muchacha.

—¿Ninguno de vosotros? —repitió Art.

—Yo —contestó Ebad.

—Así que tú has estado en alta mar.

—Qué remedio. Me trajeron a Inglaterra desde Africay cuando tan sólo tenía nueve años, como esclavo. No tuve elección: o trabajaba para poder comprarme el pasaje o mentía en el apestante control y me pudría en la cárcel. Obviamente, trabajé. He trepado por mástiles, he sacado el agua de las tormentas, he limpiado cubiertas...

—Un esclavo... —dijo Art.

—Sí, y en Inglaterra también. Poco después llegó la Revolución. La población inglesa se sublevó y se quitó las cadenas, y así fue como me quitaron las mías. La república me hizo libre. Luego, me convertí en un actor, y ahora hago publicidad al Café Pirata.

Art le estrechó la mano, como si ambos fueran personas de negocios.

—¿Qué es esto? —preguntó.

—Es para ti —contestó. Tenía en su mano una lámina de papel de cera.

—¿Quieres que construya yo misma un barco de papel, Ebad?

—No pienses mal. Para eso utilizamos los carteles del café que promocionamos. Pero éste es distinto. Un recuerdo, puede, del pasado.

Eerie se acercó y dijo:

—Éste es el Gran Mapa del Tesoro. Golden Goliath estuvo detrás de él mucho tiempo en su espantoso velero, la *Enemiga*. En la... mm... en la obra.

—Pero —contestó Art—, no hay un tesoro, ¿verdad?

—Tan sólo formaba parte del atrezo, parte de la obra. Tiene un gran valor sentimental, eso es todo.

Le entregaron el mapa, doblado en dos partes.

Mientras lo desdoblaba, Art se dio cuenta de que los demás se estaban alejando ligeramente para echar un vistazo a sus luminosos barquitos. Tan sólo Ebad y Eerie se quedaron junto a ella, observándola con atención.

95

Eerie parecía ser una persona transparente como el cristal. En cambio Ebad, desde el principio, había aparentado ser un enigmático cofre de secretos. Seguramente tendría sus razones... pues había sido un esclavo. Pero en el pasado, ¿habría sido tan opaco?

Art miraba al mapa, al atrezo de la obra. En él estaba dibujada una isla en un mar de aguas azul marino, con delfines pirueteando en el aire y con un barco en una de las esquinas, como el barco del cartel de la obra en el teatro, que Art no había reconocido porque no era real.

Había unas letras escritas por los bordes de la isla, ¿un código inventado, quizá? Cuando se pronunciaban no tenían sentido alguno: OPP, TTU, una efe... una a... una be... emes... haches...

Hacía un frío de los mil demonios y la escarcha empezaba a depositarse en forma de estrella sobre el papel de cera. Además, los bordes bajos del mapa estaban desdibujados y ennegrecidos de una manera muy extraña.

—La parte inferior del mapa, y de la isla, está chamuscada —exclamó Art. Pero Ebad y Eerie habían ido en busca de los demás.

Un pájaro los sobrevolaba haciendo círculos. ¿Una paloma? ¿Una gaviota? Un loro.

—¡Piezas de mocho! —gritó la mascota de Molly—, ¡Polly quiere un doblón!

Art extendió el brazo y dijo:

—Aquí, *Plunqwette*.

Plunqwette se posó con majestuosidad y fijó sus garras en el puño del abrigo robado de Art. El aire crujía con la escarcha sobre ellas, como ocurre con el fuego.

—En el momento de la explosión —dijo Art al loro—, fue cuando el mapa se chamuscó, ¿verdad? Tú y yo —prosiguió Art—, yo y tú.

El loro estiró el cuello, picoteó la empuñadora de la espada robada que aparentemente ninguno se había dado cuenta de que llevaba y guiñó un ojo como un lagarto.

Capítulo III

1. Gansos y huéspedes

Felix tomó el primer carruaje al día siguiente de Navidad. Hasta entonces había estado paseando por la herrería de Hammer y por campos y parques cubiertos de nieve. Al ver su aspecto, sin sombrero, lleno de hollín y de parches, los posaderos lo echaban antes de que pudiera mostrar algo de dinero. En cambio, las hijas, mujeres y sirvientas de éstos, al contemplar sus ojos, cabello, rostro y figura, corrían detrás de él para ofrecerle vino, pan, queso, medias piñas, bufandas y sombreros. Felix siempre había tenido suerte a pesar de su apariencia, pero a su vez era bastante propenso al desastre. O eso es lo que a él le parecía mientras caminaba con dificultad por la nieve.

Una noche durmió en el establo de la herrería de Hammer, compartiendo cama con varias pulgas.

Ya montado en el carruaje, se dio cuenta de que era un vehículo extremadamente lento. Paraba en todos los lugares, en cada pueblo y aldea, incluso se detuvo en un par de parques bien conocidos por todos, Early Court, Barnes Court, Yorkister...

Empezó a preguntarse por qué aún se preocupaba por llegar hasta Lundres. Supuestamente, el trabajo que le habían ofrecido era para empezar el día anterior, es decir, en la tarde del día de Navidad. Lo habían contratado para dibujar retratos en una gran fiesta, en una mansión cerca de Eastminster, un barrio de Lundres. Empezaba a poner en duda que aún quisieran sus servicios.

El día tenía un aspecto cristalino debido a la escarcha y la verdad es que en el carruaje no se estaba más caliente que en el exterior. Además, uno de sus compañeros de viaje, un narigudo con ropajes vacacionales, empezó a interesarse por los objetos personales de Felix.

—Un rubí, ¿verdad?

—Cristal.

—Parece un rubí.

—Pues no lo es.

—A mi juicio, hay algo que no me cuadra: un jovencito aparentemente poco pudiente, a juzgar por su vestimenta, que ostenta un anillo con un rubí.

—Ya he dicho que es cristal.

El narigudo continuó insistiendo. Era como una pieza de un mecanismo de relojería que tan sólo podía repetir ciertas frases. Aturdió de tal manera a Felix y a las pulgas del establo que lo acompañaban, que éstas, ansiosas por conocer gente nueva, pronto colonizaron al narigudo y lo arrastraron fuera del carruaje, del que se alejó con una mirada feroz y sin parar de rascarse.

—Debería estar prohibido que los vagabundos se montaran en el carruaje —remarcó alguien.

Después de aquello todos evitaban a Felix, así que finalmente podía decirse que lo habían dejado en paz.

Cansado y medio dormido, mientras el lento carruaje rodaba hacia el puente de Knight deteniéndose y arrancando de nuevo, Felix reflexionaba, aún ligeramente perplejo, sobre cómo el leopardo que lo había asaltado también había creído que el falso rubí era verdadero. Sin duda, un ladrón con una experiencia como la suya debería tener mejor ojo, ¿no?

Cuando Felix se despertó, sus acompañantes ya estaban dando brincos por el jardín de la Cruz de la Santa Caridad. Mirando a través de la ventana, Felix distinguió un grupo de personas reunidas, que quizá esperaban el carruaje. También se dio cuenta de que otro grupo de personas estaban vestidas con los botones de metal negros típicos de los policías lundinenses. ¿También estarían esperando el carruaje?

Ya era demasiado tarde cuando Felix divisó otro posible problema. Y no estaba equivocado.

Un rostro peludo coronado con el negro sombrero de policía lo empujó bruscamente fuera del carruaje. Y tan sólo tenía ojos para Felix.

—Bienvenido a Lundres, Jack Cuckoo.

La gente del carruaje se giró bruscamente y miró a Felix con furia.

—Ha estado todo el camino sentado junto a nosotros...

—¡Sin duda estaba esperando a que subiera su villano cómplice para después robarnos a todos!

—¡Y encima nos ha traído pulgas!

Lo arrastraron sobre los helados adoquines mientras la multitud expectante empezaba a lanzar gritos de reclamo.

—¡Han atrapado a Jack Cuckoo!

—Sé que no servirá de nada decírselo —empezó a explicar Felix al hombre peludo—, pero yo no soy el caballero Jack Cuckoo ni su cómplice.

—Puedes decirnos todo lo que te venga en gana. Intento de robo, amenazas con violencia, incluso interrupción de un duelo entre caballeros... es lo que hemos oído. Un jinete galopó velozmente desde Hare Bridge hasta Rowhampton y nos informó sobre tus actividades y nos dijo que, al parecer, te dirigías hacia la capital. Una descripción perfecta, diría yo. Aunque me sorprende que nadie te haya arrestado antes con esta pinta que llevas. Sin duda, tendrás tu media máscara negra y demás complementos en los bolsillos.

—No.

—Ah, astutamente los has arrojado durante el trayecto.

Otros policías se iban acercando sonrientes. Se daban palmaditas los unos a los otros en la espalda, incluso se las daban a Felix. Estaban pletóricos por haberlo arrestado.

Jack Cuckoo no parecía ser muy hábil en el arte del robo, pero entonces, ¿cómo podía haberse ganado tanta reputación? Había diez policías, y todos iban armados hasta los dientes con porras y fundas de pistolas.

—Ahora nos acompañarás hasta la comisaría más cercana —le dijeron los policías en un tono amable—.

Después todo se acabará en Oldengate. No estarás demasiado tiempo en la cárcel, será un proceso rápido. Te colgarán esta misma semana —continuaron a modo de consolación—. Cualquier cosa que digas —concluyeron— será utilizada en tu contra.

Mientras la muchedumbre lo saludaba con una mezcla de ofensa y admiración, Felix desfilaba por una calle lateral.

Los adoquines estaban resbaladizos por el hielo y desde los tejados y tubos de desagüe pendían enormes carámbanos. Justo enfrente, corrían las aguas del río. Durante el trayecto, en el carruaje, se había comentado que el Tamsis, cuando caía la noche, se congelaba de tal manera que quedaba totalmente sólido, desde Strand hasta el Puente de Lundres. Felix ahora lo veía con sus propios ojos. El agua parecía haberse convertido en un pastel de nata con carámbanos.

Pero ahora los guardias lo empujaban hacia otra callejuela. O, al menos, lo intentaban.

De pronto algo irrumpió en esa calle, algo tan blanco como el azúcar, que graznaba y silbaba mientras agitaba dos cosas blancas que parecían escobas tras un puñal naranja en un tubo de color blanco.

Los policías se agacharon para esquivarlo, pero inmediatamente chocaron con el hombre que venía justo detrás de ellos, gritando y maldiciendo a pleno pulmón:

—¡Detened a ese ganso!

—¿Ganso?

—¡Pensábamos que era un ángel! —gritaban algunos miembros del cuerpo de policía.

Intentaron huir, pero se resbalaban y caían de bruces sobre el hielo, que cubría todo el suelo y con Felix por el medio.

De repente, y de alguna inexplicable manera, el desconocido escogió a Felix y lo agarró con fuerza, mientras intentaba aguantarse de pie él mismo y a Felix. Se deslizaban como si estuvieran bailando juntos una polca rápida, saltando a la pata coja, pisando los letales adoquines y los cuerpos de los antipáticos policías.

Mientras tanto, el desconocido insistía en contarle a Felix sus problemas.

—Me dijeron que estaría desplumado y listo para cocinar, pero míralo, aún vivito y coleando... he estado persiguiendo a este ganso desde Nochebuena.

Repentinamente, el hombre consiguió equilibrarse, dejó ir a Felix y siguió corriendo calle abajo rumbo al río, siguiendo la dirección que el ganso había tomado. Felix, utilizando el impulso del último resbalón, escapó detrás de él.

La policía estaba confusa y magullada. Algunos intentaban levantarse, con huellas de pisotones marcadas sobre sus elegantes uniformes negros, pero instantes después se tambaleaban y volvían a caer al suelo.

—¡Detened a ese ganso!

—¡Detened a ese hombre! ¡Es el caballero Jack Cuckoo!

Por toda la calle, el gentío, intentando esquivar los golpes del ganso que sobrevolaba a baja altura y parecía estar de mal humor, trataban de agarrarse los unos a los otros y apoyarse en las paredes. Las ventanas estaban abiertas, y muchas cabezas sobresalían para husmear qué estaba pasando y en el alféizar nevado de una de las ventanas se golpeaban todos los cuerpos que corrían velozmente.

—¡Detened a Jack Cuckoo!

—¿Un cuco? ¿Esa cosa blanca? Eso no es un cuco, es un ganso.

—¿El caballero Jack Ganso? Jamás he oído hablar de él.

Al final de la calle, se abría el dique, alineado por pulidas y brillantes estatuas de leones cubiertas de nieve y por estatuas de dirigentes de la Revolución. El ganso aleteaba sobre el enrejado y se elevaba sobre el río, rumbo al cielo azul.

Felix, decidido también a volar, bajó el primer escalón para descender al río a toda velocidad y lo hizo tan rápidamente que ni tan sólo le dio tiempo a resbalarse.

Detrás de él, el perseguidor del ganso se había detenido y agitaba las manos y, mientras los policías aún permanecían en el suelo, la curiosa muchedumbre surgió de la nada y se cruzó en su camino.

Al fondo de las escaleras, la nieve virgen se aposentaba sobre los ásperos guijarros y el esquisto del muelle. Felix dio un salto y corrió a toda prisa hacia ese camino que quedaba a mano derecha del río.

Sin embargo, pronto el hielo comenzó a resquebrajarse por la orilla del río en grandes pedazos, montículos y trozos con extrañas formas de conchas.

Fue entonces cuando Felix se detuvo. Jadeando, miró hacia atrás, pero ya no lo seguía nadie.

Aun así, sobre la solidez del río se encontraba otro grupo de gente. Estaban bailando cuidadosamente sobre el hielo. Ah no, estaban patinando.

Dos jovencitas arregladas con vestidos de terciopelo y pieles saludaban con la mano a Felix. Instantes después, empezaron a ensanchar sus arcos hasta llegar a la altura de Felix, dejando atrás a sus compañeros.

—¡No me diga que no es precioso! ¡El Tamsis congelado! —exclamó una de ellas.

—Sí, realmente maravilloso —contestó Felix.

—Estamos patinando hacia Grinwich, o Sheepwich, no me acuerdo. Por favor, venga con nosotras, ¿le apetece? Mire, tenemos los patines de nuestro hermano. Él no va a venir, está de mal humor desde anoche. También tenemos castañas recién hechas y chocolates... y sándwiches, ese nuevo manjar con pan.

Le sonreían pícaramente para conseguir que fuera con ellas. Pero él no necesitaba tentación ninguna, pues para él esas jovencitas significaban una fácil huida clandestina.

—Sois muy amables —les agradeció Felix—. Pero ¿creéis que el río se mantendrá helado hasta tan lejos?

Jamás había patinado en su vida, ni tan sólo había tenido la oportunidad de probarlo. Pero Grinwich parecía estar a una considerable distancia de la ley lundinense. Nadie se pondría a buscarlo en una fiesta de patinadores.

Los compañeros de las chicas ya se habían puesto en camino, pero Felix tenía mucha prisa en unirse a ellos, incluso más que en unirse a cualquiera de las jóvenes, pues junto a ellos conseguiría pasar más inadvertido.

Con su ayuda, logró ponerse los patines tal y como le indicaron, se levantó, aunque pronto se volvió a sentar. Sujetado por ambos brazos, lo ayudaron a levantarse otra vez y le mostraron cómo debía patinar.

Las patinadoras daban vueltas en círculos de ensue-ño, como si dibujaran monedas de plata sobre el hielo, y Felix de vez en cuando miraba hacia el dique. El agua era completamente invisible bajo la capa de hielo que la cubría, como la policía, que también resultaba ser invi-sible en la larga distancia, aunque a veces se oían gritos confusos.

Pero, muy pronto, Felix y las chicas empezaron a despegar.

—Tome una castaña caliente, querido Felix.

Como patinadoras expertas, las jóvenes lo alimen-taban de castañas y chocolates a la vez que se desliza-ban sobre la gran curva del dormido Tamsis.

—Bueno, nosotras tenemos que ir a una fiesta ridí-cula que mi tío ha organizado. Él está metido en el ne-gocio del café, ¿sabe?

—¿De veras? —preguntó Felix.

—¡Mirad! ¡Ahí está el ganso! —exclamaron dulce-mente las jovencitas—. ¡Que Dios lo bendiga, está emigrando hacia el sur por el invierno!

Lundres iba desapareciendo rápidamente, y el paisa-je a ambos lados del río iba cambiando, aunque a pesar de todo seguía ahí, como una pelota de lana, que por mu-cho que juegues con ella siempre sigue siendo una bola. Con ejercicio y aperitivos, la sensación de frío empezó a descender mientras se iban alejando de la capital. Felix era consciente de que las pulgas ya lo habían abandona-do en el carruaje y que, si por alguna casualidad, alguna seguía con él, ya se habría desmayado por culpa del frío.

Las dos jovencitas, que todavía no habían logrado llegar a su famosa fiesta, le habían dicho que se llama-

ban Fan y Ann Coffee. Ni tampoco ningún represen-
tante de la justicia había logrado llegar hasta ellos.

En la orilla del río se alineaban zonas ajardinadas,
enormes portones, colosales iglesias, monumentos...
Enormes puentes cruzaban el río, que serpenteaba a
gran velocidad por su interior, arqueándolos para más
tarde fluir con calma. Y de pronto, un pequeño chorro
de agua se convertía en hielo cubierto por lentejuelas.
Viajaron más rápido que en cualquiera de los lentos carruajes.

—Ése es el patrocinador, Art.

Era un hombre bajito y regordete y llevaba un abrigo color marrón oscuro, como el café más puro, con
pieles que le cubrían la parte superior y sobre la cabeza
un sombrero con una pluma color carmesí. En la sola-
pa de su abrigo llevaba un broche de oro, y sus manos
estaban a rebosar de anillos también de oro. La verdad
es que valía la pena robar al patrocinador con todo lo
que llevaba encima, y además no parecía un tipo muy
agradable.

Éste se pavoneaba por toda la cubierta del *Café Pirata*.

—Se suponía que íbais a dormir en el viejo teatro,
Vooms, no en una taberna. Por eso os entregué la llave
de la puerta del teatro.

—La noche estaba fría, señor.

—¿Fría? —El patrocinador cafetero se quitó las pieles y continuó—. ¿No podíais haber encendido una pequeña hoguera en algún sitio?

—Entonces se hubiera incendiado todo el edificio.

—¡Más hubiera valido! —Entonces, el patrocinador giró la mirada y advirtió a Art—. ¿Quién es ese muchacho? Sin duda, no es uno de los marineros que contraté.

—No, señor. —Eerie había dado un paso hacia delante, se inclinó como si fuera un cervatillo y dijo a continuación—: Es mi sobrino.

—A ver —le preguntó el patrocinador a Art—, ¿quién eres?

—Art Blastside —respondió Art. Apartó al grasiento monstruillo e hizo la reverencia de las reverencias, arrogante, como si realmente le hubiera dado una bofetada.

—¿Blastside? Me suena a escenario.

—Y así es, señor. Una vez, un cañón estalló sobre las tablas de un escenario y me golpeó en un costado de la cabeza. Ése fue mi bautizo.

El patrocinador empezó a caminar dando grandes pisadas, inspeccionando el barco cafetero y asegurándose de que nadie había echado a perder el café por haberse recostado o dormido sobre los barriles y los sacos de cubierta. Obviamente, lo habían estado haciendo a lo largo del viaje, pues no había otro lugar donde recostarse o echar una cabezadita, a excepción del camarote que habían ofrecido a Art. Todos apestaban, deliciosamente, a café, incluso el amarillento perro, *Muck*, a quien ya le empezaban a gustar más las cubiertas inferiores.

—El río se está empezando a congelar en dirección a Lundres —le dijo el patrocinador a Ebad—. Dime, ¿habías visto alguna vez la nieve?

El rostro de Ebad se volvió en un instante tan arrogante como la reverencia de Art, y a continuación puso cara de tonto.

—¡Ey! —gritó Ebad—. Me pregunto qué será esa cosa de color blanco.

Los piratas-actores fruncían el ceño intentando disimular las risas.

Pero allí también se habían formado finas capas de hielo sobre el río y el patrocinador seguía hablando de lo mismo.

—Bueno, ahora ya os podéis largar —ordenó—, no quiero que esta barcaza se quede aquí amarrada por culpa del hielo.

—¿Qué hay de nuestro pago?

—Oh, no os preocupéis por eso. Os lo daré cuando lleguéis a Port Mouth.

—Eso no es lo que acordamos.

Art, que observaba con atención, ni tan sólo pestañeó. Estaba esperando cautelosamente mientras calculaba sus propios planes.

El patrocinador no estaba para nada contento. Ebad había intentado insistir en el asunto del pago.

—De acuerdo, aquí tienes un par de guineas. Eso es suficiente por ahora. E intenta mantener a este perro mugriento lejos de mi café.

—¡*Muck* está limpio! —gritó Walter.

—No me digáis que esta cosa está limpia. ¿Y qué hace ese pájaro aquí?

—Es un loro.

—¿Habla?

—¿Hablas, *Plunqwette*? —preguntó Art al loro.

Entonces *Plunqwette* habló con una precisión exquisita.

—¡Loro de piratas! ¡Piratas de loro!

El patrocinador lanzó una mirada lasciva mientras que, por primera vez, esbozaba una sonrisa. Tenía una dentadura tan horrorosa que parecía que la hubiera ordenado hacer así a propósito.

—Bien, bien. Haced que lo diga delante de la gente. Ah, y escoged un capitán. No se puede ser una tripulación pirata sin un capitán.

—¡Ah, mirad la nieve! —dijo con júbilo Ebad con una guinea en cada puño y dando brincos.

Eerie se aguantó la risa tapándose con un pañuelo.

El atardecer de ese día era un abanico de colores rojizos, al menos para Felix Phoenix, Fan y Ann, con una llama de color verde intenso por debajo. Parecía un atardecer de plumas de loro.

Las orillas del río estaban completamente heladas y rígidas como el esmalte hasta Camber Well y Deep Ford, y se podían ver ocasionales braseros que ardían como los ojos de un tigre, con antorchas como palos coronadas con trapos rojizos. Sin embargo, poco después, las capas de hielo se hacían mucho más finas y peligrosas a causa de las fisuras que se formaban sobre ellas. Los patinadores se desviaron hacia la orilla.

—No deberíamos arriesgarnos, total llegaríamos a medianoche a Grinwich. ¿Por qué no alquilamos un carruaje? —preguntó Fan.

—El tío nos dijo que si realmente se helaba el río,

los echaría directamente, y fíjate, se está congelando por allá arriba, pero no lo suficientemente rápido para que nuestros patines aguanten. Así que... los hemos perdido —explicó Ann.

—¿A quién habéis perdido? —preguntó Felix.

—Ah, sólo a su ridículo barco, uno que patrocina. No tiene importancia. La casa de la tía está arriba de Black Death Heath. Vamos para allá. Además, a ella le va a encantar Felix. Primero cenaremos y después, tal y como nos ha prometido, Felix, ¡nos retratará!

Las antorchas también ardían a intervalos en la oscuridad de la noche de Black Death Heath marcando el camino desde el pueblo hasta la inmensa mansión de la tía de las patinadoras. Mientras se dirigían hacia allí en carruaje, Felix notaba señales que le apuntaban directamente, incluyendo el Observatorio de Grinwich, donde se predecía el tiempo, y que surgían de una pequeña colina cubierta de árboles.

Una multitud de luces alumbraban el camino hasta la casa de la tía Coffee.

Felix había estado en grandes mansiones gracias a su versatilidad de papeles: como cantante, como artista y, hacía ya mucho tiempo, como invitado. Y hacía mucho, muchísimo tiempo, Felix había vivido en la gran mansión de su padre. Pero a Felix no le gustaba pensar en ello muy a menudo.

Aunque no estaba acostumbrado a ese tipo de cosas, siempre se amoldaba a esos espléndidos lugares a una velocidad vertiginosa. A pesar de su inapropiado abri-

112

go, sombrero y bufanda, la tía Coffee enseguida le dio una cálida bienvenida en una amplia sala de paredes verde pastel llena de antiguas estatuas procedentes de Grecia, con una gran chimenea y con aperitivos servidos en una vajilla de porcelana china azul. Todo el mundo se lo estaba pasando en grande...

Hasta que la puerta se abrió.

—El señor Harry Coffee —anunció el mayordomo.

—Harry, ¿qué estás haciendo aquí? —refunfuñó la tía—. Se suponía que ibas a estar ocupado en un duelo en Rowhampton, ¿no es así?

—Eso era ayer —contestó Ann.

—Y las cosas no fueron... —empezó a explicar Fan.

—¡Eso es! —gritó el recién llegado desde la entrada—. Apareció un charlatán de poca monta y lo echó todo a perder. Después ya no tuve la sangre fría para hacerlo. Un día de Navidad que siempre quedará como una mancha para mí. Y para Perry también.

Felix Phoenix ahora sabía que los dioses del Castigo Divino eran capaces de hacer este tipo de trucos injustos.

Y mientras los diminutos ojos de bala de Harry se giraban para mirar a Felix, su boca se iba agrandando cada vez más a la vez que lo maldecía con insultos innombrables. Para entonces, Felix ya se había levantado y lo saludaba.

—¿Qué diablos hace... aún está aquí, pero quién se cree... acaso me está siguiendo?

—¿Es éste el caballero con el que realizabas el duelo? —preguntó la tía, animándose—. Entonces, ¿por qué no puede ser nuestro invitado, si no podemos organizar nada violento?

113

—Ni en broma —dijo Harry—. ¡Ni por todo el oro del mundo! Este hombre es, imagino, Jack Cuckoo, el peor ladrón de Inglaterra. Su cabeza tiene el sustancioso precio de cincuenta coronas. Ahora que lo tengo ante mis ojos, lo reconozco. —Y en ese preciso instante la ira y la alegría de Harry se mezclaron en un solo sentimiento—. Presentaré una denuncia ahora mismo. Pilchard —añadió dirigiéndose al mayordomo—, dirígete hasta la comisaría y envíame a la policía de Black Death.

—¡Oh! —exclamó Fan—. ¡Qué emoción! Pero, tía, antes de que a Felix lo cuelguen en Oldengate, por favor, ¿podemos mostrarle la maqueta del barco del tío que está en el comedor? Tiene muchísimas ganas de verla... un último deseo, y ya está...

Antes de que la tía, Harry o Pilchard pudieran recuperarse del estado de confusión en que se hallaban, las chicas ya habían sacado a empujones a Felix de esa sala arrastrándolo hasta la puerta.

—Aquí tienes la maqueta...

—No seas boba, Ann. Rápido, por este pasillo. Ahora, sal por la ventana. ¿Ves la torre del observatorio iluminada? En esa colina hay un pequeño camino que conduce directamente al río...

Felix salió por la ventana y cayó, cuidadosamente, desde una altura de tres metros sobre la nieve.

El deslumbrante observatorio parecía estar a kilómetros de distancia, mientras la cárcel de Oldengate parecía estar muchísimo más cerca de allí. Pero, al igual que con las grandes mansiones, Felix también se estaba acostumbrando a huir.

2. Rompiendo el hielo

Art había revisado la lista de los más o menos diez puertos que tenían que visitar. Lugares como Hasta que Perezcáis, El Portón de Margarita, El Portón de Ariete, Dover, Nido de Mazmorras, San Leonardo y el Dragón, Brig Town... Si abrazaban toda la costa hasta Port Mouth y se detenían en cada puerto, probablemente les llevaría un mes entero recorrer aquel trayecto. O incluso más, dependiendo del tiempo invernal.

Pero el barco cafetero era muy endeble, con lo cual tendrían que navegar cerca de la costa continuamente.

A pesar del escándalo que armó el patrocinador, esa noche habían corrido sobre el gélido hielo que cubría el río hasta Rottenhythe y allí echaron el ancla de juguete. Los marineros contratados, la verdadera tripulación, se marcharon del barco camino del pueblo más cercano y todavía no habían regresado.

—Estamos muy relajados, como las calmas ecuatoriales procedentes del norte de las Amer Ricas —dijo Eerie.

«No se parecía ni de lejos a eso», pensó Art. Estaban atrapados por el hielo, como en la Antártica. Y además:

—¿Cómo puedes saber cómo son las calmas ecuatoriales si jamás has estado en alta mar?

—Simulábamos que estábamos allí.

Al mediodía, el hielo se iba deshaciendo. Pero los marineros que faltaban aún no habían regresado.

¿Le resultaba familiar el hielo? Sí... los icebergs flotando como velas de color verde... Y las calmas ecuatoriales, también las conocía. Recordaba cuando la *Ino-*

portuna Forastera tuvo que ser remolcada por tres joviales barcos a base de remos, pues no soplaba suficiente viento para poder moverla.

—¿Qué estás mirando, pequeña? —preguntó Salt
Peter.

Art pestañeó y observó, en vez del océano imaginario, el muelle del río.

—Alguien está huyendo —contestó Art.

—Si alguien huye es porque alguien o algo lo per-
sigue, tal vez son jinetes a caballo... ¿Una caza? ¿Un
hombre cazando?

—¡Mira! —dijo Salt Walter uniéndose a su conversación—. Alguien ha saltado desde ese pequeño puente
y ha caído sobre el hielo. ¡Guau! Menudo aterrizaje, y
mira, ahora está patinando... ah no, está deslizándose
sobre el río.

Todos lo observaban mientras en algún lugar del
cielo cacareaba el loro, quien desde las alturas tenía la
mejor vista de todos.

En dirección este de donde el barco cafetero se había
incrustado en el hielo, se podían ver extensas áreas des-
heladas por el sol de la mañana y en la orilla la capa de
hielo estaba empezando a resquebrajarse. Durante la
noche anterior, la escarcha se había tejido de forma ce-
ñida sobre las aguas y el diminuto barco se había re-
sentido. Ahora el río empezaba a descongelarse poco a
poco.

—Se va a caer en el agua helada, seguro.

—Mira, mira... casi se cae —añadió Eerie, quien estaba apoyado en la barandilla.

En la orilla arbolada, entre barracas y almacenes,

hombres montados a caballo cabalgaban arriba y abajo, obviamente decididos a no arriesgarse a pisar en la parte medio helada del río.

—Son policías.

—Entonces, es un criminal que huye de la justicia —dijo Walter.

«Y yo lo conozco», pensó Art.

De hecho, reconoció su abrigo, pues había sido suyo durante años. ¿Sería el hombre a quien había robado en el parque Wimblays?

Mientras corría, Felix miraba tristemente hacia el barco. El *Café Pirata* era exactamente la maqueta del barco que había visto el día anterior, cuando Fan y Ann lo ayudaron a salir por la ventana. Toda esa noche había sido un fugitivo. Y había sentido frío por el invierno pero calor por el ejercicio que comportaba escapar.

Aún bajo la sombra azul del barco, Art pudo contemplar la blancura del cabello de Felix.

En ese mismo instante, Felix llegó al borde del hielo. Se detuvo, mirando fijamente al barco y la cantidad de agua que los separaba.

En la orilla, una pistola se descargó, formando un humo polvoriento, un destello púrpura y amarillo y un chasquido ensordecedor. Terriblemente interesante.

Art señaló a Felix con el dedo.

—Subidlo a bordo —ordenó Art.

—Pero es un criminal —sugirió Eerie.

—Lo dudo —replicó Art.

De todas formas, Ebad ya estaba descolgando el extremo de una cuerda por un costado del barco hacia el hielo.

117

Entonces Felix alzó la mirada y vio a la tripulación, y también a Art.

—¡Tritones y sirenas! ¡No puede trepar!

Los policías, al ver la cuerda, empezaron a disparar sus pistolas desde la orilla. O tenían mala puntería, o las pistolas policíacas eran de juguete.

—¡Eh, usted! ¡Ahí abajo! ¡Agárrese de la cuerda y aguántese! —bramó Eerie.

Felix asintió con la cabeza y agarró la cuerda. Mientras el resto tiraba de ésta, Felix saltó sobre el agua dirigiendo sus pies hacia un costado del velero, a la vez que lo arrastraban.

Su rostro pálido, cansado y hermoso se balanceaba hacia delante y atrás, acercándose cada vez más, hasta que lograron subirlo hasta la barandilla del barco.

Felix se sentó sobre la cubierta, mientras la tripulación de Molly observaba con atención su rescate.

Los hombres de la orilla gritaban sin parar a la vez que sus viejas pistolas seguían disparando. Un par de balas chocaron con los cascos del barco y *Plunqwette*, quien había estado descansando sobre la sobremesana, se revolvía tras las velas gimiendo apenadamente.

Art se apoyó en la barandilla. Tenía la pistola de Jack Cuckoo, quien la había intentado cargar antes de tirarla. Guiñó un ojo. Obviamente, jamás había disparado una pistola verdadera, pues todo formaba parte de una interpretación donde las balas eran de plástico. Aun así, apuntó y apretó el familiar gatillo. El impacto provocó un suave golpe sobre su brazo, ¿había sentido algo parecido antes? En la orilla, un sombrero de hombre con botones de latón brillaba sobre el hielo bajo la luz del sol.

Art volvió a disparar, y el segundo disparo fue directo a otro sombrero.

—¿Balas? —preguntó ociosamente mirando hacia la orilla.

—No tenemos balas.

De pronto, Felix estaba detrás de ella. En su mano tenía tres de las balas de Jack Cuckoo, a quien no se las había devuelto, y la pistola con incrustaciones de plata del duelo de Harry y Perry.

Art la posó en su mano durante un momento. Era un arma mucho más liviana. La alzó un poco, disparó y desplomó dos sombreros a la vez.

Se notaba una cierta molestia entre los policías. Algunos de los caballos se habían desbocado. O eso, o los mismos policías se habían desbocado.

Art recargó el arma metódicamente, tal y como Molly le había enseñado, con las manos firmes.

Sólo el silencio de Felix era un poco diferente. Era calmado y muy deprimente. Entonces Eerie dijo:

—Ya puedes dejarlo, Art. Ya se han marchado.

—Se ha vuelto a olvidar —apuntó Black Knack hoscamente— de que somos actores. Ahora nos ha convertido en hombres buscados por la ley, y todo por este bamboleante barco.

—Tan sólo yo les he disparado —contestó Art—. Yo soy la única a la que buscarán.

—Y yo lancé la cuerda. Aquí tenéis a un esclavo libre —dijo Ebad—. Las persecuciones me consternan, queridos amigos. Así es.

Empezó a dar zancadas sobre la cubierta, y Eerie lo siguió.

—Ha intentado no herir a nadie —le dijo Felix a Art—. Aunque no eran malos disparos, de eso me he podido dar cuenta. ¿Por qué?

—Ya se lo dije una vez. No causo grandes daños. Jamás mato. Soy demasiado lista para eso.

—Tiene razón, ahora recuerdo que me lo dijo.

Felix miraba con atención a Art. Sí, era una mujer y aún llevaba su abrigo y su capa, pero no su sombrero. Tenía el cabello castaño oscuro, con una extraordinaria mecha que le recorría por un costado, rojiza como el pelaje de un zorro. ¿Se parecía más a un astuto zorro que a un peligroso leopardo? A ambos, pensó.

En realidad, Felix no tenía la intención de quedarse con ninguna de las balas, de hecho se había olvidado de ellas hasta ese mismo instante. Fue cuando cerró su mano, como acto reflejo, mientras el ladrón se largaba con su anillo de cristal rojo.

—¿Qué le debo por salvar mi vida? —le preguntó al zorro-leopardo.

Art le lanzó una mirada fría como el acero.

—Nada. Usted es mi excusa perfecta para practicar un poco con mi puntería. Se puede bajar en el próximo puerto.

—La policía los denunciará.

—Pero —dijo Art— podemos fingir que fue usted quien los disparó y no nosotros.

Felix empezó a carcajearse con musicalidad. Captó la atención de Art tan sólo durante medio segundo, nada más. Era el momento, creía la joven, de aprovechar la oportunidad que finalmente se le presentaba y se fue dando zancadas.

—Prestad atención —les dijo a los piratas-actores que permanecían de pie, con sus cordones y plumas, monedas y alfanjes—, el hielo ya se ha fundido, así que vayámonos antes de que vuelva la policía.

—Los marineros aún no han regresado —intentó vocalizar Walter.

—Eso no me importa —contestó Art—. Nosotros tripularemos el barco.

Ebad estaba bajo el castillo de proa y observaba a Art sin dar crédito a lo que estaba escuchando. Entonces Eerie exclamó:

—Artemesia, nosotros no podemos tripular un barco.

—¡Pero lo hemos hecho millones de veces! —replicó Art.

—¡Sobre un escenario!

—¿Qué diferencia hay? Tablas, una cubierta; maquinaria que nos balancea, corrientes marinas.

Black Knack hizo una mueca y empezó a dar golpes por toda la cubierta y a vomitar por los dos lados del barco.

—¿Lo ves? Así somos nosotros, Art —dijo Eerie.

Delante del barco, el hielo resquebrajado producía chasquidos, se partía y ofrecía así más agua en su camino. Art miró a Ebad.

—Leva el ancla, señor Vooms.

Ebad se encogió de hombros. Poco a poco se fue poniendo de pie:

—De acuerdo, capitana Blastside. Hacedlo, compañeros. Levad el ancla.

Salt Walter y Peter intercambiaron miradas. Fue

121

Honest Liar quien empezó a juguetear serenamente alrededor de ellos y empezó a centrarse en la cadena del ancla moviendo el cabestrante él sólo.

Felix permaneció en la barandilla, aislado de todos ellos y observando cómo se alejaba la orilla. Art podía imaginarse perfectamente al elegante y cortés jovencito caminando con un libro sobre su cabeza para aprobar Conducta Femenina.

Primero Salt Peter y después Dirk se dirigieron hacia la barandilla donde estaba Black Knack y vomitaron. «Lo hacen a propósito —pensó Art—, al igual que Whuskery y Eerie.»

El loro daba vueltas sobre el barco, sobrevolándolo a baja altura. Art caminó hasta la popa para tomar el timón y así dirigirlo, intentando evitar los pedazos de hielo. Sabía exactamente cómo hacerlo, a pesar de que jamás lo había hecho. Debajo, en la bodega del barco, entre los sacos de café, podía escuchar al perro, *Muck*, que aullaba como un lobo.

Y entonces el clima cambió y el mar empezó a picarse y a ponerse bravo. Tenían el viento a su favor y las diminutas velas chirriaban mientras las extendían. Navegaban río abajo en dirección al mar y de repente, al fin, Art pudo percibir, a pesar del aceitoso dulzor del café, la brisa marina...

3. Hou, Port Mouth

—Pero uno de los principales propósitos en la promoción del café es que representemos un espectáculo, así que tenemos que parar en todos los puertos e interpretar el numerito.

—En los puertos de Hasta que Perezcáis habrá policías, y el tráfico del río es bastante denso. Además, también hay una fortaleza... —dijo Art.

—Pero estarán buscándolo a él —exclamó Black Knack, señalando a Felix con su dedo índice, lleno de mugre negra—, no a nosotros.

—Ya sé que lo mencioné antes, pero ahora he cambiado de opinión. Y tú, Black Knack, estabas en el lado derecho. Deben estar buscándonos a todos y cada uno de nosotros, pues saben que hemos ayudado a escapar a un criminal.

—Tú lo has ayudado, tú y Ebad Vooms.

Felix permanecía en pie, sin pronunciar palabra y con la mirada perdida. Él no se había ofrecido a bajar del *Café Pirata*, ni tampoco nadie se lo había pedido. Entonces, Eerie dijo:

—Quizá podamos detenernos en el próximo puerto. Puede que las noticias aún no hayan llegado tan lejos.

—No nos vamos a detener en ningún puerto —contestó Art—, vamos a rodear la costa. Tenemos suficientes provisiones para sobrevivir en este corto viaje, a pesar de la tacañería de vuestro patrocinador. Las he comprobado yo misma, aunque Whuskery ha intentado por todos los medios impedírmelo.

—Pero Art, Art, ¡el anuncio!, ¡el patrocinador!

—¿Por qué lo defiendes? ¿Es que acaso quieres casarte con el café?

—Él es quien paga.

123

Art estaba de pie, con sus larguísimas piernas —calzadas con las botas— separadas y ancladas sobre la cubierta, a pesar de los tambaleos del barco. Aun así, se dio cuenta de que a pesar de que el mar estaba muy picado en esa zona, la mayoría de la tripulación se había recuperado del mareo.

—Tengo una idea mejor. Escuchad, navegaremos hasta Port Mouth, y allí presentaremos vuestro espectáculo.

—Eso no es lo que quiere el señor Coffee.

—Eso es lo que yo quiero.

Estaban boquiabiertos y la miraban fijamente. Tan sólo una mancha color verde sobre el castillo de proa, *Plunqwette*, y Ebad, quien estaba sentado sobre un barril de café mientras fumaba lentamente su pipa, la miraban con una mirada diferente, una mirada meditabunda, pensativa.

Se creó una atmósfera rebosante de murmullos y palabras entre dientes, pero fue Black Knack, con su parche en el ojo, quien rompió el hielo y se lanzó sobre Art.

—¡Niña, vas a hacer que naufraguemos! ¡Nos colgarán a todos por tu culpa! Tan sólo eres una jovencita del tres al cuarto, una niña. ¿Quién eres tú para decirnos «quiero esto, quiero lo otro»? Te inmiscuyes en nuestras vidas cuando a ti no te ha faltado de nada, ni tan sólo un botón, porque claro, la niña tiene a su papaíto para que le pague todo. En cambio, nosotros tuvimos que luchar, nadie nos ofrecía trabajo por pensar que traíamos mal fario después de lo que pasó con Molly y ese cañón. Tu madre, cuando estaba viva, nos cuidaba y nos daba órdenes y nosotros estábamos contentos con eso. Pero tú...

Y no pudo proseguir, pues Art había avanzado hacia él, le había quitado el parche que llevaba en el ojo y le había dado un par de bofetadas en sus mejillas sin afeitar.

El rostro de Black Knack se tornó del color de la remolacha acompañada con una salsa de vino tinto. Alzó su puño, y Eerie y Ebad, sorprendidos, dieron un paso hacia delante, pero Art ya había evitado el golpe de Black Knack con el movimiento zigzagueante perfecto de una luchadora experta. Acto seguido, oscilándose hacia atrás, lo embistió con un golpe magistral justo en el único punto afeitado de su mandíbula.

Los ojos de Black Knack, encendidos, estaban abiertos de par en par. Se desplomó en cuestión de segundos y cayó, con un duro golpe, sobre la cubierta.

Casi toda la tripulación se había arremolinado alrededor de ellos. A excepción de Felix, quien se había alejado de la popa y estaba observando algo realmente fascinante e increíble sobre el río. Tampoco se acercó al grupo Ebad, quien aún permanecía pensativo sobre el barril. Mientras, el loro se arreglaba las plumas.

—Según la Ley Pirata de los Siete Mares —dijo Art—, quien no esté de acuerdo con mis reglas podrá luchar contra mí. Es justo. —Y amigablemente añadió—: Sois unos caballeros. Sé que no osaréis luchar todos a la vez contra mí, sino uno por uno, en un orden correcto. Así pues, estoy lista para cualquiera que desee combatirme. Aunque Blacky ha utilizado el puño, preferiría la espada o la pistola para la próxima vez.

—Artemesia —dijo Eerie.

—Si vuelve a llamarme así, me arrojaré sobre usted, señor O'Shea. Odio recordárselo, pero mi espada es real. Soy Art Blastside. O, si lo preferís, capitana Blastside.

—¡Art! ¡Oh, por el sagrado cerdo de oro de Eira! —exclamó Eerie alzando los ojos hacia el cielo.

Peter y Walter, enrojecidos al igual que su cabello, parecían estar nerviosos, inquietos. Habían visto a Molly luchar, de hecho habían crecido viéndola, pero sobre un escenario. Art luchaba igual que Molly, pues la había entrenado durante los años anteriores al terrible accidente. Había peleado en el escenario, pero Art, en cierta manera, había convertido la ilusión en un hecho. Honest Liar tan sólo sonreía abiertamente, asintiendo con la cabeza a Art.

126

—Bien —dijo Art—, ¿alguien?

Whuskery alzó la voz y exclamó:

—Art, esto no está bien...

—¡Pero no la animéis! Miradla a los ojos, ardientes y gélidos, nos cortará la cabeza con sólo un pestañeo.

En la parte baja de la cubierta, Black Knack estaba sentado como una serpiente, enroscado, y se frotaba la mandíbula mientras gruñía.

Entonces, Art se le acercó.

—¿Ya está más calmado Blacky? ¿O quiere otro ataque?

—Tienes una empuñadura muy dura, Art —dijo Black Knack—, por poco me rompes la mandíbula.

—Usted tiene una mandíbula muy dura, señor Kack, por poco me rompe la mano.

Black Knack asintió con la cabeza y se levantó.

—Tú ganas. De momento.

Por encima, el velamen chirriaba en los pequeños astilleros.

—Orientad las velas hacia el canal —ordenó Art—. ¿Quién va a subir? De acuerdo, yo escogeré. Honest, Walter y Peter.

Aún chirriaban cuando al fin Honest Liar alcanzó el mástil principal. Walter, que era mucho más liviano, fue subiendo con descontento hacia la sobremesana y se agarró a ella como un lirón a una mazorca de maíz y después empezó a trepar como un verdadero experto. Peter iba trepando por el trinquete, aunque sólo le preocupaba que su hermano Walter avanzara con seguridad.

Entonces Art gritó:

—¡Arría esa bandera con la taza y las cucharas, Honest!

—Sí, sí, capitana.

—Entonces, ¿qué colores ondearemos, Art? —preguntó Eerie con aire aturdido.

—Por ahora, ninguno. Pero cojamos prestado un poco de café preparado y os lo demostraré.

—¿Lo tenías todo planeado, Art? —Eerie la miró fijamente y continuó—: Antes has mencionado que interpretaríamos un espectáculo cuando llegáramos a Port Mouth, pero ¿qué tipo de espectáculo, Art?

—Un concurso —respondió Art.

—¿Y la publicidad?

Pero Art ya le había dado la espalda. Pocos instantes después, desde la galera superior, emanaba el exquisito

127

olor del café. Whuskery apareció con una bandeja de cafeteras y tazas de hojalata.

—Nada de eso —dijo Art—. Retira todo eso y viértelo sobre la olla del cocido.

Whuskery dio media vuelta refunfuñando.

Dirk se llevó de repente la bandeja de cafeteras y tazas de Whuskery mientras le balbuceaba:

—Oh, es muy salvaje, muy agresiva. Te aconsejo que no la provoques.

Muy avanzada la tarde, el barco cafetero perdió todos los colores excepto el marrón y el blanco. Es más, si no fuera por las velas, el marrón habría cubierto el barco de proa a popa. Habían utilizado gruesos granos de café que habían traído en relevos desde la galera para así poder pintar sobre el amarillo canario y los adornos escarlata, e izaron una bandera blanca hecha a partir de la mitad de una vieja camiseta decorada con una raya color marrón. Parecía ser algo inocente, pero a la vez podría haber significado alguna cosa.

El nombre del barco también había sufrido algún cambio, pues Art y Honest, suspendidos de un lado del navío, lo habían desfigurado. Ahora, el *Café Pirata* parecía un pequeño pero a su vez distinguido velero de placer, que había navegado, quizá, bajo tempestades que habían causado más bien una pérdida total de inteligencia que graves daños. Todo esto era perfectamente visible gracias a un aparente nombre comercial en el costado: *Ca irata*. El mascarón de proa también lo habían «retocado», y la dama ya no sujetaba ninguna cafetera.

—Todo esto para nada —se quejó Eerie.

Sin embargo, y a pesar del nuevo disfraz, se dirigieron con sigilo hacia los muelles de Hasta que Perezcáis sobre la medianoche a la vez que pasaban con cautela cerca de las bengalas de los muelles y de los faros de otros barcos que reposaban permanentemente anclados sin la menor intención de zarpar. En el viejo y lúgubre fuerte siempre miraban al mar en busca de los franceses creyendo que en cualquier momento intentarían invadir la Libre Inglaterra, pues aquéllos aún vivían en monarquía. Así que el fuerte no tenía ojos para un pequeño velero marrón de tres mástiles.

Más allá de los muelles y del puerto, el estuario bostezaba sobre el canal de la Libre Inglaterra, donde las orillas y la niebla se asemejaban a figuras fantasmagóricas en la distancia. Una especie de escarcha cubría los mástiles, pero no había ni nieve ni hielo por los alrededores.

Se mantuvieron cerca de la orilla hasta el amanecer, cuando el mar se abrió ante ellos. No podían ver ni el principio ni el fin de un mar teñido de gris marengo por los primeros rayos de sol.

—¿Es Francia, esa orilla que se ve a lo lejos? Ah no... es tan sólo niebla otra vez...

—¡Demasiada agua! ¡Mirad! ¡Está por todas partes! ¡Oh, voy a... uughh!

—¿Dónde está el perro? ¿Dónde está *Muck*?

—Se fue nadando anoche, todo manchado y salpicado. Se fue derecho hacia el muelle. La verdad es que ese perro tiene demasiado sentido común como para adentrarse en el mar.

ϒ

¿Se había sentido alguna vez tan sola?

Sí. Art pensó que probablemente se había sentido así más de una vez desde que Molly falleció.

Después de eso, apenas había visto a su padre y desde luego jamás había sentido deseos de verlo. La Academia de Ángeles estaba llena de niñas y jovencitas prácticamente iguales las unas a las otras, pero ninguna se asemejaba a Art.

Sin embargo, esos hombres habían sido en otro tiempo la familia de Art. La única, de hecho, que había tenido. Y ahora... ya no lo eran.

A lo mejor debía, pensó, haber intentado simplemente participar en su obra. Pero aquello no tenía sentido. No lograba acordarse de nada de eso, ni de los escenarios, ni de la maquinaria que hacía mover las verdes olas, ni de las flotas de embarcaciones falsas, ni de las láminas de metal que provocaban los sonidos de las tormentas... Tan sólo recordaba los latigazos de las ventiscas y de las olas, los cielos y océanos colosales, las costas doradas y las costas rebosantes de marfil y esmeraldas.

Ésta, con el canal color grisáceo y con Whuskery vomitando justo detrás del camarote de Art, era la pura y cruda realidad.

Pero ella estaba sola.

El loro, sentado sobre el barril de café que estaba detrás de ella, emitió un silbido y dijo:

—¡Piezas de corcho!

—No hablas, ¿verdad? —dijo Art—. Pensé que

Molly te había enseñado muchísimas palabras y frases, para poder mantener una conversación contigo... o pretenderlo.

—¡Molly! —gritó el loro mientras se le erizaban las plumas—. ¡Polly quiere Molly!

—Sólo me tienes a mí, viejo pájaro. Lo siento.

—¡Muhuras de oro! ¡Piezas de ocho!

De repente, alguien llamó a la puerta con mucha educación. Era Felix. Oh, él era de ese tipo de personas que llamaban a la puerta, mientras que los demás tan sólo entraban bruscamente, aunque afortunadamente podía escuchar la mayoría de sus pisadas mucho antes de que llegaran e irrumpieran en el camarote.

—Sí, señor Phoenix, adelante.

El joven se adentró en el camarote, cerró la puerta y se quedó mirándola fijamente.

131

—¿Y bien? —dijo Art.

—¿Cuándo me va a dejar marchar de su bote?

—Barco, señor Phoenix. A pesar de sus medidas, sigue siendo un barco. En cuanto a cuándo desembarcará, eso será cuando nos detengamos en algún lugar, supongo.

—Había pensado que quizá podría ser en los muelles de Hasta que Perezcáis.

—Evidentemente, no. Parece que está usted impaciente por marcharse. ¿Acaso va a intentar hacernos daño?

—Mi presencia les ha causado ya bastantes problemas.

—Posiblemente, pero en realidad usted tan sólo es un problema de importancia menor, señor Phoenix.

—Bien, señorita Bla...

—Capitana.

Felix arqueó sus oscuras cejas, que a Art le parecían tan extrañas como sus pestañas, que también eran de color oscuro a pesar de tener un cabello tan claro.

—Bueno, capitana —añadió Felix—, en realidad yo no pertenezco realmente a esta pandilla de matones, ladrones y... piratas. Lo lamento.

Art lo miraba con atención, y después sonrió.

—¿Es que acaso no le han convencido, señor, de que son meros actores?

—No tengo ni la menor idea de lo que todos ustedes son, pero éste no es mi lugar.

—No se inquiete. Si el tiempo nos acompaña y el viento sopla a nuestro favor, estaremos en Port Mouth en una semana. Entonces, podrá salir corriendo como una niña.

—No quiero parecer ingrato —dijo—, usted y sus... y sus hombres salvaron mi vida.

—Oh, estoy segura de que no fue así, señor Phoenix.

—¡Loro pirata! —gritó *Plunqwette*.

—A no ser que quiera salir nadando hacia el puerto más cercano, señor, como *Muck*, el perro más limpio de Inglaterra.

—No sé nadar —añadió Felix—. De hecho, la mitad de sus hombres no saben nadar, ¿lo sabe, verdad?

—Gran parte de la Marina inglesa, señor, y casi todos los piratas y comerciantes desde Inglaterra hasta las Azules Indies, no tienen ni la menor idea de nadar —contestó Art—. Y eso no nos ha detenido a ninguno de nosotros.

—Gracias —dijo Felix dirigiéndose hacia la puerta.

—¿Por qué? ¿Está agradecido por nada?

—A veces. A veces lo prefiero antes que estar agradecido por algo.

Fuera del camarote, Art alcanzó a escuchar que algunos de sus hombres empezaban a cuestionar a Felix con ansiedad. Naturalmente, Felix les caía bien, pues creyeron, incluso antes de que Art se lo confirmara, su explicación sobre la identidad equivocada que le habían otorgado, la del criminal Jack Cuckoo. El día anterior les había cantado una canción a petición del público con su preciosa voz, y Eerie había exclamado:

—¡Podrías cubrirte de gloria y oro con esa voz!

Ellos sabían mucho más sobre Felix que la propia Art, pues él hablaba mucho con ellos.

Pero realmente Felix no le importaba. Tan sólo le molestaba a Art porque estaba ahí, durante el viaje, y de hecho desde el momento en que lo vio aparecer sobre el hielo, ella ya había hecho sus propios planes.

Era el momento de salir y de rondar por la cubierta para comprobar qué estaban haciendo los hombres. ¿En quién podía confiar?

El loro dio un brinco, se posó sobre la muñeca de Art y caminó como si fuera un pato por el antebrazo de la chica hasta llegar al hombro.

—¡Isla del Tesoro! —dijo el loro, y empezó a escarbarse entre sus plumas en busca de una de las últimas pulgas de Felix.

Υ

Durante los siguientes días, *Ca irata* navegó por las ondeantes playas de las costas inglesas, alejándose de calas y bahías profundas, evitando pueblos pesqueros, aldeas costeras y puertos que poblaban costas acantiladas. El tiempo estaba de su lado, calmado, pero el paisaje se veía teñido de blanco por el invierno e incluso a veces la bruma cubría las orillas. Art no las reconocía. Eran ajenas a ella y completas desconocidas, de hecho era todo lo demás lo que conocía.

Si alguien en tierra firme se hubiera percatado del barco, y seguramente alguien lo había hecho, lo habría considerado como algo insignificante, cosa que no concordaba en absoluto con lo que el patrocinador tenía en mente. Pero la tripulación trabajaba codo con codo aunque más bien de una forma desorganizada, asumiendo ciertos papeles y funciones que Art les había encomendado, que de hecho eran las mismas que las que tenían en la obra de teatro. Whuskery se quedó con el peor papel. Él había sido, quizá, un maravilloso cocinero en la obra, pero lo que ahora preparaba en la diminuta cocina era realmente espantoso.

Ebad era el primer oficial, cuando en la obra hacía el papel de segundo oficial, Eerie era el segundo, cuando en la obra era el tercero. Nadie decía nada de Hurkon Beare, quien había interpretado el papel original de primer oficial en la obra.

—Se fue a Canadia —sugirió Salt Peter—. Era canadense. Se le rompió el corazón —prosiguió— cuando Molly falleció.

El mar se tornó bravo justo cuando pasaron por una aldea que se veía sutilmente a lo lejos, Saint Leonard-

and-the-Dragon, y la mancha de café empezó a limpiarse gracias al agua que se colaba por la cubierta. Volvieron a embadurnar el barco cuando al fin los habituales miembros de la tripulación pararon de vomitar.

La tinta y el papel dieron color a las gaviotas y a unas cuantas palomas gritonas que seguían al barco por el perfume de café y que tenían una alocada necesidad de probar los granos. A veces, aterrizaban sobre la cubierta, se peleaban y finalmente se abalanzaban sobre los barriles y los sacos, aunque a veces el loro intentaba combatirlas descendiendo en picado y revoloteando de un lado para otro. Las actividades de las palomas y las plumas de varios colores otorgaban a *Ca irata* un aspecto más colorido: negro, blanco y verde.

—Art y ese loro. Dos de la misma especie. Luchadores. Matones.

—Qué va, Black Knack. Es la chica de Molly. Ten paciencia. Volverá a sus cabales, créeme.

Ahora a Art aquellos hombres le parecían, a veces, incluso auténticos piratas. Incluso las palabras y las frases que utilizaban eran mucho más ornamentadas, como en la obra, o como en el barco pirata, donde bravuconerías, amenazas y fantasías estaban a la orden del día.

Mientras los observaba, Art los veía cómo se pavoneaban en la cubierta con sus abrigos llamativos y las manos sobre las empuñaduras de sus alfanjes. Esas armas, junto con las pistolas y las balas de sus cinturones, eran falsas, a pesar de que no lo parecían.

Pasaban por Brig Town un domingo por la mañana cuando, de repente, unas pancartas rojas y amarillas aparecieron en la orilla en las que se podía leer con claridad: «Bienvenido, *Café Pirata*».

Los supuestos piratas, que ya no patrocinaban el café, empezaron a maldecir y a quejarse. Casi se produjo otra pelea. Art llevó a cabo el truco de Molly por segunda vez, y los pantalones de Whuskery aterrizaron sobre las tablas de madera, así que Peter tuvo que coser los botones una vez más.

Tan sólo Honest se lanzó hacia su nueva vida sonriendo.

Tan sólo Ebad se contenía y permanecía indescifrable mientras interpretaba su papel de primer oficial sin poner ninguna pega.

Y tan sólo Felix se mantenía completamente al margen, sin formar parte de nada. Excepto cuando les cantaba a la tripulación de Art si éstos se lo pedían y los retrataba si éstos se prestaban a posar o caminaban con rigidez, pues Felix les había hablado de sus capacidades artísticas. El chico era uno de los suyos y, a la vez, un intruso voluntario.

—Tan sólo tú y yo, pequeña —le dijo Art a *Plunqwette*.

A veces, Art se preguntaba si todos intentarían huir en Port Mouth, pues hasta *Muck* había abandonado el barco.

Pasado Brig Town, el paisaje se extendía de tal forma que parecía que un cálido suspiro lo ensanchara, y el colorido del mar se intensificaba según su profundidad. El barco realizó un movimiento náutico que provocó que muchos de los tripulantes corrieran hacia la barandilla. ¿Serían sus náuseas reales? Al fin y al cabo, si la maquinaria del escenario recreaba justo ese balanceo y esos golpazos con las olas, ¿por qué en esa época no sentían náuseas? Quizá porque entonces sabían que no estaban en alta mar. Black Knack era el peor de todos. Lo hacía tan habitualmente, que Art se preguntaba si en realidad se lo provocaba él mismo. Pero, a la vez, también admiraba, en parte, su truco exasperante de darle la vuelta al hecho de vomitar y crear con ello una protesta agresiva.

La noche empezaba a robarle los últimos rayos de sol al día cuando Port Mouth apareció a unos dos kilómetros de distancia, con sus inmensos edificios que lanzaban destellos dorados, ventanas que hacían de espejo al sol poniente, como si fueran lentejuelas del tamaño de una muñeca.

—¿Lo veis? Existe —dijo Art en tono de burla.

Todos, por una vez unidos como una piña, miraban fijamente hacia Port Mouth, con su redondeada bahía y su extensísimo puerto, coronado por una fortaleza que tenía la función de faro. Allí, las aguas estaban atiborradas de barcos afilados y relucientes e incluso, en la distancia, pintados y limpios, con las velas arriadas o izadas firmemente, balanceándose suavemente como cunas en un mar invernal que parecía casi estival, se parecían al color de los ojos de Felix Phoenix. Las gaviotas revoloteaban por todas partes, como copos de nieve que descendían del cielo azul.

«Conozco este pueblo —pensó Art—. He estado aquí antes. Me dirán que no es cierto, pero aunque sólo lo tuviera como un mero dibujo en mi mente, me resulta familiar.»

Otro pensamiento le vino a la mente y le susurró suavemente con amabilidad: «Bien, Molly debió enseñarte pinturas y dibujos de todos estos lugares. Por eso reconoces éste».

«Entonces —pensó Art—, los reconoceré todos.»

Entre ellos y el puerto reposaba una pequeña isla cercana a la costa conocida por el nombre de isla Spice. Allí habían construido almacenes, y la brisa que corría por la tarde olía a jengibre, canela y caramelo, cosa que explicaba por qué las gaviotas cafeteras que habían acompañado durante todo el viaje a *Ca irata* ahora estaban emigrando del barco y reuniéndose con otros pájaros, como gaviotas, palomas y cuervos, que sobrevolaban la isla y el puerto.

—De acuerdo, haremos escala en la isla —dijo Art.

Allí había unos cuantos barcos anclados, aparentemente más abollados y de menor tamaño que los del puerto.

—Pero —dijo Walter—, y después de eso, ¿qué?

—Yo y un par de vosotros —contestó Art— iremos a tierra firme. Utilizaremos algún bote que recojamos. De hecho puedo ver unos cuantos desde aquí, cerca del esquisto.

—A eso se le llama robar.

—No, porque los devolveremos.

—Y tú, Salt Walter, nos ayudarás remando hasta allí.

—Jamás he remado, de veras, Art.

—Sí que lo has hecho, sobre un escenario.

—No te preocupes, Walt —dijo Ebad de repente—. Art, yo os llevaré.

Art dirigió una mirada de sorpresa a Ebad y asintió con la cabeza.

—Abordaremos la costa, compañeros. La isla Spice, bajo el manto del ala nocturna.

Todos la obedecieron. Habían escuchado y obedecido órdenes como éstas miles de veces, a pesar de que ninguna en alta mar.

Art se dirigió a la parte de la cubierta donde Felix permanecía en pie, solo y mirando las olas de las aguas de Port Mouth.

—Y usted, señor, cantará para nosotros en esa melódica voz que Dios le ha otorgado y que tiene algo de encantador.

—De acuerdo, si usted lo ordena.

—Quiero que nos oigan, que nos vean amables, lícitos, con mercancía, como si no tuviéramos nada que esconder. ¿Y querrá cantar un villano perseguido por la justicia?

El sol se escondía por el horizonte como una moneda de oro en un bolsillo de terciopelo rojo. La oscuridad tomó el relevo y las estrellas iluminaban el cielo a la vez que los faros de la costa se iban encendiendo uno tras otro y entre los barcos acumulados les contestaban con luces.

Entonces Felix comenzó a cantar.

Era un soneto de Shakespur. No conocían la melodía de la canción, pero cada uno de los actores agudizó su oído y Art se dirigió hacia el pequeño bauprés para escuchar mejor.

¿Quizá puede que seas como un día de estío?
No, hay en ti más belleza y también más templanza;
Troncos vientos sacuden los capullos de mayo
Y es muy breve ese tiempo concedido al verano.

Brilla el ojo del cielo con un fuego excesivo
Cuando no se ensombrece su semblante dorado,
Lo que es bello algún día menguará en su hermosura
Por el curso cambiante del azar o del tiempo.

Mas tu estío perenne no podrá marchitarse,
Ni perder la belleza que ahora tienes, y nunca
Va a jactarse la muerte de que estás a su sombra

Cuando en versos eternos con el tiempo perdures.
Mientras alguien aliente y haya luz en sus ojos
*Vivirán mis palabras para hacerte inmortal.**

Eerie, que estaba al lado del timón, se sonó la nariz.

—Ah, ésta era Molly. Podía haber sido la canción de Molly... podría haber sido escrita para ella...

Los demás escuchaban sin musitar palabra. Tan sólo los pequeños golpes de las olas, el crujido de la cuaderna y el suave sonido de las velas de lino acompañadas de la brisa y el viento de la costa los separaban de la canción.

Sonetos de William Shakespeare, versión de Carlos Pujol, Editorial Comares, Granada, 1990.

Whuskery había estado dando brincos como un conejo desde la ventanilla de la galera. Honest y Peter, quienes se encargaban de las velas, permanecían colgados como monos, justo al lado de *Plunqwette*, quien miraba hacia el horizonte. Dirk y Black Knack estaban sentados sobre un barril de café. Ebad, fumando de su pipa y aún pensativo, exclamó cuando Felix acabó de cantar:

—Otra, señor Phoenix. Otra vez.

Art pensó: «Sí, por Molly». El rumbo no había cambiado y las velas estaban izadas. Su madre ya no vagaba perdida entre las sombras de la muerte, pues estaba viva en sus memorias.

«PIRÁTICA —pensó—, mi madre.»

La hija de Pirática

Capítulo I

1. El Pudin de Port Mouth

La señora Hornetti, de cabello negro como el azufre y ojos diminutos como granos de arena, entró en el salón principal de su taberna con su perro salchicha bajo un brazo y con un rodillo de cocina bajo el otro.

Los clientes levantaron la mirada y la saludaron con prudencia, y a la vez con un bullicioso respeto. De lo contrario, no dudaría en atizarlos con el rodillo de cocina o arrojarles su perro, *Ratskin* —que era peor de lo que a simple vista parecía—, para que les atacara. La verdad es que los clientes que frecuentaban la taberna tampoco eran muy de fiar. En esa taberna, iluminada como una cueva y de vigas bajas, estaban sentados una colección de hombres acicalados con parches andrajosos y pendientes, con barbas que no se afeitaban desde hacía semanas y con armas que no pasaban desapercibidas, pues estaban completamente a la vista de todo el mundo.

—Ama —dijo una de las jóvenes que servía—, alguien está repiqueteando en la puerta trasera.

La señora Hornetti salió majestuosamente del salón y caminó pasillo abajo. En un par de habitaciones por las que cruzó había más hombres barbudos, jugando a las cartas en un silencio amenazador y alzando sus jarras de cervezas en honor al ama de la taberna cuando ésta pasaba cerca de ellos.

En la puerta trasera, que conducía a un jardín lateral, la señora Hornetti se detuvo escuchando con atención. Un toc-toc repicaba en la puerta de una manera muy particular.

La señora Hornetti quitó los cerrojos y abrió la puerta de par en par.

Ante sus ojos se postraba una esbelta figura masculina, con una cicatriz color malva en su rostro y con un sombrero de tres picos a una altura en que era imposible vislumbrar sus ojos.

—¡Doll! —exclamó la señora Hornetti.

—¡Dot! —exclamó el hombre con voz femenina.

A continuación el hombre (o mujer) entró en la taberna arrastrando una alforja.

—He escondido el caballo en la parte más oscura de tu establo, como siempre. Por todos los murciélagos, Dot, qué líos y aprietos me ha hecho pasar Jack estas navidades. La mitad de los policías de Lundres lo están buscando aunque, afortunadamente, están persiguiendo al hombre equivocado.

—Entra al salón y echaré un vistazo a tu botín, cariño. Y luego beberemos ginebra.

—Jerez, Dot —dijo la bandida—, sabes que no puedo con la ginebra.

Pronto se acomodaron cada una a un lado de la

mesa, a la luz de las llamas de la chimenea, con sus respectivas bebidas y con la puerta cerrada con llave. Entonces, la bandida se quitó el sombrero y la bufanda que llevaba. Era Doll Muslin, la íntima amiga de Jack Cuckoo y su cómplice, aunque en realidad era el mismísimo Jack Cuckoo, o eso intentaba pretender. Los carruajes en los que el caballero Jack sembraba el terror, siempre los robaba, y con éxito, Doll.

Sobre la mesa, Doll colocó todas las posesiones, los relojes de bolsillo de plata, anillos de oro con perlas incrustadas, una hebilla de diamantes, algunos collares de brillantes y un cofre color ámbar y azabache a rebosar de marfil. La señora Hornetti hacía su agosto con todo ese tipo de artículos que le entregaban los bandidos, los contrabandistas y los piratas que visitaban su taberna.

—Agradecería pasar aquí esta noche, Dot. He cabalgado desde Rowers, sin hacer una sola parada. La nieve obstaculiza mi camino, y para rematar, los policías que persiguen a Jack están por todas partes, como pulgas.

—Obviamente que sí, Dolly. Celebraremos una fiesta, tú y yo. Bebe. Este jerez proviene del puerto franco-español de S'herry.

El bote que habían cogido prestado —o robado... o apropiado...— era una diminuta cáscara de nuez completamente agujereada que permitía que el agua se colara dentro. Fue entonces cuando Art empezó a pensar que quizá alguien lo había dejado tirado en la isla Spice para que se pudriera.

Sin embargo, consiguieron cruzar y chocaron contra los guijarros que estaban fuera del alcance de la ciudad de Port Mouth.

—¿Dónde vamos? —preguntó Walt, quien después de todo los acompañó remando con todas sus fuerzas bajo los consejos de Ebad.

—Ahí hay una taberna —dijo Art—, lo recuerdo.

—El Pudin de Port Mouth —aclaró Ebad.

—Pero ése no es un lugar real —contestó Walt—, tan sólo era parte de la obra...

—Es real, señor Salt —dijo Ebad—. La obra que representábamos utilizaba los nombres reales de las cosas. El Pudin es famoso por las andrajosas y maliciosas personas que lo frecuentan. Pero anímate, porque Golden Goliath no volverá a poner un pie aquí.

148

Art detuvo a Ebad, a la vez que Walter y el silencioso Felix bajaban del pequeño bote.

—¿Me estás diciendo que Golden Goliath era real?

—Así es, pequeña. Uno de los peores piratas, de hecho el peor.

Entonces Art dijo fríamente:

—El cartel del teatro decía que ese papel estaba interpretado por un tal señor Trevis Wilde.

—Trevis interpretaba a Goliath en la obra, pero Goliath, y eso tenlo por seguro, era un hombre real, si es que a un monstruo como él se le puede considerar un hombre. Era temido desde aquí hasta Barbaria, pero eso era años atrás. La mitad de la Marina francesa lo perseguía y lo llegó a capturar cerca de las Indies. Le hundieron con su propio barco. Desde entonces, nadie ha vuelto a oír hablar de él.

—Pero y ese navío negro con la calavera y los huesos cruzados en cada vela...

—Era suyo. Él también tenía una flota en su poder. Seis o siete barcos, aunque nunca los llevaba a todos consigo.

—Pero su embarcación se llamaba la *Enemiga*.

—Sí. Y si un barco puede ser cualquier cosa, éste era igual que su capitán. Ese barco era como un demonio. El público solía chillar cuando se alzaba, o eso parecía, sobre el escenario. Y les encantaba cuando Molly luchaba contra esa embarcación, y en alguna de las aventuras la vencía. El mismísimo Goliath, tal y como te he dicho antes, era temido y odiado por todos, pues siempre fue un asesino vicioso. Ni ningún barco ni ningún miembro de ninguna tripulación logró sobrevivir a sus ataques, a no ser que fueran lo suficientemente fuertes como para osar enfrentarse a él. Aquellos que lo pretendieron, perecieron en el intento. No dejaba a nadie con vida. Los mercaderes y comerciantes que perdían sus cargamentos, sus hombres, su tripulación, sus amigos gracias a G. Goliath, solían contarlos como estrellas de un cielo nocturno.

149

Caminaban tranquilamente por las calles adoquinadas tupidas de tabernas iluminadas y de tiendas muy poco alumbradas o incluso, algunas, casi a oscuras.

El Pudin estaba justo en el lugar donde Art lo recordaba. Seguramente, Molly le habría dibujado un mapa.

Al abrir la puerta principal, Art fue la primera que puso un pie en el interior. Le seguían, Ebad, después Walt y por último Felix.

—¿Por qué entra aquí? —susurró Walt a Felix.

Felix encogió los hombros.

—¿Tú por qué crees, Walter?

Pero Walter no parecía estar muy enterado de sus intenciones.

Justo entonces, una ovación ensordecedora rompió el hielo en el salón a rebosar de hombres que apestaban a brandy. Éstos se levantaban y alzaban sus copas y jarras en dirección a la puerta. Tan sólo unos cuantos permanecieron sentados dando la espalda y gruñendo con envidia.

¿Todo esto era por Art? Ella no lo creía así. Miraba a su alrededor, al igual que Ebad y Walter, para ver si alguien más, aparte de ellos, había entrado en la taberna.

Felix hizo una mueca.

Entonces Art escuchó el saludo:

—¡Es Jack Cuckoo! Había oído que andaba por estas tierras. ¡Oye, Jack! Vimos cómo lograste escapar de la policía lundinense. ¡Eh, Jack! ¡Vamos, entra y enséñanos el botín!

Un enorme borracho, que se balanceaba hacia un lado y el otro, tenía, en vez de un pendiente, un diminuto cuchillo que le atravesaba la oreja. Sonrió abiertamente a Felix, se abrió paso entre toda la multitud y estrujó la mano del joven.

—No soy el caballero Jack Cuckoo.

—¡Claro que lo eres! ¡Te he visto muchas veces! Alto, esbelto y con el pelo rubio. Además, tu caballo está en el establo de la señora Hornetti. Lo he visto con mis propios ojos, ese caballo es inconfundible, pues suele llevar puesta media máscara, como tú, Jack, cuando cometéis un robo.

—¡Oh, dios mío! —dijo Felix completamente disgustado.

Art le dio una palmadita en el hombro.

—Jack es un hombre modesto, señor Knife. Pero os agradecemos vuestra cálida bienvenida.

Evitando cientos de ofrecimientos de fiel y eterna amistad, lograron llegar a un banco que había en la esquina y se sentaron.

La posadera se acercó a ellos con una bandeja repleta de bebidas gratis para ellos.

—Invita la casa, caballeros. —Y guiñó un ojo a Felix—. No tenía constancia de que era usted tan hermoso, caballero Jack.

—Gracias —dijo Felix cansado.

El del cuchillo en la oreja se levantó y se sentó en la esquina que quedaba libre del banco donde estaban sentados.

151

—¿Algún reloj de bolsillo, Jack? ¿O algún collar? Algo para mi querida esposa.

—Nada.

—Bonito anillo, ¿qué me dices de ese rubí?

Felix cerró los ojos, y Walter, preocupado, lo rodeó con su brazó.

Art vio como Ebad se reía a carcajadas por primera vez desde que lo había vuelto a ver. Knife, el hombre con el cuchillo en la oreja, estaba muy intrigado. Cuando al fin Ebad paró de reírse, Art dijo:

—Jack tiene problemas con la policía lundinense.

—¡Eso es lo que hemos oído! —exclamó Knife con júbilo y satisfacción.

—Está agotado, como puedes ver. Ha cabalgado desde Rowhampton.

—Eso también lo hemos oído. Ese viaje se convertirá en una leyenda.

Art se inclinó hacia delante y susurró:

—¿Qué barcos, en condiciones de navegar y con buenos aparejos, están listos para zarpar? Tenemos que preparar una huida perfecta para Jack.

Knife suspiró.

—Conozco todos los barcos, aunque mis días como pirata ya han acabado. Aun así, todavía puedo juzgar a un barco. Es como un matrimonio, ya sabes —añadió con confianza—. No eres infiel, pero se le puede echar una ojeadita.

Entonces Felix dijo en voz baja y gentil:

152

—Aclarémonos, caballeros. Ella no está pidiendo barcos para ayudarme a mí.

Ebad no dijo palabra y Walter abrió los ojos y quedó boquiabierto.

Knife miraba fijamente a Art:

—¿Ella?

Art de repente se volvió tímida y sonreía como una tonta. Sabía perfectamente cómo hacerlo, y eso que jamás habría imaginado que las clases en la Academia de Ángeles servirían para algo en su futuro.

—Shh, no sigas —murmuró Art a Knife.

—¡Oh! ¡Ah! —exclamó con una gran sonrisa—. Ya lo entiendo. Es por seguridad. El secreto irá conmigo a la tumba.

Después, se volvió a sentar y empezó a hablar sobre todos los barcos del puerto, de sus orígenes, de su arquitectura, de sus propietarios, de sus destinos, de sus fechas de partida...

Ebad y Art escuchaban atentamente. Y Walter también empezó a prestar atención, sorprendiéndose a sí mismo, aparentemente, por su conocimiento del arte de la navegación y de los viajes.

Felix apoyó su cabeza contra la pared y empezó a dormirse de una forma silenciosa y elegante.

Se despertó porque su posadera estaba justo detrás de él, inclinada sobre la mesa y sacudiéndolo mientras lo agarraba por las solapas.

—¡Caballero Jack! ¡Despierte! ¡Hay un problema!

—Claro que lo hay —dijo Felix.

Vio a Ebad, Walter y Knife tomándose una cerveza como viejos camaradas en la barra de la taberna. Tan sólo Art estaba sentada en la otra punta del banco.

A su juicio, Art parecía bastante asustada. En sus ojos ardía una luz muy lejana, e incluso su pelo estaba electrizante. Parecía asustada, y algo más.

Igual que lo que había oído de su madre sobre el escenario, Felix pensó: «No puedes dejar de mirarla».

¿Habría escuchado Art lo que la posadera le había dicho? Pero la posadera estaba dando vueltas alrededor de ellos y, ahora, tiraba de Art.

—¿Qué pasa? —preguntó Art suavemente.

De pronto, la respuesta la tenía delante de sus narices, un grupo de policías golpeaba con sus puños la puerta trasera del Pudin.

—¡Abrid la puerta, en nombre de la Libre Inglaterra!

Felix se levantó y flexionó las manos preparándose

153

para los grilletes. Sabía que esta vez no darían un paso en falso que Felix pudiera aprovechar para volverse a escapar. Art también se levantó, con la mirada fría como el acero, y empuñó su espada.

Entonces, en el salón irrumpió una mujer como un tornado, con nubarrones arremolinados en su cabello del color de las plumas de un cuervo, con un rodillo de cocina agarrado con firmeza en una mano y con una botella de ginebra en la otra. Y de repente, como una escoba, un perro salchicha negro apareció ladrando y babeando.

—¡Es la policía, muchachos! —gritó—. ¡Están buscando a nuestro querido caballero Jack! Así que haced lo que se os ordena o no volveréis a probar la cerveza.

La violencia y la cólera empezaron a estallar en la taberna, que parecía un volcán en erupción.

Todos los granujas que segundos antes estaban sentados en los bancos, ahora estaban en acción. Unos se lanzaban hacia otros y otros brincaban. Los alfanjes brillaban y las empuñaduras eran sacudidas frenéticamente. Las botellas volaban y las tazas llenaban el aire. Acababa de originarse una de las más increíbles batallas.

La posadera agarró con sus brazos a Felix de una forma maternal.

—No te asustes, cielo. Toda esta gente suele sobornar a la policía local, así que estamos bastante seguros.

—Me alegra —dijo Felix.

—Quiero decir que la policía tiene que ir con un poco de cuidado con ellos y eso nos ayuda. Además, tan sólo te están buscando a ti. Mira, te sacaré a hurtadillas por ese pasillo lateral. Eso es lo que la señora desea. Es curioso, porque siempre pensé que eras una mujer...

Art esquivaba las jarras de cerveza que caían en picado mientras empujaba a uno de los combatientes que se había dejado llevar y estaba intentando darle un golpe con una silla en la cabeza. Ebad y Salt Walter emergieron de la refriega a sus espaldas.

—Oh, Art... —murmuró Walter.

—Tan sólo están actuando —dijo Art mientras golpeaba, sonriendo agresivamente, a alguien en la nariz.

Art y el resto se retorcían entre el caos, seguidos por la chica que ayudaba a escapar a Felix.

Pasaron por tres o cuatro salones laterales que se conectaban entre ellos por donde todo el mundo corría. En uno de estos salones, un par de jugadores de cartas, ignorando el jaleo de la zona principal, estaban ocupados en una privada, y para nada interpretada, pelea.

155

En pocos minutos, la servicial posadera logró llegar a una habitación abarrotada de barriles, presionó una piedra de la húmeda y fría pared sin ventilación alguna, y reveló una especie de rampa que se desvanecía con brusquedad hacia un lugar húmedo y oscuro.

—De acuerdo —dijo Felix.

—¡Deprisa! ¡Salid! —suplicó la posadera—. ¡Es la salida de los contrabandistas! —Y acto seguido besó a Felix con tanta pasión que lo empujó directamente por la rampa.

Art descendió por la rampa sin ayuda alguna y los demás saltaron y aterrizaron detrás suyo, o mejor dicho, encima suyo. Una vez llegaron a tierra firme, todos se deslizaron, a pesar de la oscuridad y del sabroso olor a brandy y vino. El trayecto finalizó en una alcantarilla abierta en la que cayeron uno tras otro.

Walter era el único que parecía enfadado:

—¡Era mi mejor abrigo!

—Desde luego, ya no.

Más allá de la esquina de madera del Pudin, gritos ensordecedores rompían el silencio de la calle. Intentaron echar un vistazo alrededor de esa esquina, y alcanzaron a ver a tres policías disparando a los adoquines, y cómo uno de ellos llevaba atado al pie el baboso perro salchicha.

—¿Y si me entrego? —preguntó Felix.

—Entonces lo colgarán —contestó Art—. Sé que prefiere antes «nada» que «alguna cosa», pero esto es demasiado «nada».

—Por el corazón del viento —exclamó Ebad—, vayámonos.

Art y Ebad agarraron a Felix entre los dos y lo condujeron hasta las sombras de los oscuros valles de la ciudad de Port Mouth, mientras Walter se tropezaba con sus talones, a la vez que parloteaba sobre cómo se podían obtener restos de alcohol de un paño fino.

—Ya ha conseguido lo que quería —le dijo Felix a Art.

—¿Ah sí?

—Sabe perfectamente a lo que me refiero: a su lista de embarcaciones prometedoras. Eso no lo hacía por mí, ¿verdad?

—Obviamente, no. Usted es su propia dificultad, señor Phoenix.

—Nunca he dicho que fuera otra cosa.

—Encantador —dijo Art—. Jamás lo había visto enfadado antes.

—¡Porque nunca me habían hecho nada como para enfadarme! —dijo Felix mientras se calmaba y dirigiendo la mirada hacia la oscuridad del agua, por donde Ebad y el gruñón de Walter remaban—. Tan sólo una única vez. Una sola. Y la ira que me ha provocado permanecerá en mí para siempre.

Art parecía estar relajada, como una leona, pensó Felix, después de una victoriosa cacería. Entonces Art murmuró:

—Su historia parece ser muy triste.

—Un día se la explicaré, señorita.

—Por ahora prefiero no saberla, señor, ya tengo suficiente con la mía.

Asustada durante unos instantes, Art miraba con curiosidad a Felix, dándose cuenta de que había revelado una pequeña pista de su secreto dolor, de la misma manera que él también lo había hecho, a pesar de que no era su intención.

Pero no importaba, pues a Felix tampoco le daba mucha importancia. A Felix podían desembarcarle en cualquier orilla más tarde. Sus planes ya estaban establecidos, azarosos pero concretos. La verdad es que incluso Art admitía que eran un poco teatrales.

Ϫ

Esa noche, anclados en el puerto de Port Mouth, el capitán de la embarcación perteneciente al Sistema de la Reserva Federal Republicana (SRF), la *Elefante*, desfilaba por su elegante y metódico velero de altos mástiles mientras echaba un vistazo a los impecables preparativos de las balas, cañones, cuerdas, velámenes, botes joviales, cubiertas inmaculadas, galeras y bodegas atiborradas de bienes. Esa embarcación estaba totalmente en forma, pues era uno de los veleros más rápidos, cuyo destino era el mar abierto en dirección a Own Accord y las Azules Indies.

Sin aliento, y orgulloso de ello, el capitán se retiró a su fantástico camarote y se sirvió una pequeña copa de vino como si se la fuera a beber un periquito, sin imaginarse que, a la mañana siguiente, conocería a Art Blastside.

158

2. Todos al mar

Los primeros rayos de sol se abrían paso entre las estrellas del cielo nocturno.

Sobre la cubierta de casi tres metros del *Ca(fé) (P)irata*, la tripulación de Art estaba sentada desayunando pan con queso. Whuskery también había abierto el bote color ciruela donde estaba el jamón, a modo de celebración. Hoy pisarían tierra firme, ¿verdad? Para representar, al fin, el espectáculo que el patrocinador deseaba y también para ganarse algo de calderilla. Y en lo referente a los problemas con la justicia, parecía que todos ellos ya habían olvidado el asunto. Quizá pensaban que si Felix desembarcaba pronto, nadie los culparía de nada. Y todos ellos sabían, por años de experiencia, y no sólo por el escenario, cómo mentir convincentemente.

Sobre el castillo de proa, Ebad Vooms observaba, a través de su pequeño catalejo, un atrezo teatral que de hecho era bastante real, la maravillosa y nítida figura de un gran velero, la *Elefante*, que navegaba sin motor desde el puerto, dejando atrás, al avanzar, un pequeño rastro de nieve que anteriormente estaba posada sobre sus velas.

—Bonita vista —dijo Eerie—. Mira cómo se mueve, parece un cisne.

Art salió de su camarote, con la verdosa y brillante *Plunqwette* (que no se parecía en nada a un cisne) sobre su hombro.

—Se acerca un problema —murmuró Black Knack—. Otra vez quiere conseguir algo, lo lleva escrito en el rostro.

Salt Peter permanecía de pie detrás de él y, con rotundidad, afirmó:

—Anoche, Art nos comentó algo sobre esa embarcación, la *Elefante*. Dijo que su destino eran las Azules Indies.

Felix, tan solitario como siempre, no se unió a ellos, aunque comentó al preocupado Walter y a Dirk que sentía náuseas y que se acostaría sobre los sacos de granos de café. Probablemente ésa era su delicadeza, su tacto, su manera de demostrarles que se mantendría a salvo y poco visible hasta que pudiera desembarcar, pues nunca antes había vomitado.

Art se trasladó hasta la mitad de la cubierta.

Miró hacia el horizonte, donde la *Elefante* se acunaba con los suaves balanceos de las olas. Después, los rodeó a todos y con una mirada fija y una ligera sonrisa preguntó:

—Si ésta fuera nuestra obra, sobre un escenario, ¿qué sucedería ahora?

Nadie dijo una palabra. Instantes más tarde, Honest Liar gritó:

—¡Seguiríamos a ese barco y nos lo llevaríamos!

—Un premio muy tentador —dijo Art—, pues está cargado de bienes de las Azules Indies y abarrotado con suficientes provisiones para ese tipo de viaje. Es grande pero fácilmente manejable y, además, está armado.

—Sí, ese tipo de embarcación cuenta con varios cañones. De hecho, la *Elefante* tiene siete cañones. He contado las escotillas.

—Muy pirático de usted, señor O'Shea —dijo Art—. Pero dadme una razón más, a largo plazo, para que nos la llevemos.

El barco cafetero de repente se tambaleó, como si también se estuviera poniendo nervioso o entusiasmado. En una fracción de segundo, Black Knack estaba vomitando por un costado.

—Molly —dijo Art razonablemente— no se enzarzaría en una batalla si no fuera necesario. Se hubiera llevado a la *Elefante* mediante una de sus artimañas.

Eerie entonces se acordó de uno de los episodios de la obra:

—Quizá, si fingimos angustia y dolor... como si nos tuvieran que rescatar...

160

—¡Correcto! —exclamó Art—. Dejemos que la *Elefante* nos rescate. Y una vez estemos a bordo de ella —hizo una pausa pensativa—, levaremos el ancla. Vamos en busca de esa embarcación.

Sus hombres empezaron a armar el bullicio que ya esperaba. Tan sólo se escuchaban gritos de protesta y sarcasmo y risitas en tono de burla.

Mientras, ella permanecía impasible. Y cuando al fin creyó pertinente interrumpir el alboroto, Art añadió:

—Pero veo que habéis olvidado cómo hacerlo. Le prometimos al señor Phoenix que le embarcaríamos sano y salvo en una nave. ¿No querréis que lo atrapen, verdad? ¿O que nos atrapen a nosotros porque aún lo tenemos con nosotros, verdad?

Toda la tripulación la miraba, aunque también se miraban los unos a los otros.

—Por nuestro honor —dijo Eerie—, tenemos que desembarcarlo. Pero, Art, ahora está enfermo, con náuseas, y se ha recostado sobre el café, así que ya ha perdido el barco.

—No importa —dijo Art.

Honest ya se había puesto con la cadena del ancla, y Walter lo ayudaba.

Las diminutas velas jamás habían sido izadas.

Art tomó el timón y Salt Peter corrió a darle la buena noticia a Felix de que lo desembarcarían en un gran velero con destino a las Azules Indies.

Sin embargo, Peter se encontró con Felix en la escalera, y éste no parecía estar enfermo, tan sólo un tanto adusto y mojado.

—El agua entra por ahí abajo.

—¿Abajo? ¡Art! —gritó Peter mientras saltaba de dos en dos la escalera—. ¡Está entrando agua!

El ruido y el murmullo que antes se habían desatado ahora se convirtieron en un silencio aterrador, excepto por las quejas y gruñidos de Black Knack:

—Ha agujereado el barco a propósito, maldita niña caprichosa.

—Moriremos ahogados...

—Iremos al infierno de los puercoespines...

Art les fruncía el ceño desde el timón.

—Yo no he agujereado el barco. Además, el agua tan sólo cubrirá un dedo o dos de la sentina.

—Mirad —dijo Felix mientras señalaba con el dedo a sus botas y pantalones, que estaban empapados hasta la rodilla.

Black Knack empezó a gritar a la tripulación de temerosos y afligidos actores:

—Esta niña está loca y no tiene corazón. Hará lo imposible por conseguir lo que quiere siguiendo su calculado y meditado plan...

—Ninguno de nosotros sabe nadar, Arty —dijo Eerie más bien horrorizado que enfadado.

—Yo sé nadar —dijo Ebad.

—Pues mejor para ti, entonces...

Ahora, todos y cada uno de ellos podían sentir esa sensación. A pesar de que el viento soplaba a su favor y que avanzaban con el suave empuje de las olas, el barco se balanceaba bruscamente hacia un lado y el otro.

En el horizonte, dejando atrás la isla Spice, aún podían contemplarse los matutinos rayos solares que se abrían paso por el cielo.

Y la perfecta y blanca *Elefante* surcaba el mar justo detrás de ellos, a una distancia de más de medio kilómetro, aunque en realidad parecían mil kilómetros. Entonces, Art dijo con claridad:

—Walt, Honest, Peter, Whuskery, Dirk, Ebad: arrojad los barriles de café. Tiradlos por la borda, y el café también, así aligeraremos la marcha. No tenemos ningún jovial bote que nos acompañe, gracias a vuestro querido patrocinador, así que utilizaremos sus barriles, los vacíos. Nos agarraremos con fuerza a ellos de manera que podamos flotar. Hacedle una señal a ese barco.

—Pero, ¿cómo? —preguntó Black Knack en un tono malicioso y endemoniado.

—Prenda fuego a sus cajones, señor Knack. A cualquier cosa. ¡Y cállese! Todos tienen pulmones de actor, así que utilícenlos. Tan sólo está a medio kilómetro.

163

Por si acaso daba la impresión de que la *Elefante* aún no se había dado cuenta del apuro en que se encontraban, Ebad, quien hizo una pausa para utilizar su pequeño catalejo, observó que algunos hombres se habían agrupado en la barandilla del enorme velero y los señalaban con el dedo.

Felix permanecía de pie en la mitad del barco, mientras su diminuto abrigo lleno de hollín —de hecho, el de Art— se agitaba de tal manera que se alzaba sobre su cabeza. Honest aullaba como un lobo, Dirk ululaba como un búho y Whuskery y Eerie gritaban como si lanzaran truenos de su propia boca. Los demás chillaban, pero en armonía.

No valía la pena preguntarse si la loca de Art les había hecho esto a propósito, o si Felix quería realmente escaparse o no hacia las Azules Indies, ni tan siquiera si alguno de ellos quería terminar sus días en alta mar.

—¡Gritad! —ordenó Art. Instantes después todos empezaron a gritar como locos.

Habían vaciado todos los barriles y sacos de café arrojando por la borda todos los granos de café que contenían sobre las olas, que cada minuto que pasaba se volvían más impetuosas. El pequeño barco empezó a dar fuertes sacudidas y a balancearse con violencia. Black Knack, que cada vez que lograba coger aire lo malgastaba insultando a Art, incluso se olvidó de vomitar.

Dirk agarró con fuerza a Whuskery, como si fuera su último abrazo.

El *Café Pirata* se sumergió bajo las aguas, hundiendo, junto a él, a la figura femenina, quien ya no sostenía una cafetera, pues se la habían arrancado de cuajo en Hasta que Perezcáis para aliviarla un poco.

En la cubierta, todos se deslizaban, rebotaban y se golpeaban con las heladas aguas del mar, y entonces volvían los gritos, los tragos de agua y las burbujas que causa la respiración bajo el agua.

Art vio a *Plunqwette* volando por encima de todos ellos como si fuera una bala de cañón de color verde esmeralda justo antes de que la sal marina le cubriera la cabeza. Entonces Ebad empujó a Art hacia la superficie.

—No hace falta que intentes mantenerte a flote. Estás a salvo.

—No sea bobo, Ebad Vooms. Puedo nadar incluso

mejor que usted, pues Molly me enseñó. Échele una mano a Eerie o se irá derechito al fondo del mar.

Mientras Art se mantenía a flote como podía, miraba a su alrededor, comprobando que todos sus hombres estuvieran ahí.

Whuskery y Dirk habían logrado agarrarse a unos barriles vacíos y estaban a flote, tendidos y tristes. Peter, extrañamente, sabía nadar y estaba aguantando a Walter, quien gritaba con desesperación a la vez que le entraba agua por la boca. Honest Liar, de quien Art habría jurado que no sabía nadar, aprendió a hacerlo justo en el momento en que rozó el agua y, lo mejor de todo, estaba disfrutando como un niño. Hizo unas señas con la mano a Art alegremente y emprendió su camino, chapoteando como un perro, hacia la *Elefante*. Ebad había alcanzado a Eerie justo cuando el nuevo segundo oficial se estaba hundiendo por tercera vez. Black Knack también había encontrado un barril vacío y, dando vueltas, no cesaba de lanzar insultos y malas palabras. Detrás de todos ellos, una pequeña diosa emplumada en vuelo, *Plunqwette*, lanzaba graznidos de aliento.

Ahora, todos eran muy conscientes de que el *Café Pirata* estaba viviendo sus últimos momentos sobre las olas, pues en segundos descansaría en las profundidades del mar.

O casi todos, pues Felix Phoenix no aparecía por ningún sitio.

Art dio un profundo respiro del helado aire y se zambulló una vez más, en las gélidas aguas marinas.

Era obvio que el chico no sabía nadar. Pero, ¿dónde estaba?

165

De pronto, un apenas imperceptible glub-glub, un pequeño chorro de oscuridad y burbujas emitía un ligero bramido justo por debajo de ella. Era un trozo del barco cafetero, en concreto la figura de la mujer que se había desprendido de la proa. La figura sonreía a Art con estupidez mientras se iba hundiendo poco a poco, cuando de pronto el bello rostro de Felix apareció yendo a la deriva de las azulosas y heladas profundidades, con su cabello como bandera plateada.

Art lo agarró, y a base de empujones y de impulsos con las piernas logró alcanzar la superficie junto a él.

En ese momento, una ráfaga de viento le sacudió el rostro y Felix dejó de ser esa hermosa y a la vez sin vida figura, y empezó a sacar agua y más agua por la boca.

Cuando finalmente a Felix se le amainó el espasmo, Art se dio la vuelta y empezó a remolcar a Felix junto a ella en dirección al otro barco.

Ahora, ya podía vislumbrar que la gran embarcación había virado y que se estaba acercando, poco a poco, para rescatarlos.

—¿Ha...? —balbuceó Felix con musicalidad.

—No hable.

—¿Ha agujereado la quilla de la embarcación pirata?

—Era un barquito, no una embarcación. Y no. Cállese y recuéstese. Está a salvo, lo tengo.

Y Felix no volvió a mencionar el tema.

El *Café Pirata* se había desvanecido bajo los brazos del mar.

Todos ellos lograron nadar, flotar, o sacudirse para mantenerse a flote hasta que la enorme y maravillosa embarcación estuvo suficientemente cerca.

Desde el costado de ésta, un grupo de malhumorados y desdeñosos marineros les ayudaron a subir a la espléndida cubierta de la embarcación de altos mástiles llamada *Elefante*.

La tripulación se colocó en el alcázar, fornida y esmeradamente afeitada, abrigada con su capa color rojo intenso típica del capitán de un navío mercantil y con sus sombreros de tres picos adornados con trenzas doradas. Del cuello del capitán, un lazo rojo dejaba entrever una medalla seguramente otorgada por alguna hazaña heroica.

Art pensó que no se parecía mucho a su padre, aunque de hecho tenían el mismo aspecto arrogante y altivo y el mismo hedor bajo su nariz.

El capitán se dirigió a la proa bajando, a zancadas, por la escalera y empezó a balancearse sobre las enormes y abrillantadas tablas que cubrían la pulcra cubierta.

Toda su tripulación estaba a la vista, unos veinte hombres más o menos, que se arrastraban unos pasos hacia atrás cuando su capitán se acercaba. De entre las cantidades de nieve aposentadas sobre las exquisitas velas, todas las miradas se dirigían directamente a ellos.

—¿Quién está al mando aquí? —preguntó el capitán de la *Elefante*.

—Yo —dijo Art dando un paso hacia delante.

—¿Tú? Pero si tan sólo eres un muchacho, ni siquiera te ha cambiado la voz. ¿Qué quieres decir? —El capitán volvió a echar un vistazo a Art como si le acabara de encontrar flotando, pero no en las aguas marinas, sino en su taza de café—. Mira, si eres tú quien está aquí al mando, señorita, te lo diré bien claro: me has hecho perder mi valioso tiempo con tu estúpida aventurita. Podréis tener un barco cuando pasemos la isla White Lion, pero no antes. Y os lo aseguro, señores, estáis multados por hacerme perder el tiempo. Pero, ¿qué se os pasó por la cabeza? ¿En qué tipo de juguete navegabais?

—¡En un barco! ¡Y nuestro maldito barco se ha hundido, carajo! —berreó Whuskery.

—¡Dios mío! —dijo el capitán—. ¡No quiero oír más insolencias! ¡No sois más que escoria!

Art caminó tres pasos más hasta llegar justo delante del capitán, con el agua resbalándose por toda su ropa, rostro y cabello pero no por la pistola que, de forma mágica, había aparecido de la nada. Apretó el gatillo de la pistola y apuntó directamente a los labios del capitán, quien los cerró a la vez que bajó la mirada hacia los barriles vacíos.

A su alrededor, la tripulación de la *Elefante* emitía un siseo colectivo casi imperceptible.

—Por favor, señor —dijo Art—, pare de hacer ese ruido. Tan sólo quería darle las gracias de todo corazón.

El capitán ladeó la cabeza y habló:

—Baja la pistola o haré que te aplasten con hierro. La Revolución inglesa acabó hace veinte años.

—Quería darle las gracias, como he dicho antes —añadió Art, haciendo caso omiso de lo que le había dicho el capitán—, pero no por habernos rescatado, sino por regalarnos su enorme y maravilloso velero con todos sus bienes a bordo.

El capitán arremetió contra Art, y ésta le dio una patada tan violenta en la pierna, que el capitán empezó a cojear. Detrás de ella, escuchó por primera vez una escaramuza, dos o tres chillidos y una serie de ruidos sordos, pero no giró la mirada.

—¡No les prestéis atención! —gritaba el capitán—. ¡La pólvora está mojada, así que no pueden disparar! ¡De ninguna de las maneras pueden disparar!

Art colocó la pistola en un costado de la cabeza del capitán.

—Hemos mantenido la pólvora seca, señor, en bolsas de piel de tiburón —mintió Art—. ¿Quiere que se lo demuestre disparando contra su oreja?

De pronto, un disparo retumbó sobre la enorme embarcación. El capitán gritaba a la vez que presionaba sobre su oreja, pues aún no se había desprendido del todo. Pero no había sido Art quien había disparado, sino Ebad. Había apuntado, aparentemente como si estuviera jugando, a la barandilla de la embarcación, y ahora su pistola humeaba con elegancia. Obviamente, formaba parte del atrezo de la obra y no tenía ninguna bala cargada, pero nadie de la *Elefante* podía saberlo. Y además, de esta manera había ayudado a corroborar la idea de la pólvora seca.

Art echó un vistazo detrás de ella y vio a un par de hombres que habían intentado socorrer al capitán, pero Honest, Walter y Ebad los habían detenido en su intento. Honest estaba sentado sonriente junto a su hombre, quien llevaba otro de los uniformes y tenía en su rostro una expresión muy desagradable.

—Podéis coger vuestros objetos personales —dijo

169

Art al capitán—, y después os montaréis en uno de los botes del barco y remaréis hasta Port Mouth. Os lo permitiremos.

Cuando se había dado la vuelta para echar un vistazo a sus hombres, también había podido observar que cada actor se había sacado una pistola y un alfanje. Dirk, quien había desenfundado un sable y un cuchillo, se había arrojado sobre dos hombres que permanecían sin moverse y con la boca abierta. Mientras tanto, Black Knack y Whuskery, unidos como si fueran uno solo, habían golpeado un par de cabezas de marineros que ahora se arrastraban con lentitud. El resto de la tripulación de la *Elefante* parecía estar aturdida.

—Dad un solo paso y estaréis muertos —avisó Black Knack a los marineros.

—¡Por los centelleos del lucio! —dijo el capitán arrodillándose ante Art, como si estuviera proponiéndole matrimonio de la forma más romántica—. Estás confundida, jovencita.

—Perdone —contestó Art—, Art Blastside a su servicio. Y estos caballeros son mis fieles compañeros. Déjeme explicarle que todo lo que ha visto forma parte de un pequeño espectáculo. Nosotros somos piratas. Robamos cosas, barcos... vidas... Ahora os podéis levantar y huir, antes de que cambie de opinión y le acabe de arrancar la oreja.

De pronto, Art escuchó un amenazador crujido en lo más alto de la embarcación. Art desenfundó de su vaina un cuchillo, que había robado la noche anterior en el Pudin, y lo lanzó en un abrir y cerrar de ojos. El marinero que se deslizaba por el mástil principal emitió un gemido y se quedó colgando, sujetado por la parte trasera de sus pantalones gracias a una verga, mientras su daga caía sobre la cubierta sin causar ningún daño.

Salt Walter volvió a disparar otro impacto ensordecedor en dirección al cielo. Todos los actores de pronto tomaron una postura amenazadora, alzando sus espadas como si fueran guadañas.

—¡Arranquémosles los hígados y los riñones! —gritó Walter, con su cabello rojo como auténtica sangre y blandiendo dos alfanjes a la vez.

—¡Colguémoslos de la quilla para que alimenten a los peces!

—¡Rellenémoslos de plomo y arrojémoslos al mar!

En una fracción de segundo, el valor de la *Elefante* ya se había desplomado.

Mientras preparaban los botes para desembarcar a los marineros, los piratas daban saltos, acechando con la mirada y representando su papel, con sus armas y sus adornos piráticos deslumbrando bajo la luz del sol.

Incluso Felix, quien había estado recostado a causa del desvanecimiento sobre la cubierta, intentó hacer algo. Se levantó y empezó a vomitar dentro de los pulidos zapatos de hebilla del cuarto oficial de la *Elefante*.

El capitán se alzó y, cuidadosamente, le echó una mirada maliciosa a Art:

—La veré colgada en la soga, señorita.

—Lo veré en el otro mundo —respondió Art con una pequeña reverencia.

Incluso el cocinero se apresuraba a salir de su galera, aparentemente, con su cucharón favorito y ansioso por escapar. Seguramente era una pena perderlo. Quizá, o mejor dicho, sin duda, era mucho mejor en el arte de la cocina que Whuskery.

Tan sólo un bote descendió hacia las gélidas olas marinas. Los marineros se apresuraban en subirse para no quedarse a bordo de la enorme embarcación. Incluso parecía que se fuera a hundir en pocos minutos después por el peso que infringían sus pasajeros.

Tan sólo el capitán, quien estaba en la barandilla del navío, tenía aún sus dudas e intentaba, bajo las amenazadoras pistolas de las piratas, tener una última palabra con Art.

—¡Que el demonio te lleve el alma! —fue todo lo que le permitieron vocalizar.

Mientras, *Plunqwette* sobrevolaba abruptamente por los alrededores como si estuviera dando un paseo y daba la sensación de que ella era quien tenía la última palabra, pues para concluir con el asalto defecó sobre el sombrero del capitán.

—¿Pero qué hemos hecho? Oh, dulces canciones de mi inocente juventud... ¿qué?

—Estamos defendiendo a Art. No podemos permitir que la ataquen.

—¿Por qué no? —preguntó Eerie con desesperación—. Mirad a lo que nos ha conducido.

Perplejos, los piratas-actores se balanceaban en la consistente cubierta de la *Elefante*. Con su batalla a capa y espada terminada, estaban como globos recién explotados.

—Ha sido el recuerdo de nuestras batallas sobre el escenario lo que nos ha empujado a hacerlo —dijo

Whuskery—. La costumbre. Lo hemos representado millones de veces.

—Y lo hemos hecho aquí, nos hemos vuelto locos, y ahora, mirad.

Ebad estaba en silencio y Felix, apoyado sobre la caseta de la cubierta principal, tampoco musitaba palabra.

Art entonces se dirigió a ellos en un tono tranquilo y calmado:

—Caballeros y amigos, decidme honestamente si preferís seguir promocionando café. Si realmente es así, entonces podréis montaros en uno de estos botes y remar hasta la isla White Lion. De lo contrario, pensad en lo siguiente. Sois actores, y esas náuseas que sentís tan sólo son el miedo al público. Pero ahora estáis en el escenario más grande del mundo, el océano. Y toda la tierra firme del mundo está esperando a ser vuestro público.

173

Había un cierto revuelo entre los piratas-actores, quienes se miraban perplejos los unos a los otros y escuchaban, a pesar de no acabar de creérselo, a Molly sobre el castillo de proa de la increíble embarcación, viendo cómo su sueño, o pesadilla, se convertía en una realidad. También a Black Knack, durante un segundo, le hicieron los ojos chiribitas, incluso en el que llevaba un parche.

Entonces, el enfurruñado Dirk dijo:

—Si el océano es el escenario, cariño, y la tierra firme es nuestro público, ¿dónde están los camerinos?

Felix abrió los ojos de par en par. Art ahora estaba justo enfrente de él:

—Lo desembarcaremos en la isla White Lion, señor Phoenix.

Felix observaba cómo los piratas se pavoneaban por la cubierta, cómo se vestían con ropajes secos que habían «cogido prestados» de los diversos cofres del barco. Peter le trajo unos ropajes y unas mantas a Felix y, más tarde, Whuskery le acercó una taza de peltre con la peor sopa que Felix había probado nunca. Si no hubiera sido por esos detalles, hubiera parecido que se habían olvidado por completo de Felix.

Cuando Felix avistó a lo lejos los pálidos acantilados de la isla, conocidos como los alfileres de oro, y la tierra firme con forma de un león recostado, los actores, sin salir de su propio asombro, ni tan sólo se acercaron a Felix para montarlo en un bote. Aunque él tampoco se ofreció a irse.

174 A Felix le rondaban cientos de pensamientos por la cabeza: ¿actores? No, ahora eran piratas de los pies a la cabeza. Se habían convertido en piratas en el momento en que Art los encontró. Y aunque ella le había salvado la vida, dos veces concretamente, sabía que ella se había convertido en su peor enemiga. Y precisamente por esta razón quería alejarse de ella, y por esta misma razón, había decidido quedarse.

3. Cambiando de caras

Ahora ya no había tiempo que perder. Mientras surcaran las aguas inglesas, la Marina de la República, debidamente avisada por el colérico capitán de la *Elefante*, estaría buscándolos por sus mares. Sin mencionar a todos aquellos a quienes habían ofendido.

Estaban más que acostumbrados a darse a la fuga, pues lo habían interpretado millones de veces. Incluso Eerie se consolaba con el comentario:

—Sobre el escenario, solía creer cada palabra y cada acto que representaba. Ahora es real y no me lo puedo creer.

La costa de Inglaterra y la isla White se iban desvaneciendo tras la neblina y la distancia. Habían estado navegando durante horas.

La noche caía sobre las luces de los faros de aceite mientras comían la repugnante cena que Whuskery les había preparado.

Estaban calmados, a pesar de la asquerosa cena, pero cautelosos, como los felinos cuando comen juntos. Art tampoco dijo mucha cosa y la mayor parte del tiempo estuvo fuera de la cubierta.

Art empezó a ubicar a los guardias nocturnos, colocando a Ebad en su posición para que vigilara su camarote cuando ella se acostara. Misteriosamente, Ebad parecía intentar ayudarla, como si pretendiera que ella se saliera con la suya. Seguramente, si decidía preguntarle el porqué, no obtendría ninguna respuesta.

A pesar de que no ostentaba un tamaño colosal, la *Elefante* tenía de todo: provisiones, cañones, pólvora seca, pistolas, comodidades y comida, que, a pesar de Whuskery, tenía mucho potencial, pues había enormes tarros con mermeladas de frutas, conservas, verduras frescas, sopas de carne seca, sacos repletos de manzanas, barriles llenos de agua dulce, gallinas vivas ocupadas en poner huevos mientras *Plunqwette* se dedicaba a visitarlas con frecuencia y desfilar a su alrededor con desdén. En lo referente al camarote del capitán, era un lugar acogedor, ordenado y un tanto estrecho, aunque Art enseguida desarmó el camastro de madera, esparció los ropajes y los libros de la biblioteca privada del capitán por todo el suelo y abrió la pequeña vitrina donde había mapas colgados en la pared. Aquellos mapas eran maravillosos. Mostraban el mundo entero. De repente, el nombre de multitud de países se agolparon en la memoria de Art: Africay, Persis, Zanzibari, las Costas de Marfil y de Oro, las Amer Ricas, las verdaderas islas Spice, las Azules Indies... Todos esos lugares dibujados en tonalidades marrones y miel, con una delgada línea que marcaba el mar a su alrededor y con animales dibujados, delfines, dragones marinos, pulpos, ballenas, que se zambullían y sobresalían de las aguas, y diablillos y querubines que volaban con el soplo de los blancos vientos. En la masa de tierra firme, puntos de referencia, torres y faros, tigres y osos aparecían dibujados. Grandes flotas de verdes icebergs surcaban a través de las fronteras antárticas y colosales montañas se estiraban hasta la luna de Africay.

Fue entonces, al echar una rápida ojeada a los mapas, cuando sintió la primera y profunda incertidumbre. Impaciente y un tanto alterada, Art contemplaba la grandeza del mundo, acordándose, y teniendo en cuenta que su memoria había sufrido algún que otro cambio, que jamás había podido verlo con sus propios ojos, ni tampoco enfrentarse a la inmensidad de éste. No se trataba tan sólo de un barco, o de la tripulación de Molly, ni tan sólo se trataba de su propia vida. Sabía que a lo que se tenía que enfrentar era al mismo mundo.

Pero esa duda, esa incertidumbre, dejó de ser tan sólo un sentimiento, dejó de habitar en su corazón, pues ella misma había desatado una peligrosa batalla en la que no había lugar para los titubeos.

Art se levantó porque *Plunqwette* se posó sobre sus costillas clavándole sus afiladas garras.

—Oh, viejo pájaro. ¡Aparta o te daré un mordisco!

Entonces, el loro cambió ligeramente de postura.

—¡Isla del Tesoro! —anunció *Plunqwette*—. ¡El mapa!

—Sí, aquí hay una gran cantidad de mapas, *Plunqwette*. Y no te acerques a ninguno de ellos, me gustan.

—¡Tierra a la vista! —gritó *Plunqwette*. La voz de *Plunqwette* se había alterado y ahora sonaba más humana, más como... ¿la voz de Molly?—. ¡Playa, por Cobhouse! ¡Diez kilómetros hacia arriba! ¡Quince pasos a la izquierda!

Art se enderezó suavemente, mientras *Plunqwette* emprendía el vuelo y emitía un suave gruñido.

—¿Qué?

—¡Piezas de corcho!

—¡*Plunqwette*! ¿Estás hablando sobre el mapa del tesoro?

Pero mientras le preguntaba sobre el mapa, la duda volvió a salir a la superficie, pues aunque *Plunqwette* realmente estuviera hablando de tal mapa, seguramente serían unas frases pertenecientes a la obra teatral.

—Vete a dormir, pajarillo. En menos de una hora amanecerá.

Plunqwette, mostrando sus habilidades mímicas, se sentó sobre el escritorio del camarote y cloqueó durante una hora como si fuera una gallina.

Mientras los primeros rayos de sol teñían la cubierta del color del narciso, Art caminaba de arriba abajo por la cubierta de la embarcación. Realmente, allí hacían falta unos cuantos cambios.

Art había podido comprobar que la bodega estaba llena de latas y barras del más refinado acero inglés, cajas repletas de libros y de botellas de whisky escocés, saponaria, prendas de lana y varias vajillas de porcelana china. Realmente, tampoco gastó muchas energías en fijarse en estos objetos para el comercio, pues no le resultaban muy atractivos. Su (equivocada) memoria tan sólo dibujaba cofres con joyas, armas relucientes y brillantes monedas provenientes de cientos de países diferentes.

Ahora, el navío que capitaneaba Art ya no era una embarcación mercante.

Venderían todo ese pesado cargamento a los habitantes del puerto más cercano, y así podrían aligerar peso y guardar sólo lo que era necesario para el lastre.

Para entonces, deberían haber quitado el mascarón de proa del elefante, pero no iban a arrojarlo a las aguas, pues los mascarones de proa tenían cierto poder, incluso algunas leyendas narraban que podían cobrar vida o incluso hacerles preguntas. Así que, con cortesía y amabilidad, el elefante se guardaría cuidadosamente.

También tenían que cambiar el nombre que lucía la

embarcación, cosa que no les resultaría muy difícil, pues contaban con materiales adecuados para trabajar: lima, pintura y barniz.

¿Una bandera? Peter sabía coser, y abajo, en la proa, Art había descubierto algunos paños de color rosa intenso...

Whuskery debía dejar de ser el cocinero, o los acabaría envenenando a todos, si es que no los volvía locos antes.

La tripulación deambulaba como almas en vela, aún aturdidos. A veces tomaban unas posturas piráticas y otras se encogían mirando hacia las aguas, donde no lograban avistar ni tan siquiera un pequeño punto de tierra firme, sino tan sólo una delgada y tenue línea en el horizonte que debía de ser Francia, o quizá Franco-Spania. No había ni una sola embarcación a su alrededor.

179

Ebad era capaz de diferenciar las diversas herramientas de la embarcación, como el compás, el sextante o las cartas de navegación, gracias a sus días de esclavo cuando navegaba en la embarcación que le conducía a Inglaterra y donde, al parecer, lo habían entrenado para su propio regocijo. Aunque había sido él quien los había avergonzado, pues aprendió mucho más rápido que ellos.

Art tenía muy poca paciencia con cualquiera de estos instrumentos, ya fueran cartas de navegación o compases. Ella tan sólo quería forzar la marcha, y a pesar de que sabía que esto significaba mostrar una debilidad por su parte, permitió a Ebad que le diera alguna lección.

Una mañana, ciertas turbulencias los golpearon

fuertemente, unas dos horas después del amanecer. El mar estaba muy agitado, el cielo entremezclado con oscuridad y relucientes luces y las ráfagas de viento, heladas como el mismo hielo, los desequilibraban.

Sobre todos ellos, se alzaban los elegantes mástiles acicalados con escarcha. Art trepó hasta alcanzar la cima muy despreocupadamente, como si fuera un acróbata sobre la tela de una tienda de campaña, y con la irritante escarcha metiéndosele entre los dedos de las manos.

Ella no temía a la embarcación, aunque no la conocía muy bien. De hecho, se podría decir que ahora la estaba empezando a conocer.

Desde la cima del mástil central, *Plunqwette* —sin emitir gemido alguno— dejó escapar una blanca decoración sobre la cubierta sin darle a la diminuta figura de Black Knack.

Desde la sobremesana, Art se dirigió hasta Black Knack:

—Capitana —saludó Black Knack humildemente.

Art pudo darse cuenta de su humildad, de su rostro de modestia y de su parche negro sobre un ojo. La verdad, no se fiaba de ninguno de los tres.

—Sí.

—Quería decirte que ahora estoy de tu lado, Art... Capitana. Como ya sabes, jamás te apoyé, pero ahora sí. La forma en que robaste esta embarcación realmente me impresionó. Y además, ¡ya no quiero patrocinar café! Jamás quise hacerlo, de hecho ninguno de nosotros quiso nunca. Yo quiero mi libertad, y ésta podría ser una forma de conseguirla. Así que ahora actuaré como lo hice años atrás, ahora seré un pirata, y lucharé en las batallas y robaré por los Siete Mares. Haremos una gran fortuna.

—Quizá, señor Knack.

Black Knack asintió con la cabeza.

Art se dirigió hacia el camarote del capitán, sin compañía alguna, y una vez más observó con curiosidad los diversos mapas del mundo.

Ahora, las aguas se habían calmado, pero ya se sabe que el mar es el mar. Es asombrosamente variable. ¿Podrían tripular este velero con tan sólo nueve personas? Considerando, obviamente, que Felix era un pasajero y, por lo tanto, inútil. Pero Art también había escuchado historias con tripulaciones así o incluso más pequeñas. Pero ¿dónde? ¿En la obra? ¿O sería verdad? De momento, había funcionado todo lo que se habían propuesto, incluso cuando las aguas se tornaban bravas. Además, ninguno de ellos había vuelto a sentir náuseas.

La embarcación siguió su rumbo hacia el sur, siguiendo la línea del horizonte a la derecha, la costa franco-hispánica, que más tarde se convertiría en las costas de Africay, y que a su vez, girando hacia la izquierda se convertirían en las Azules Indies. La *Elefante*, en teoría, tenía que seguir ese rumbo, pero ¿quién suponía que así lo haría?

Hacia el mediodía, Ebad pudo avistar, gracias a su catalejo, tres navíos franceses ondeando la bandera color azucena del rey Borbón que se acercaban por el horizonte. Parecía que no prestaban ni una gota de atención a la *Elefante*.

Pero de la misma manera que no se podía predecir el clima marino, tampoco los barcos «poco amistosos», que resultaban tan habituales como las tormentas y que además parecían barcos fantasmas, eran predecibles.

Felix estaba en las cubiertas traseras, mientras que el resto de la tripulación se había situado en el castillo de proa inferior.

Art prefería no ver al muchacho, pues éste no le caía bien. Le hacía sentir, ¿cómo decirlo?, como si lo que hacía estuviera mal, al igual que todos aquellos a los que había tenido que oponer resistencia en su vida.

Alguien gritó, y Art, que estaba en el castillo de proa, miró hacia atrás.

Ebad estaba en el timón, Walter un poco más arriba, Peter en la cocina asumiendo sus nuevos deberes como cocinero, mientras Whuskery, Dirk, Black Knack, Honest y Eerie se asomaban por un costado del barco. ¿Es que acaso estaban vomitando otra vez? No, entonces, ¿qué hacían?

—¿Qué es eso?

—Mira, Art, es un enorme pez negro. ¡Ahhh!

—Es una mujer. Está ahogada, os lo digo yo —dijo bruscamente Whuskery.

—No, no está ahogada... está... ¿haciendo señas?

—Entonces mejor que la subamos a bordo —dijo Art.

De lo que no cabía duda es de que algo se estaba moviendo, algo muy oscuro, que arrastraba consigo largos jirones negros y velos y que flotaba en la superficie del mar. Estaba atrapada por algunas de sus... ¿telas?... en la parte lateral de la embarcación.

—¡Seguro que es una sirena! —exclamó Eerie.

Parecía que tan sólo se inclinaban para mirar el objeto que estaban a punto de recoger para después comentar la jugada. Art se dirigió hacia ellos y lanzó una cuerda con un garfio en el extremo. Podía verlo con sus propios ojos, no era un ser humano, y menos aún algo vivo.

Subieron el objeto, que se movía entre las viscosas cuerdas.

Eran hierbas, algas marinas de las profundidades. Era como un lodo blanco, pero cuando al fin lograron alzarlo hasta la barandilla, sobresalió una mano pálida y Whuskery gritó como una chica.

—Es una estatua —dijo Eerie, quien golpeó con los nudillos en ambos lados de la figura y pudo comprobar que el objeto era de madera.

Walter, que estaba justo en la mitad de ese nido de cuervos, exclamó:

—¡Ya veo lo que es! ¡Es un mascarón de proa!

Honest corrió con un cubo de agua y lo vertió sobre el barro que cubría la figura.

—¡Por los bigotes del gato! ¡Es el viejo mascarón de proa del barco cafetero!

Y de hecho lo era. El mascarón de proa del pequeño *Café Pirata* los había seguido, y ahora, recostado sobre la proa después de vagar por las oscuras profundidades

183

de las aguas parecía mucho más siniestro. En realidad, no tenía nada de bonito.

—No lo limpiéis —dijo Art—, o lo empeoraremos.

La pálida mano que una vez sostuvo una cafetera de café parecía estirarse desde las oscuras sombras con un gesto bastante amenazador. «¡Dame!», parecía decir esa mano.

Era el tercer buen augurio.

Entonces, Art dijo:

—Olvidémonos de nuestro viejo mascarón de proa, ya tenemos uno nuevo. Caballeros, dad la bienvenida a la *Inoportuna Forastera*.

184

Capítulo II

1. Enemistad y fortuna

Desde el lejano horizonte se podía avistar un enorme velero de un negro tan opaco que podía perfectamente ser un trozo de noche que se había desprendido del cielo.

Éstas eran aguas templadas a las que una cálida brisa marina acompañaba, que a su vez ayudaba a ese oscuro guardacostas, que era adonde Art quería dirigirse, así que izó las velas de forma que se ajustaran al soplo del viento.

En el alcázar, inspeccionando a los ajetreados marineros, se encontraba una diminuta y esbelta figura. Tenía el pelo negro azabache y rizado, y los ojos verde esmeralda. ¿Era un chico o una chica?

Segundos después, esa figura habló. Era claramente una mujer de unos dieciocho años.

—Bien, señor Beast. Parece ser que el juego acaba de empezar.

—Sí, capitana —gruñó el señor Beast, quien era el primer oficial de cubierta.

Éste se parecía a una bestia, desgreñado y con facciones muy marcadas, vestido con los inconfundibles ropajes de un pirata y muy tenso por la acción que ahora se desencadenaría. Éstos eran verdaderos piratas.

La jovencita lanzó algo hacia el cielo que revoloteó hasta la cima del mástil principal, donde más tarde se aposentó con una mirada de sorpresa. No era un loro, era una paloma.

—¿Ésta es la tan ansiada paloma? ¿Confías en él? —preguntó el señor Beast, quien no se refería a la paloma, mientras se hurgaba entre los dientes con una pequeña daga.

—No. Mi padre tampoco confiaría. Pero es nuestro.

Entonces, la joven le enseñó al señor Beast, a pesar de ser completamente consciente de que éste no sabía leer, un trozo de papel que la paloma mensajera había llevado hasta ellos, volando hábilmente por el camino más corto desde Port Mouth, en Inglaterra.

—Nunca —continuó el señor Beast aparentando haber leído el trozo de papel, aún sabiendo que ambos sabían que no podía—. Nunca confiaría en un traidor.

—Ni yo tampoco, Beastie. Pero a éste lo creo. He estado esperándolo —declaró la jovencita. Iba maravillosamente vestida con un abrigo de seda verde con joyas bordadas y con un sombrero de tres picos adornado con plumas de color verde. En el cinturón llevaba una abrazadera repleta de pistolas de plata cargadas, un alfanje y un par de cuchillos de mano, que también tenía guardados en recónditos lugares de su persona, y sus manos estaban a rebosar de anillos, no quedaba ni un solo dedo que no llevara como mínimo un anillo—.

Mi padre —dijo— me enseñó muchas cosas. Confío en él, que supongo que quiere decir que confío en su recuerdo.

—¡Golden Goliath! —exclamó Beast llevándose una de sus zarpas directamente al corazón, simulando un profundo respeto—. ¡El grandioso rey de los Siete Mares!

Así pues, esta jovencita era la hija de Golden Goliath, un célebre y verdadero pirata.

—Lo más importante de todo esto, Beastie, es que esa panda de actores de poca monta tienen en su poder el mapa. O una parte de él, aparentemente. Los bordes están quemados, o eso es lo que dice nuestro informante en su carta.

—Tesoros.

—Suficientes como para vivir como reyes por el resto de nuestras vidas.

—Golden Goliath siempre estuvo tras ese mapa.

—Lo sé, señor Beast. Pero jamás supimos con exactitud dónde se encontraba, ¿verdad? A pesar de que se quemó en su desdichado escenario, gracias a la explosión de un cañón, nunca supimos dónde estaba. Sabíamos que lo habrían escondido en algún teatro, pero ¿en cuál? Y no lo pudimos encontrar, a pesar de los insistentes y constantes esfuerzos de mi padre. Pero, por el más brillante acero, parece que ha vuelto a salir a la superficie. Y ella es quien lo tiene, la maldita hija de Molly.

Entonces, la jovencita de cabello negro se dio la vuelta y empezó a reírse a carcajadas de una forma realmente temible. Debajo, en la cubierta, toda su tripulación la saludó con la cabeza y comenzó a aplaudir, como aplaudían cualquier cosa que ella hiciese. Su padre, Golden Goliath, los había adiestrado de una forma maravillosamente cruel. Y ella, la glamurosa jovencita, era incluso peor que el mismísimo Golden Goliath.

—Pirática —dijo la hija de GG con un terrible desdén—, vamos a darles una lección, señor Beast.

En la cubierta principal, alguien tiró al azar hacia la paloma, pero falló.

Ofendido, el pájaro sobrevoló en busca de una percha más segura pues, a pesar de que estaba acostumbrado a este tipo de trato, sabía que sería un viaje muy largo hasta Inglaterra.

—Una cosa —dijo la bestia—, ¿crees que los chicos de Molly saben que ese mapa vale lo que vale? Aparte de nuestro traidor, por supuesto.

—Él no está del todo seguro, ni yo tampoco. Puede que lo sepan o que no, pero nosotros sí lo sabemos. Así que cambie el rumbo, señor Beast, hacia las Azules Indies, concretamente a la isla Own Accord. Brillantemente malvado, me encanta.

La *Inoportuna Forastera* navegó según las diversas cartas de navegación del mundo. Se había establecido una especie de rutina: los mástiles siempre estaban adecuadamente engrasados, las cubiertas limpias y todas las diversas zonas de la embarcación periódicamente revisadas por si necesitaban de algún tipo de reparación. De mala gana y a regañadientes, la tripulación empezó a cogerle el truquillo. Los actos que anteriormente habían interpretado con indulgencia, ahora se habían convertido en tareas de la vida cotidiana.

Así, siguiendo este rumbo, la embarcación se dirigía hacia las soleadas costas de Franco-Hispania, para después continuar por las playas de arena blanca de Marruequino y una vez allí vender al por mayor todo el cargamento por un precio justo. Art y Ebad serían los encargados de regatear con los comerciantes bajo la sombra de los naranjos y antiguas paredes pintadas.

Los puertos que ahora visitaban ya estaban acostumbrados a gentes que vistieran con ese tipo de ropajes, así que nadie dudaba ni tan sólo un instante de que realmente fueran lo que parecían: una llamativa y elegante colección de piratas.

Allí encontraron palmeras que formaban enormes columnas pobladas por enormes plumas verdes, tupidos enjambres de mercados llenos de vida y color, antiguos castillos que se tambaleaban sobre altísimos acantilados, bandidos con ropajes chillones que caminaban dando zancadas y que se saludaban, o escupían, los unos a los otros como si fueran hermanos.

Y todo esto Art ya lo había visto con sus propios ojos, estaba segura de ello...

Las tripulaciones se reunían en tabernas polvorientas que se alineaban en las orillas de las playas de Marruequino, y toda la tripulación de la *Inopotuna* se adentraba en una de ellas y bebía, cantaba y se fanfarroneaba, como si hubieran robado por cada centímetro del océano desde allí hasta Australia.

Pero, de momento, todavía no habían hecho nada de eso.

En la última taberna de Marruequino, Art tenía otros asuntos pendientes. Estaba con Felix, mirando hacia un carro marrón tirado por burros también de color marrón, que se encaramaban por una colina marrón, arrastrando el carro, que iba cargado de barriles y sacos, obviamente también marrones.

—Le he ofrecido una parte de los beneficios del cargamento, señor Phoenix, para que así pueda empezar una nueva vida. Además, se lo he ofrecido en el último puerto por donde pasamos, y también en el anterior. Podía haber desembarcado en Francia, si lo hubiera deseado. Odian a la población inglesa por obligar a sus reyes a abdicar, así que hubiera estado completamente seguro del acecho de la justicia inglesa. Entonces, ¿por qué no lo hizo?

—¿Pereza?

—Pensaba que usted quería quedarse con nosotros, pero ya veo que no es así.

—Sinceramente, no.

Art lo miraba fijamente. Había aceptado ropajes nuevos de las provisiones de la embarcación, y ahora parecía, como siempre, lo suficientemente apuesto como para hacer que le escocieran los ojos. Sin embargo, Felix no había hecho ninguna tarea en la embarcación excepto dibujar retratos, cantar y escuchar con atención los problemas de la tripulación. Ésos eran sus tres dones. No podía luchar, de hecho no quería, y no se haría responsable de ninguna de las deudas de la embarcación. Incluso Whuskery había llegado a dominar el arte de trepar por los mástiles, y hasta Peter se había demostrado a sí mismo que era capaz de cocinar. Todos habían estado haciendo guardia alguna noche que otra, todos habían orientado las velas y todos habían participado en la limpieza general de la embarcación. Todos, excepto Felix, el pasajero.

—Entonces —dijo Art—, sinceramente le digo que debe dejarnos. Zarparemos esta misma noche y robaremos el primer barco que nos encontremos.

—De acuerdo —contestó Felix.

—Lo que supongo no le satisface.

—No.

—Entonces, ¿por qué quiere quedarse? ¿Cree que puede detenernos?

—No —repitió Felix.

—Entonces, ¿por qué?

Felix se dio la vuelta hacia Art y clavó su intensa y maravillosa mirada sobre ella. Tenía una profundidad en los ojos que a Art le recordaba irresistiblemente al mismo océano. Pero mientras a Art le fascinaba mirar las profundidades del océano reflejadas en sus ojos, a Felix le enojaba que Art lo mirara fijamente durante tanto tiempo.

—Creo que —dijo Felix calmadamente— me gustaría entender por qué está haciendo esto. Y cómo, si lo consigue, es capaz de conseguirlo.

—Es un secreto.

—Quiero decir, cómo puede ser que considere la idea y que la lleve a cabo.

—Es fácil, señor Phoenix. —Art sacó su pistola y apuntó directamente a la barbilla del joven—. Así. Eso es todo.

—Pero ya ha dicho antes que jamás mata.

—Y jamás lo haré. Y mi tripulación tampoco. Pudo contemplar lo que ocurrió en la embarcación cuando aún ostentaba el nombre de *Elefante*, y la capturamos. Si se es astuto, se pueden cometer actos de piratería que son meros faroles. Como Molly lo hacía.

—No —dijo Felix—. Eso podía funcionar en la obra. E incluso en la vida real puede funcionar alguna que otra vez, pero al final...

Art hizo un movimiento rápido con la pistola y la volvió a colocar en su cinturón.

—Bien, usted no se quedará aquí para lamentarse de nuestro final. Debe despedirse de todos nosotros, y no hay más discusión. Es un bonito pueblo, con arcos y burros.

Pero antes de que Felix pudiera contestar, Eerie habló con cierto sentimentalismo desde la puerta de la bodega.

—No eches a nuestro Felix. Es nuestro pequeño talismán, de eso puedes estar segura, Art.

A Felix se le escapó una pequeña sonrisa mientras bajaba su mirada marina.

Entonces, Art dijo:

—No lo necesitamos a él, lo que necesitamos es un par de marineros que se unan a nosotros. ¿Qué decís? ¿Acaso queremos una carga inútil?

Mientras hablaba, Art podía ver a los burros acarreando el cargamento. Sin duda, ellos sí que eran útiles.

—¡Pero no podemos dejarlo aquí, Art! —exclamó Walter desde el interior de la bodega, donde todos habían estado escuchando atentamente la conversación. Ahora había un coro. Todos se habían reunido a excepción de Dirk, Peter y Black Knack, quienes habían ido al pueblo a comprar queso y naranjas. Tampoco estaban Ebad y *Plunqwette*, pues se habían quedado al cuidado de la embarcación.

La brisa marina parecía susurrar el nombre de Felix acompañada de zumbidos que suplicaban que éste se quedara a bordo.

—Y no vayas diciendo por ahí que eres la capitana —dijo Whuskery— porque, por todas las sirenas y tritones de los Siete Mares, en un barco pirata todos tenemos voz y voto.

Medio divertida (¿o quizá furiosa?), Art decidió no provocarlos.

Aún no estaban unidos, o al menos, no del todo. No creían en lo que hacían, a pesar de que todo formara parte de una obra que les había empujado a hacerlo y que ahora se había convertido en un problema, si se miraba desde la perspectiva más práctica.

193

Art pensó que, una vez Felix Phoenix fuera testigo de lo que podrían llegar a hacer en esa nueva vida pirata, éste se arrojaría por la borda.

El crepúsculo aparecía por el este y, bajo la suave luz de las tímidas estrellas, levaron el ancla y partieron mar adentro.

La *Inoportuna Forastera* era una colosal y pálida embarcación con un mascarón de proa cuyo rostro estaba tapado por un velo, y que tomaba una postura amenazadora, como si en cualquier momento pudiera agarrarte por el cuello.

El faro del mástil central alumbraba la ondeante bandera rosa. La calavera negra y los huesos cruzados tomaban un aspecto muy peculiar, incluso divertido, rozando la locura, como si fuera un sueño.

La oscuridad de la noche los rodeaba de este a oeste. Art se sentía completamente sola entre su tripulación, como la colosal embarcación en la inmensidad del océano. La luna se alzaba tras ellos, posando su reflejo en la estela que iban dejando.

Mientras Felix observaba detenidamente la estela de la embarcación, la tripulación de Art interpretaba las diversas tareas marineras. Desde la galera se escapaba el delicioso perfume de una comida decente.

Ahora, todas sus pistolas eran reales y probablemente estarían cargadas con balas.

Felix estaba tan triste como el cielo esa noche y contemplando el anillo de cristal rojo sobre su mano susurró:

—¿Qué me aconsejarías, padre?

Tan sólo una tenue luz apareció como respuesta, un desapercibido pestañeo en el horizonte.

A la mañana siguiente, en la inmensidad de las aguas del océano —un maravilloso e iluminado escenario— y sin tierra firme a la vista, apareció otra embarcación.

Una embarcación mercante, con un casco redondeado y con todas las velas izadas, navegaba a toda marcha, ondeando las banderas de los colores de Francia y España: rojo, azul y púrpura. Su nombre era perfectamente visible: *Royal*.

Art se asomó por un costado mirando a través del

pequeño catalejo de Ebad, como un felino observa a su presa.

—Es nuestra.

Instantes después, toda su reacia tripulación empezó a aclamarla.

Art no tenía tiempo para quedarse estupefacta.

Con un gesto dramático, Black Knack encabezaba la banda.

Entonces, tres de los siete cañones de la embarcación pirata produjeron un enorme estruendo desde el costado. Las balas de cañón aterrizaron en las profundidades de las aguas que separaban las dos embarcaciones. Sin embargo, la embarcación mercante alcanzó a tambalearse ligeramente, e instantes después abrió fuego.

Como respuesta, Art empezó a dar órdenes. La *Inoportuna Forastera* giró bruscamente a estribor y provocó que el lanzamiento de la mercante ni tan sólo la rozara. Además, la otra embarcación tan sólo contaba con dos cañones.

—¡Por todos los dioses marinos! Nuestra Art es muy buena. En nombre de los ángeles, ¿dónde ha aprendido eso?

—Sobre el escenario —contestó Dirk con acidez.

El velero dio un viraje brusco y todo volvió a la normalidad.

Entonces, la banda empezó a tocar su música infernal: Honest en los dos tambores, Whuskery berreando con la trompeta y Walt con el silbato, tal y como hacían en cada obra.

De hecho, encontraron éstos y otros instrumentos a bordo en la nueva embarcación, lo que significaba que en algún otro sitio la música causaba furor. ¿Sería quizá el cuarto buen augurio?

La *Inoportuna* volvió a dar media vuelta y se posicionó en la órbita correcta para instantes después navegar a toda marcha directamente hacia el desafortunado velero franco-español.

En lo más alto se podía contemplar la bandera rosa de Molly con su inconfundible signo mortal negro, amenizada con el loro verde y rojo, que revoloteaba alrededor de las jarcias.

Otro cañonazo estalló desde el costado izquierdo de la embarcación mercante, que gracias a su mala puntería tan sólo consiguió hacer grandes cantidades de espuma a babor.

Art, sobre el castillo de proa, y con el bauprés iluminado sobre ella, empezó a reírse del pánico que se respiraba sobre la cubierta de la embarcación mercante.

Tenía la sensación de ser ese «dios» que descendía hasta el escenario gracias a la maquinaria teatral. Entonces, gritó:

—¡Aquí estamos! Buenos días, señores.

Lo dijo dos veces más, una en francés y otra en inglés. Molly le había enseñado ambas lenguas.

Minutos después de que la *Inoportuna* golpeara a la *Royal*, con cierta suavidad, la oronda embarcación empezó a tambalearse. La *Inoportuna* lanzó sus enormes garfios de metal y la agarró con firmeza, pues pertenecía a una raza adiestrada para correr y atacar. Eso se veía a una legua de distancia.

Ahora, la cubierta de la embarcación mercante se deshacía en gritos de alarma.

Art se había hecho con un enorme cabo y estaba decidida a cruzar la gran distancia de agua marina que separaba a ambas embarcaciones. Aterrizó justo en la mitad de la cubierta de la *Royal*, con una pistola en cada mano, y disparó directamente contra el mástil principal, lo que provocó una pequeña llovizna de astillas. La joven tenía un disparo limpio y certero, o eso parecía. Tal y como le habían enseñado.

—¡Rendíos! —gritó Art, otra vez más en los otros dos idiomas, y también en español, para guardarse las espaldas—. Entregaos, o convertiremos esta cubierta en una carnicería.

La *Royal* parecía estar bastante llena de personas, ya que buena parte de la tripulación de Art también había logrado llegar hasta la embarcación con unos buenos cabos, y además, había tomado la cubierta con elegancia, con los alfanjes empuñados y las pistolas desenvainadas mientras las víctimas balbuceaban, chillaban y sollozaban.

Instantes después, el capitán de la *Royal* se presentó. Era un pequeño caballero regordete vestido con un perfecto y exquisito uniforme adornado con medallas y piedras preciosas.

Se arrodilló ante Art y habló en francés:

—Oh, poderoso príncipe, no nos destruya.

—Ése no es nuestro objetivo. Tan sólo queremos sus objetos de valor.

—¡Tomadlo todo! —gritó el capitán mientras se quitaba los anillos y los pendientes y los arrojaba al suelo. Parecía otra llovizna, pero esta vez una llovizna de oro—. Hay enormes sacos de dinero en efectivo en las cubiertas inferiores...

—Entonces, id a por ellos. Y ningún tipo de triquiñuelas, ¿de acuerdo? Mis hombres son atroces y están hambrientos como lobos.

El capitán se apresuró a levantarse, y ordenó a su tripulación que trajeran todos los bienes.

—También tenemos sedas provenientes de las Indies, perlas de Cathay y Antioquiandia.

Art colocó su brazo sobre el cuello del capitán de una forma muy amigable y dijo:

—Confío en usted, señor. Aunque, un movimiento en falso y le cortaré la cabeza, señor.

—Oh, por el azul sagrado del cielo...

—Créame. Una muerte decente en mis brazos resultará mucho mejor que caer en las manos de cualquiera de mis hombres.

El capitán dirigió la mirada a la tripulación de Art y balbuceó unas pocas palabras que resultaron incomprensibles.

Los hombres de la *Inoportuna* estaban desenfrenados, jugueteando con sus espadas y pistolas e interpretando numeritos mortales con la tripulación de la *Royal*. Sus rostros dejaban entrever un cierto orgullo y a su vez una falta de piedad, una terrible y exitosa falta de piedad. Quizá, ni siquiera un verdadero pirata parecía ser capaz de cometer los más aberrantes delitos.

Art sonrió al capitán.

La tripulación y los pasajeros restantes de la *Royal*

aguantaban el aliento mientras desde las bodegas salían enormes fardos y cofres.

—¿Es una mujer? —susurró el capitán, pálido como las velas recién lavadas.

—Sí. ¿Ha escuchado alguna vez mi nombre?

—Perdóneme, pero jamás. ¿Sería mucho preguntar?

—Se me conoce, señor, como Art Blastside, la hija de Pirática, quien fue la pirata más temida de los Siete Mares.

Entonces el capitán sufrió un desmayo y Art alcanzó a cogerlo antes de que cayera al suelo e inmediatamente se lo entregó al segundo oficial, quien se inclinó ante Art haciendo una gran reverencia.

—No corren peligro mientras no interpongan ningún obstáculo.

La *Royal* desbordaba obediencia.

Entonces, un hombre vino corriendo velozmente y se arrojó a los pies de Art.

—Espléndido señor, digo, mujer, déjeme acompañarla. Permítame servirla bajo su bandera. Moriré por vos, os lo juro.

Art lo miraba pensativa. Su piel era de color tostado y su musculatura era fuerte y resultona, quizá un español y, sin duda, estaba muy bien entrenado en una tripulación marina.

—¿Por qué?

Para su sorpresa, el voluntario empezó a hablar en inglés, con un acento lundinense inconfundible.

—Antes navegaba con otra embarcación, una embarcación pirata, pero los de la tripulación eran unos inútiles, así que me escapé y desafortunadamente acabé aquí. Me llamo Glad Cuthbert y puedo tocar la viola de rueda, incluso tengo la mía propia. Hágalo por su banda de música.

El capitán pareció revivir en los brazos del segundo oficial.

—¡Lleváosle! —rogó—. ¡Es un pirata inglés! ¡Y su forma de tocar ese instrumento, por mi Rey, es espantosa!

Mientras la tripulación de la *Inoportuna* volvía a su embarcación ayudándose de los cabos después de haber saqueado la *Royal*, Glad Cuthbert también se unió a ellos, llevando consigo su instrumento y una pesada caja de madera con varias llaves y una manivela.

Las perlas y las sedas, el oro y los adornos de la *Royal* también los acompañaban.

Incluso *Plunqwette* descendió para contemplar qué traían.

¿Cómo podía ser que lo hicieran con tanta facilidad?

Era tal y como lo hacían en el teatro.

—Ha sido muy afortunada.

—No, señor Phoenix. Hemos sido muy capaces.

Ahora, las aguas se habían tornado violetas, como las plumas de un pavo real, con sus destellos de color bronce y verde esmeralda a la vez que los delfines pirueteaban, como relámpagos plateados. Asombrosos bancos de peces coloreaban las aguas de azul y de rosa, como la bandera, y escoltaban a la *Inoportuna Forastera* durante kilómetros. El invierno ya se había desvanecido, y el dulce calor del verano empezaba a emerger.

Como tupidos panales dorados bajo la luz del sol, las Costas de Marfil y de Oro emergían a babor. Extensos puertos, donde la ley ya no imperaba, daban la bienvenida a la *Inoportuna*.

Lagunas aguamarinas flanqueadas por palmeras coronadas con plumas de color esmeralda intenso les indicaban que estaban a punto de pisar tierra firme. Honest chapoteaba en el agua mientras Ebad intentaba enseñar con severidad a Eerie a nadar, aunque Eerie empezó a hundirse segundos después.

—¡Tío! ¡Que no soy un pez!

Art, vestida igual que sus hombres, con una camiseta y mallas, nadaba como una anguila eléctrica.

Felix, a quien habían remolcado hasta tierra firme, estaba sentado a la sombra de las palmeras junto a Glad Cuthbert, aprendiendo, obviamente no a nadar, sino a tocar la viola de rueda.

—Me llamo Glad porque mi madre, que en paz descanse, se llamaba Gladys —le explicó Cuthbert a la vez que enseñaba a Felix a tocar el instrumento—. Algún día volveré a verla, a esa vieja refunfuñona. Era quejica como ella sola. Realmente, la echo de menos cada hora que pasa. En mis sueños siempre aparece ella, y además siempre estamos remando hacia ningún destino en concreto. En el sueño, ella siempre me anima y me aclama. Y tú, ¿has dejado a alguien atrás?

—A nadie —contestó Felix.

—Hombre, un muchacho tan guapo como tú tiene que tener a alguien.

—Muchísimos «alguien», pero nadie en especial.

—Entonces, ¿no tienes familia?

—No.

—Entonces, ¿cómo saliste del cascarón? ¿Gracias a la ayuda de tu mamá pájaro?

Felix soltó un par de carcajadas melódicas y echó un vistazo a los piratas, quienes nadaban, o se medio ahogaban, por la romántica laguna azul. De repente, Art brotó del agua, con su cabello color avellana, adornado por ese reflejo de fuego anaranjado que goteaba enormes lágrimas relucientes. Pero volvió a zambullirse segundos después y cogió por los tobillos al pobre Walter, quien aullaba mientras intentaba, sin resultado alguno, nadar.

—¿Te gusta el estilo de tu capitana? —preguntó Glad Cuthbert.

—No mucho.

—Podrías haberte quedado en esa embarcación francesa. Estoy seguro de que se hubieran quedado contigo. Tan sólo necesitabas decir que no eras un pirata y después suplicar para que te ayudasen. Eso lo sabías, ¿verdad? Entonces, ¿por qué has decidido quedarte?

—Todo el mundo me pregunta lo mismo. Tengo mis razones, créeme.

—No entiendes por qué un hombre, o una mujer, decide tener una vida pirata —dijo Cuthbert—. Eso es un hecho. Pero nosotros, los piratas, también tenemos nuestras razones, créeme.

Nadie le había dicho a Cuthbert que él era el único

pirata genuino a bordo, y Felix tampoco se lo dio a entender.

Detrás de ellos y en lo más alto, donde las palmeras marcaban el camino hacia el bosque exuberante, habitaban enormes animales vagabundos que les echaban un vistazo, pero parecían evitarlos, y pájaros con plumas de los colores del arco iris, quienes hacían un ruido estrepitoso cuando *Plunqwette* aterrizaba en su territorio a modo de ofensa e insulto.

—Hasta ese loro sabe nadar. No lo había visto en mi vida. Además, esos pájaros también saben hablar, aunque éste, para ser un loro, no habla mucho, ¿verdad? —susurró Cuthbert pensativo, y añadió—: Todos esos pájaros de ahí arriba te ponen la cabeza como un bombo. Cómo echo de menos a las palomas del viejo Lundres...

Walter, quien salía del agua a gatas, saludó con la cabeza diciendo:

—Una vez, Peter y yo nos dedicamos a criar esas malditas palomas y las hacíamos volar llevando consigo un mensaje. La verdad es que fue una buena forma de ganar mucho dinero. No podéis imaginaros las distancias que pueden llegar a recorrer.

Peter, quien también emergía de las cristalinas aguas, le dio una palmadita en la espalda a Walter.

—Olvidémonos de todo aquello y escuchemos una canción. Cuthbert tocará su viola de rueda y Felix prestará su melódica voz.

Bajo la laguna, mirando atentamente a los peces color jade turquesa que se encendían como pequeñas llamas desde las profundidades, Art empezó a escuchar ligeramente el canto de Felix desde la orilla.

Cuando la joven salió del agua, tenía el ceño fruncido.

Art sabía muy bien lo que quería, y finalmente lo iba a conseguir. Por fin había podido timonear y capitanear la nueva *Inoportuna* y esos hombres al fin estaban empezando a saborear el dulce aroma de la libertad y comenzaban a encontrar su verdadero camino. Habían actuado como piratas, ni siquiera un verdadero pirata lo podría haber hecho mejor. La suerte había llamado a sus puertas y su futuro volvía a iluminarse, como las aguas con el reflejo del sol. Ahora, todo era posible.

Excepto para Felix Phoenix, quien tenía un rostro meditabundo y abatido. ¿Por qué se había quedado con ellos? ¿Qué es lo que quería?

—Ebad —dijo Art a su primer oficial, quien en esos momentos estaba arrastrando a su segundo oficial, el señor O'Shea, hacia la orilla, como si fuera un saco mojado de patatas—, ese joven tiene que hacer sus maletas.

—Oh, por las mantequillas de Eira, estoy empapado. ¡Parezco una esponja! —se quejaba Eerie.

Black Knack, quien también se había negado a aprender a nadar y quien ahora se comía un sabroso plátano, la animó:

—Bien hecho, no confíes en ese Felix, pequeña. Lo desembarcaremos en las Azules Indies. Una vez lleguemos allí, ya no tendrá excusa para continuar haciéndonos perder el tiempo. De lo contrario, lo arrojaremos por la borda.

Mientras, Dirk, Whuskery y Honest nadaban de espaldas por la laguna de una forma muy relajada, hasta que, de pronto, Whuskery se hundió y segundos después Honest lo ayudó a subir hasta la superficie.

En ese instante la canción de Felix terminó.

—Nunca he nadado —confesó Glad Cuthbert—, y en la vida lo haré.

Fue entonces cuando *Plunqwette* empezó a zarandearse y a agitarse hasta que consiguió empapar a Glad.

El siguiente barco que se encontraron surcando el maravilloso océano y que, segundos después, abordaron era un veloz navío que viajaba desde el sur de las Amer Ricas.

Walter lo avistó al atardecer desde la pequeña cofa de vigía situada en lo más alto del mástil principal, fijándose en el rumbo que éste había tomado, concretamente hacia una cala cercana.

Surcando el agua gracias al soplo del viento vespertino, la *Inoportuna* navegaba sigilosamente detrás de ésta, con cautela y prudencia. La *Inoportuna* era exactamente el barco con el que Art siempre había soñado. Poderoso pero fácilmente maniobrable. Arriando las velas de la *Inoportuna,* su tripulación empezó a explorar las orillas de la cala bajo el velo de la noche y con linternas en sus manos.

Después de las cientos de hazañas interpretadas sobre el escenario en su falsa embarcación, la tripulación pirata era experta, hábil y silenciosa.

Descendieron un pequeño bote sin provocar ni una sola onda en las aguas. Armados hasta los dientes, Walter y Peter remaban, mientras que Ebad, Eerie, Art, Whuskery y Black Knack —también armados hasta los dientes— se preparaban para atacar.

El veloz navío era un barco típico de las Amer Ricas, y ondeaba la rayada bandera de Liberty. Había echado el ancla y estaba adornado con guirnaldas de diminutas luces. Sin embargo, en la cubierta tan sólo había un guardia que lo vigilaba, mientras que el resto de la tripulación, a juzgar por los sonidos, estaba cenando en el salón y en las cubiertas inferiores.

Por el costado de la embarcación, Art Blastside y sus hombres empezaron a pulular. En tres minutos, tres marineros que estaban de vigilancia fueron abatidos y vencidos. Sus gruñidos y chillidos eran inaudibles gracias al alboroto de la cena que se desarrollaba debajo de la cubierta.

Atados con cordones traídos de la *Inoportuna*, los vigilantes miraban hacia las estrellas miserablemente.

Art, Ebad, Eerie y Whuskery descendieron hasta los camarotes de los oficiales, y a continuación se deslizaron por el estrecho pasillo hasta llegar al gran salón.

La puerta se abrió con brusquedad y entonces se pudo contemplar el lugar, alumbrado por velas, donde el asustado capitán y tres de sus oficiales se tropezaban con platos que posteriormente aterrizaban en el suelo, mientras un joven (¿o era una joven?) alto y esbelto, de cabello largo y oscuro se posó en la mesa apuntando con su pistola a las tostadas con queso y salmón ahumado.

—Una buena cena, caballeros. Perdonadnos por esta

interrupción, pero no os haremos perder mucho más tiempo.

—¡Piratas!

—¡Malditos bribones renegados y mugrientos!

—Os felicito por vuestra buena vista —confirmó Art—. Rendíos y no os haremos ningún daño.

El capitán desenvainó su pistola, pero Art, como un rayo, disparó al arma con exquisita precisión y se la arrebató. La pistola, después de sobrevolar buena parte del salón, aterrizó sobre un pastel.

Ebad y Black Knack habían desarmado a dos de los oficiales, mientras que Eerie estaba dando unas palmaditas a un tercero, que era el más joven de los tres y quien sollozaba apenadamente sobre su plato:

—Le dije a mi tío que no quería ir al mar...

—Tranquilo, tranquilo... Tan sólo te despellejaremos si te resistes —le prometió Eerie.

El veloz navío cargaba con madera perfumada, arroz y tiza, tres cajas llenas de oro y varias estatuas de mármol provenientes de antiguos templos tropicales.

La tripulación de Art arrastró a los pasajeros del navío desde las bodegas y los entregó a la capitana, mientras ésta sostenía por un brazo al capitán del navío y Eerie se divertía jugueteando con los faros y jarcias.

Por último, Art extrajo la llave del desmayado capitán de su camarote, donde lo encerró a él y a sus oficiales, y en una pequeña habitación enclaustró a una buena parte de la tripulación restante, que parecía que los hubieran metido a presión. Art ordenó que el resto de la tripulación se quedara en las cubiertas inferiores.

—Ahora pueden terminar de cenar, señores. Si alguien de ustedes hace el más mínimo gesto para molestarnos mientras partimos, pueden estar seguros de que acribillaremos vuestro navío a cañonazos.

Sinceramente, nadie osaría hacerlo. Bajo el suave manto de la noche, los hombres de Art se desvanecieron con su bote hacia la *Inoportuna*. Tan sólo una única vez una cabeza se giró para comprobar el rumbo que seguía el veloz navío. Art le cepilló el cabello con una bala, y después de esto, nadie se atrevió ni tan sólo a mirar atrás.

Llegaron a la *Inoportuna Forastera* antes de que escucharan, mientras surcaban el mar en absoluta tranquilidad, un estrépito de cuadernas, pues el capitán y algunos de sus hombres tiraron abajo la puerta del camarote, o quizá ésta se vino abajo debido a la opresión que los comprimía allí dentro.

Ahora ya estaban a bordo y discutiendo su nuevo rumbo cuando, de repente, unos disparos rojizos de pistolas retumbaron desde la proa del veloz navío. No tenían ni tan siquiera un solo cañón, o eso parecía. Así que, sin ningún contratiempo y más contentos que un niño con zapatos nuevos, Art y su tripulación continuaron navegando por el bálsamo de la noche.

2. Cuatro hombres sabios

Justo en el centro del paseo del Almirante Principal, en Lundres, estaba instalado el edificio de la Marina.

Un remo plateado estaba fijado sobre la puerta central, flanqueada por dos enormes esfinges de arenisca traídas desde Egipto unos diez años atrás.

Landsir George Fitz-Willoughby Weatherhouse no prestó ni la más mínima atención a estas antiguas estatuas, pero las expresiones de las miradas femeninas le recordaban, de una forma muy desagradable, a su antigua esposa, con la que sólo estuvo un año, Molly Faith. Serena, astuta y apacible tan sólo cuando seguía su propio camino.

Sobre la escalera de mármol dejaba marcado su sello, dando golpes secos con su bastón de puño de plata sobre los peldaños y la barandilla (paso, paso y golpe seco), de forma que cualquiera que pudiera oírlo inmediatamente pensaría que tenía tres piernas.

Una enorme puerta de doble batiente se abrió ante él, y George, majestuosamente, la cruzó dirigiéndose a la sala contigua.

—¿Qué es todo este disparate?

—Ah, George —dijo el hombre, que llevaba puesta una peluca blanca y estaba recostado sobre una butaca de madera que a su vez se aposentaba en el brillante y pulido suelo de madera—, buenos días.

—¿Y se puede saber qué tienen de buenos? ¿Por qué me han hecho venir hasta aquí?

—Oh, ¿es que no se lo han contando? Qué extraño. Parece que está relacionado con su hija.

George no podía creérselo, y siguió preguntando:

—¿Mi hija? Pero él dijo piratería, eso fue lo que dijo, ese oficial pomposo que usted me envió.

—Le ruego que se calme. Parece ser que su hija está

relacionada con diversos actos de piratería. Los periódicos no paran de hablar de ello. ¿Es que acaso no lee, George?

El hombre de la enorme peluca empolvada respondía al nombre de Landsir Snargale. Éste señaló a un hombre que vestía los ropajes de un típico capitán pudiente de una embarcación mercante:

—Éste es el capitán Bolt, que hasta hace poco tiempo dirigía la embarcación mercante de la *Elefante*. Y estos otros caballeros...

—Me llamo Coffee y comercio con el café —gritó uno de los otros caballeros, que era bajito, regordete y llevaba un abrigo de brocado del color del café con leche—. Soy el patrocinador de la mitad del mercado cafetero de Inglaterra. Organizo anuncios de una naturaleza espectacular. De hecho, soy famoso gracias a ello. —George Fitz lo miraba como si se hubiera hecho famoso gracias a su demencia—. Sin embargo, su hija, señor...

—Cada cosa a su tiempo —declaró Landsir Snargale suavemente. Había sido un distinguido comandante de una flota hacía unos pocos años, así que sus palabras tenían un peso importante.

Todos estaban alborotados y resoplaban, incluso el patizambo del capitán Bold.

De pronto, Landsir Fitz exclamó:

—En cualquier caso, desconozco este desatino desafortunado que están teniendo, pues están hablando de mi hija, Artemesia.

—Art Blastside es tal y como se presentó ante mí —añadió el señor Coffee, aún furioso.

—Y ante mí, por las orejas de la jirafa —dijo el capitán.

—Aunque a decir verdad, debo admitir que confundí a esa mosquita muerta con un muchacho —confesó Coffee.

—A mí no logró confundirme, ni engañarme, señor.

George Fitz golpeó su bastón otra vez y dijo:

—Igual que su madre. Actúa como su madre; Molly actuaba cuando la tenía entre sus brazos. Yo he hecho todo lo que estaba en mis manos, incluso encerré a Artemesia en una escuela, pero se escapó por la chimenea y caminó por la nieve y el hielo. Pensé que la muy bruja habría perecido en el intento, y siendo sincero, no derramé ni una sola lágrima por ella.

—Cálmese, George. No es su culpa, eso está claro. Señores, por favor —dijo Landsir Snargale mientras otros arrebatos empezaban a nacer del resto de asistentes—. Ahora todos contaremos nuestra historia, uno por uno, y ese caballero de allí, el de la esquina, el señor Prawn, que es el secretario, escribirá todo lo que ustedes expliquen.

Así pues, uno por uno, aunque a veces todos gritaban a la vez y no se podía entender nada, los tres apenados caballeros despotricaron todo cuanto pudieron de Artemesia mientras relataban sus historias.

George Fitz explicó la historia de la ingrata Molly, una actriz que se había escapado por una tubería y lo había abandonado para, después de todo, perecer en un escenario diez años después, cuando un cañón de cartón explotó. Después de eso, en un acto de pura generosidad, se dedicó a buscar a su pequeña y a rescatarla de la precaria vida del teatro, y así dedicarse a enseñarle a comportarse como una verdadera señorita, cosa que ésta jamás aprendió. En las últimas navidades, la joven decidió escaparse y ya no había vuelto a oír hablar de ella. ¿La había estado buscando? ¿Para qué?

El siguiente en hablar fue el patrocinador del café, quien los entretuvo con su historia del muchachito descarado que había subido a bordo en su barco, el *Café Pirata*, para después hacerse con él, hundirlo y escaparse con la tripulación que él mismo había contratado, una panda de estúpidos actores, quienes al huir le habían dejado una deuda de cientos de liras inglesas.

Después de él, el capitán Bolt empezó a relatar su historia, explicando cada detalle y cómo él solo había logrado salvar a ocho o nueve personas sumamente imbéciles, como ya había supuesto desde un principio, de morir ahogadas, justo después de partir de Port Mouth. Y todo para más tarde darse cuenta de que tan sólo eran unos malditos piratas que lo forzaron a punta de pistola a entregar su embarcación. Los actores que le acababan de describir, y no tenía ninguna duda, coincidían exactamente con los piratas que él mismo había rescatado y que en un principio le habían parecido violentos, agresivos y expertos en el arte de asaltar navíos por los actos que habían cometido. Y la jovencita era la peor de todos. Dijo que era el líder de la banda. El capitán Bolt declaró que consideraba que Art estaba loca, loca como una cabra.

—A todo esto, debo añadir cierta información que acabamos de recibir —dijo Landsir Snargale— y que concierne a un número de barcos mercantes que han sido abordados mediante triquiñuelas y a los que les han extraído casi todos los objetos de valor que contenían. Esto ha ocurrido entre Africay y las aguas caribeñas de las Azules Indies. Se cree que la embarcación culpable de todos estos actos, a la que llaman la *Inoportuna Rastrera*, se dirige directamente a la isla Own Accord, lugar adonde el capitán Bolt se encaminaba cuando esta embarcación la capitaneaba él y se llamaba la *Elefante*. Como ya he dicho antes, todos los periódicos lundinenses narran estas y otras historias. Y el hecho de que la capitana pirata sea una mujer y además inglesa ha generado un gran revuelo e interés en la sociedad. Y mucho me temo que también ha generado una cierta simpatía. Los periodistas la tratan como una fantástica heroína, una estrella de capa y espada, un icono. Incluso el *Lundres Tymes*, y muy a mi pesar, alaba su galantería y astucia. La gente perteneciente a la clase baja y pobre adora a sus bandidos y piratas. Granujas atrevidos y adorables, eso es lo que piensan de ellos, y así es como los llaman. Pero yo sé, señores, y a las pruebas me remito, lo repugnantes y odiosos que resultan esos piratas. Yo, nosotros, sabemos que esos que se hacen llamar piratas no son más que chusma.

213

Durante unos instantes, nadie musitó una palabra. Todos permanecían de pie alrededor de Landsir Snargale, resoplando como si fueran caballos y mirándose los unos a los otros, después al techo, a las paredes y a la colección de ornamentos marinos de la sala.

Finalmente, Fitz murmuró:

—*Inoportuna Rastrera*... no, no se llama así. Que me lleven los demonios si no es el mismo nombre que el del maldito barco que Molly tenía en la obra... *Foras-tera*, la *Inoportuna Forastera*...

—Señor Prawn —dijo Snargale—, espero que lo haya apuntado todo correctamente. También hay otro famoso amigo que acompaña a la tripulación de Arte-mesia —continuó—. Parece ser un inestable y preocu-pante bandido conocido en la zona del parque Wim-blays como el caballero Jack Cuckoo, y quien se unió a los piratas en Grinwich o Sheerditch o quizá en Port Mouth. Como ven, los datos varían.

—Yo no vi a nadie con esa descripción —declaró el patrocinador—. Tan sólo había dos extraños acompa-ñantes entre ellos: un amarillento perro y un loro verde.

—El caballero Jack ahora podría ser cualquiera de los piratas —dijo el capitán Bolt—, por los colmillos del tiburón. Tan sólo había uno que estaba de más allí, un muchacho rubio blanquecino que se desvaneció. Pare-cía estar fuera de lugar.

—¿Cómo? ¿Se desvaneció? Entonces no podía ser de ninguna de las maneras Jack Cuckoo —dijo Snarga-le—. Seamos serios y juiciosos.

—Tiene toda la razón —declaró el capitán precipi-tadamente.

—Bien —dijo George—, ahora que tenemos todas las cartas sobre la mesa, vuelvo a preguntarles: ¿por qué estoy aquí?

—George, si todo esto es cierto, y parece ser que lo es, su hija ahora es una pirata. No está actuando como tal, como lo hacía su madre, quien, según usted, ejercía de pirata para poder ganarse el pan, sino que está lle-vando a cabo actos de piratería reales, como un pirata de verdad. Ha abordado y saqueado embarcaciones españolas y francesas, y también alguna de nuestros aliados en las Amer Ricas. Eso ya es suficientemente malo. Pero, además, ha ofendido a embarcaciones inglesas, como por ejemplo a la del capitán Bolt, además de otras tres más en mitad del océano Atlántico. Ahora se la busca por cometer actos de criminalidad. Nuestras patrullas, y cada gobernador legítimo desde aquí hasta el fin del mundo, ya han sido, o serán en pocos días, informados y alertados de su villanía. El señor Coffee y el capitán Bolt ya han decidido construir una embarcación que se dedicará exclusivamente a seguirle el rastro y encontrarla. Una vez capturada, ya sea por embarcaciones navales inglesas, por el barco del señor Coffee o por cualquiera que sienta cierto rencor hacia ella y tenga firmados tratados con Inglaterra, su hija y los hombres que la acompañan serán traídos a casa. Y cuando digo a casa, George, siento comunicarle que me refiero a la cárcel de Oldengate y a la soga del verdugo.

George Fitz-Willoughby Weatherhouse bajó la mirada. Su cara de pulga abigarrada ahora parecía tener una expresión más debilitada aun.

Pero todo lo que dijo fue:

—Entonces condenadla y dejadla que se balancee colgada de la soga.

3. Own Accord

El sol, como una moneda dorada, besaba la superficie de la isla Own Accord.

Desde las cristalinas aguas se disipaban los colores de las neguillas.

Pero la isla en sí era de color verde, pero de un verde jamás visto, jamás inventado por nadie. Y la masa de tierra de la isla se alzaba de las aguas como si fuera un castillo, con terrazas y balcones desde donde se podían contemplar las colosales torres terrenales: monumentales montañas cubiertas por el oscuro manto exótico del bosque, por las que manaban riachuelos como si fueran brillantes hilos de lana plateada.

—Río de leche —recitó Ebad.

—Río blanco, río negro —anunció Eerie.

—Río de azúcar —dijo Black Knack mientras se relamía como un felino.

—Y se dice que las aguas de este lugar —comentó Peter— son tan azules gracias a las cargas de zafiros desparramadas en ellas por los piratas.

La isla Own Accord fue liberada de la esclavitud al mismo tiempo que los rebeldes ingleses y americanos destituyeron la monarquía y su nombre se obtuvo de su declaración de independencia.

«De ahora en adelante —rezaba la declaración—, ésta será nuestra isla, a la que llamaremos, por mutuo acuerdo, Own Accord.»

Puerto República apareció en el horizonte, puerto que antes era conocido como Porto Rex. Una multitud de colosales edificios blancos se congregaban en las orillas del puerto, y los granos de arena de sus playas relucían como diminutos diamantes.

Pájaros de color escarlata sobrevolaban la embarcación, y después volvían a dirigirse a la playa. *Plunqwet-*

te, desconcertada, se arreglaba las plumas en lo más alto del mástil principal.

—Own Accord es conocida por el gran comercio que se lleva a cabo en ella. Pero también es famosa por las bienvenidas que da a los piratas con buenos modales que traen consigo monedas y objetos de valor para vender. Especialmente, a los provenientes de la Libre Inglaterra y de Amer Rica.

Whuskery, mirándose la punta de la nariz, torció los ojos mientras intentaba mirar a Art.

—Eso es lo que se decía en la obra de teatro. Pero ¿será verdad?

—Lo comprobaremos.

En el puerto se alineaban una serie de figuras que se agitaban. Aplausos y banderas daban la bienvenida a la colosal embarcación que se acercaba. Niños y niñas se apresuraban en llegar a la orilla mientras enormes ramos de flores caían sobre el regazo de las aguas de la bahía. Mientras, en los barcos que estaban anclados en el puerto, los marineros estiraban el cuello para comprobar quiénes eran los que se aproximaban hasta allí, esbozaban una amplia sonrisa y los aclamaban.

—¡Por la verga de juanete! Esto parece nuestra obra...

—¡Los aplausos y los bravos!

—¿Acaso saben quiénes somos?

Mujeres negras con vestidos de amarillo canario y rojo pasión mostraban sus dientes sin igual, blancos como lunas crecientes. Mientras tanto, los enormes ramos de flores seguían cayendo sobre las aguas.

—Parecen gente muy agradable, ¿verdad? ¿Eres natural de aquí, Ebad?

Ebad negó con la cabeza:

—De aquí no. Ni tampoco de las Costas de Marfil y de Oro. Ni de Zanzíbari. Mi tierra y mi hogar —dijo Ebad emocionado en un tono de voz bajo— es Egipto, por debajo del Nilo. Soy descendiente de reyes.

—Uau... —dijo Dirk—, ahora lo entiendo, camarada.

Entonces, Eerie gritó:

—¡Sí, claro! ¡Es tan descendiente de los reyes de Egipto como yo de los ardientes reyes de Eira!

—¡Callaos! —ordenó Art—. ¡Los dos! Ahora somos todos republicanos.

Se adentraron en el puerto de la isla y la *Inoportuna* echó el ancla lejos del tráfico marino y de las flores.

La espontánea bienvenida de repente se había desvanecido, como cuando baja la marea, y las gentes volvían a ocuparse de sus asuntos.

—¿Quién irá a tierra firme? —preguntó Honest Liar, mirando con anhelo la encantadora tierra que ahora quedaba a su espalda.

—Cuthbert y Walter darán el primer vistazo al puerto. El resto de nosotros...

—No, capitana Art. Permítame a mí ir a tierra —se quejó Salt Peter—; si Walter va, yo también.

—Se equivoca, señor Salt. Usted se quedará a bordo.

Peter se enfurruñó y también le dio la espalda de malas maneras.

—No proteste tanto, ya llegará su turno. De momento, cada uno a su camarote y utilizad el baño de la tripulación. Intentad vestiros con vuestros mejores ropajes, pues eso nos ayudará a vender y a comprar de una forma excelente en un puerto comerciante de semejantes dimensiones. Además, así podremos conseguir más pistas que nos pueden resultar útiles a la hora de vender nuestro delicioso cargamento. Este lugar debería ser el «quién es quién» de los veleros robables y no nos tomarán en serio si no tenemos cuidado.

Felix permanecía de pie detrás de todos ellos, apoyado en la barandilla, fuera del alcance de Art.

—Señor Phoenix, lo dejaremos aquí, ¿qué le parece?

—Ya lo ha decidido, así que, ¿qué puedo decir?

—Eso es. Estoy de acuerdo. Alguna cosa mejor que nada, siendo que ese algo es algo que odia. No me importa. Cuando Cuthbert y Peter desembarquen y vayan a tierra, estoy segura de que usted podrá cantar, retratar y entretener a las tripulaciones de otros veleros. Intente dirigirse a las Amer Ricas, señor Phoenix, pues he oído voces de que un joven puede forjarse un buen futuro. Mientras tanto, mis órdenes aún lo atañen, así que arréglese.

Art se dirigió hacia su camarote. Se sentía feliz después de haber escuchado los ensordecedores aplausos y haber sentido el suave aroma de las flores, que tan nítidamente recordaba. Y además, sabía exactamente cómo comportarse en la isla y adónde debía dirigirse.

Mientras Art sacaba la bañera de debajo del sofá —el capitán Bolt no escatimaba en comodidades—, se acordó del antiguo nombre de la isla Own Accord. Se llamaba Zaymaxa, lugar de diversas aguas.

Plunqwette la acompañó en el baño sentada en un lado, introduciendo su pico en la bañera para después escupir el agua perfumada.

—¡Oh, mira qué altas son las montañas! —exclamó el loro con la voz de Molly—. ¡Y con los riachuelos bañando sus valles!

Art dio un salto y tiró agua a *Plunqwette*, quien salió escopeteada hasta que logró posarse en la biblioteca. Sin palabras, Art volvió a echar una ojeada a los libros del capitán Bolt.

Vestidos con sus mejores galas, bañados y perfumados, peinados y arreglados, los piratas de Art estaban acabando de acicalarse sobre la cubierta bajo la suave luz de la luna llena.

Allí también estaba Felix Phoenix.

—¡Por las grullas de Connor! ¡Tenéis que ver esto!

Felix también se había vestido con ropajes limpios y planchados que había encontrado en los armarios de la embarcación. Llevaba un abrigo de raso blanco perla, un tono de blanco un poco más brillante que su cabello, ornamentado con trenzas plateadas y perlas. De un costado le colgaba una espada de vestir —tan sólo servía como ornamento— en una vaina con matices plateados que le hacían juego con sus pantalones apretados que tanto lo favorecían. Iba calzado con unas botas de piel beis pálido con bordados en forma de espiral con hilo de oro y plata y llevaba las manos cargadas de anillos de oro. Su

cabello blanco, largo, lacio y brillante después del lavado, le llegaba hasta los hombros, para así hacer juego
con la camiseta verde hierba remendada con cintas anu-
dadas de un verde pálido. El joven arqueó las cejas, dirigió su mirada a todos ellos y Dirk fingió desmayarse.

Toda la tripulación lo miraba boquiabierta, como si
estuvieran presenciando una obra de teatro, hasta que
la puerta del camarote del capitán se abrió:

—¡Mariposas y cisnes!

—Es Molly —dijo Ebad, sencillamente—. Por el
amor de Dios, es nuestra Molly Faith.

Incluso Felix, aturdido por la expectación y admiración que la joven había causado, se giró para dar un vistazo. Y allí estaba Art Blastside.

No tenían ni idea de cuánto tiempo había estado
Art vacilando y dudando ante la gran cantidad de vestidos encontrados en los armarios de los pasajeros,
mientras recordaba a Molly vestida con trajes de noche
de color bermejo o verde. Aunque en realidad tan sólo
había tardado cinco minutos en escoger el traje. Instantes después, dio la vuelta sobre sus tacones y se dirigió
a otro lugar. Había llevado faldas durante años, así que
vestirse con una no sería un gran inconveniente.

Plunqwette había permanecido sentada mirando a
Art mientras ésta se vestía, aunque más tarde la había
intentado ayudar dando vueltas y más vueltas sobre la
cabeza de Art, peinándole su recién lavado cabello y
graznando, hasta que Art empezó a decirle palabras
malsonantes.

Entonces, *Plunqwette*, a su vez, también empezó a
decir palabras aún más malsonantes.

Pero ahora, *Plunqwette* andaba como si fuera un pato por toda la cubierta detrás de Art, como si fuera una criada orgullosa quien, con una sola ala, había hecho de todo para que Art estuviera maravillosa.

Y de hecho, estaba maravillosa.

Felix no podía apartar su mirada de Art.

Aunque aún vestía con ropajes de hombre, éstos ahora pertenecían a terratenientes ricos y le daban un toque artístico. Los bajos del abrigo que llevaba eran de seda color ámbar y su camiseta simulaba una cascada de fantasía de encajes blancos que imitaban el fluir de los ríos por las colosales montañas. Y si Felix y el resto de la tripulación se habían puesto cuatro o cinco anillos, Art se había puesto diez o más. Y todos ellos con piedras preciosas reales incrustadas: ágata, topacio, diamantes.

De su oreja izquierda colgaba una enorme gota de lluvia color ámbar, y su cabello, recién secado, ahora se rizaba por la humedad, e incluso ese reflejo del color de la piel del zorro parecía intencionado, como si una pluma se hubiera posado sobre su cabello.

«Magnífica —pensó Felix—. Un leopardo, un león. Pero, ¿quién es? ¿Una actriz, una ladrona, una loca, una asesina...?»

Glad Cuthbert le dio a Felix un puñetazo en el hombro, tan ligero que ni tan siquiera lo notó.

—Estás coladito por ella, ¿eh?

—¿Perdona?

—Esto ya lo he vivido antes. Y lo viví conmigo mismo. Vamos, no me lo niegues, Felix, hijo mío. Éste es tu destino.

Felix, pálido como el abrigo que llevaba, se fue corriendo cubierta arriba e incluso pasó por el lado de la preciosa Art, pero no se molestó ni tan sólo en dedicarle una mirada. Pero ella sí que se giró para echarle una ojeada sin discreción alguna mientras se llevaba la mano a la boca y con una finura exquisita emitió un silbido típico de los barrios bajos de Lundres. Eso constituía un símbolo de máxima aprobación.

Su tripulación aplaudía a la vez que emitía numerosos gritos de clamor.

—Bien, creo que no tendremos ningún problema después de este cambio de aspecto —remarcó la capitana.

Echando a perder el efecto que Art había provocado, *Plunqwette* se posó sobre su cabeza.

Subiendo todas las escalinatas de las callejuelas de Puerto República, pasando el ajetreado mercado hasta llegar a los maravillosos jardines del parque Belmont, con sus pistas para pequeños carruajes dibujadas por gallos, había una callejuela llamada Dubloon. Detrás de todo aquello, en un jardín con palmeras, plumerías y mazapanes en plena flor, se encontraba la taberna Punch of Sniff, más frecuentada por los marinos pudientes que por los demás.

Art irrumpió en la taberna a todo trapo, con sus oficiales y el resto de la tripulación detrás.

La clientela elevó la mirada, los saludó con la cabeza y volvió a girarse hacia sus enormes copas de ron y otros licores, a sus tarros de café atados con lazos de color chocolate y a sus juegos de mesa, ya fueran cartas, dados, dominós o planes poco legítimos. Art y los suyos, obviamente, habían pasado la prueba.

Escogieron una mesa larga que había bajo la ventana.

Al otro lado de la ventana, las flores desprendían su aroma inconfundible, una brisa dulce con esencia de mazapán.

Entonces, llegaron las bebidas.

Y *Plunqwette* de repente soltó un chillido.

Y Walter también:

—¡*Muck!* ¡*Muck*, el perro más limpio de toda Inglaterra!

—¡El perro más limpio de toda Own Accord!

—Viejo chucho... cómo te hemos echado de menos.

Por una vez, Felix y Art se miraron el uno al otro observando aquel inexplicable acontecimiento, retorciendo las cejas sin cesar de mirarse.

¿Cómo era posible que *Muck* hubiera llegado hasta allí?

—Seguro que se escondió en otro barco —dijo Eerie decidido—. Ya sabía yo que no podía estar mucho tiempo sin nosotros.

Mientras esa cosa amarillenta, sin parar de ladrar, se subía a la mesa donde estaban las bebidas, entre protestas y aclamaciones, Art se acordó de la primera vez que se los encontró en Lundres.

Al igual que la otra vez, una voz femenina proveniente de las oscuridades de la taberna preguntó:

—¿Otra ronda de birras, amigos? Yo invito. Esta tarde estoy generosa.

224

Todos y cada uno de ellos, incluyendo también a *Muck*, miraron a su alrededor.

Se podía distinguir a tres figuras que se iban acercando con lentitud hacia la luz, pero sin muchas prisas: un hombre distinguidamente vestido pero a su vez desgreñado y un tanto asqueroso y con un sombrero; otro hombre, también pudientemente vestido, muy delgado y menos asqueroso y sin sombrero; y una preciosa jovencita, más despierta que los otros dos, con una gran masa de rizos negros, una mirada gélida color verde y unas faldas largas que le hacían juego con el vestido.

Muck emitió un ladrido e instantes después se deslizó por debajo de la mesa hasta llegar a la silla de Walter, donde se escondió. *Plunqwette*, quien había estado echando un vistazo a las bebidas, ahora se posó sobre el hombro de Art y empezó a picotearlo.

225

—¡Piezas de mocho! —exclamó *Plunqwette* claramente.

La joven de verde sonrió, tenía una sonrisa preciosa, y entonces dijo:

—Déjenme que me presente. Me llamo Pequeña Goldie Girl, y aquí les presento a mi primer oficial, el señor Beast, y a mi segundo oficial, el señor Pest.

—¿Qué tal? —preguntaron ambos hombres a la vez, como si fueran un coro.

Entonces Art se levantó. De pie, Art era unos cinco centímetros, más o menos, más alta que la joven de verde, y ligeramente más fuerte en lo que a estructura se refiere. Los ojos verde turquesa se clavaron en Art. Parecían la superficie marina de unas aguas cristalinas, a pesar de que multitud de tiburones surcaran en ellas.

Ebad también se había levantado.

—La conozco.

Entonces, la pequeña Goldie asintió con la cabeza.

—Y yo lo conozco a usted, Ebad Vooms.

Art, sin apartar la vista de Goldie, preguntó:

—¿Quién es?

—Es la hija del asesino más sanguinario, Golden Goliath.

Art intentaba recordar: veía la cubierta de la embarcación de su madre y la colosal embarcación de color negro con la calavera y los huesos cruzados en cada una de sus velas, que se les echaba encima. La *Enemiga* era capitaneada por Golden Goliath, el mismo que... había matado a Molly.

Pero eso había ocurrido en la obra de teatro. Y a pesar de que ellos habían representado un papel con el personaje de Goliath, ninguno de ellos le había llegado a conocer, así que, ¿cómo sabían quién era?

Ahora, la mirada de Goldie era amenazante y acechadora, y se clavaba en Ebad, quien había llamado a su padre asesino.

—Gracias por su detalle, señor. Tiene razón, no dejaba a nadie con vida, pues la carne humana es un sabroso alimento para los peces y mi padre adoraba a los animales acuáticos.

—Está muerto, ¿verdad? —soltó Walter.

—Sí, muerto —contestó la pequeña Goldie Girl—, muerto en las costas de unas tierras corrompidas por unos villanos que se llamaban a sí mismos la Marina Real Francesa. La verdad, no tuvieron mucha suerte.

—¿Qué es lo que quieres? —preguntó Art.

—Me sentaré —dijo la pequeña Goldie, y se deslizó hacia el asiento que estaba justo enfrente de Art.

Felix agachó la cabeza y empezó a temblar frenéticamente.

—Shh —se quejó Dirk.

Felix alzó la cabeza, estaba riéndose a carcajada limpia, y sin más se levantó y salió de la taberna dando enormes zancadas.

Entonces, Goldie dijo:

—Iré al grano. Tenéis algo que yo quiero.

—¿Y qué podría ser?

—Un mapa.

Uno por uno, todos los piratas que se habían puesto de pie ahora volvieron a sentarse en sus sillas, todos excepto los que acompañaban a Goldie, los señores Beast y Pest, que se mantuvieron de pie.

—¿Qué mapa? —preguntó Art.

—¿Es que no lo sabes? Excelente.

Art se recostó sobre la mesa y sacó un pequeño cuchillo con el que apuntaba directamente a la barbilla de Goldie.

—He preguntado ¿qué mapa?

—Ese que estaba escondido en un teatro de Lundres o de Grinwich. Vooms lo escondió allí hace años, después fue a por él y te lo entregó. Ese mapa es al que me refiero.

—Pertenece sólo al atrezo de un escenario, espabilada. Para una obra.

—Eso es lo que tú crees, señorita sabelotodo, pero no tienes ni idea. Es un verdadero mapa del tesoro, y muestra la isla más buscada y oscura de la historia de los piratas y buscadores de oro. Muestra la Isla del Tesoro.

La expresión de Art cambió radicalmente. Ahora estaba pálida y recordaba las palabras de *Plunqwette* que una vez recitaron: «La Isla del Tesoro», y también recordó que alguna vez dijo «Mapa y todo eso», y quizá algunas direcciones como «por Cobhouse» y «diez kilómetros hacia arriba».

—Lo hemos perdido —dijo Art—. Lo siento.

—Tan perdido como tú, claro. No está perdido, niñita de papá. Seguramente ahora lo llevas encima.

—No.

—Sí y sí.

Art retiró el cuchillo de la barbilla de la joven y acto seguido la abofeteó con indulgencia pero a la vez con mezquindad en una de sus mejillas.

Entonces, como acto reflejo, la pequeña Goldie hizo algo muy sorprendente, aunque para Art no lo era en absoluto, pues ya lo había adivinado con antelación. Con un movimiento rápido, se quitó la falda verde. Debajo, Goldie llevaba unos elegantes pantalones y unas botas, con un magnífico alfanje que blandió con agresividad.

Art esquivó el golpe y se retiró hacia atrás, empuñando su propia espada.

La mesa empezó a tambalearse hasta que se cayó, las sillas empezaron a desaparecer, e incluso *Muck*, situado junto a Dirk, Walter y Black Knack, se escondió en busca de un cobijo seguro. Ebad también había salido pitando, evitando dos espadas empuñadas por mujeres que estuvieron a punto de decapitarlo.

—Deteneos, esperad un minuto —gritaba Eerie.

Pero las dos mujeres ni tan sólo oyeron sus palabras y continuaron empuñando sus espadas.

Se arrastraban como serpientes por el iluminado suelo de la taberna Punch of Sniff, mientras otros clientes saltaban por encima de las sillas y mesas, con lo que tenían que hacer uso de otras sillas y pegarse a las paredes para evitar ser pisoteados.

¡Cling! ¡Clang! Las espadas se entrecruzaban, chocaban y se deslizaban mientras saltaban chispas.

La pequeña Goldie luchaba juguetonamente, como un gato, mientras que Art luchaba como un león, con más dureza y más precisión.

Felix podía observar todo esto horrorizado desde la puerta de la taberna que conducía al jardín.

A él le daba la impresión de que cualquiera de las dos mujeres iba a matar a la otra, y entonces, de pronto, una espada se alzó muy alto, tanto que cogió cierto vuelo a la vez que dibujaba arcos en el aire mientras más clientes se escabullían hacia la salida.

Entonces, el alfanje de la pequeña Goldie aterrizó sobre su filo, clavándose en una mesa lejana. Un segundo después, Ebad ya estaba allí y lo agarraba por el puño.

—Y bien —dijo Art Blastside—, ¿qué hacemos ahora?

Y lo que hicieron fue salir de ese lugar, pues el propietario de la taberna Punch of Sniff estaba bajando la escalera como si fuera el desprendimiento de una montaña.

Era un hombre de raza negra de un metro ochenta, voluminoso y fuerte, musculoso e impresionante. Tan sólo llevaba unos pantalones de lino y un mandil de cuero y tenía los hombros y los brazos completamente tatuados, unos tatuajes rellenados con panes de oro. Incluso tenía tatuajes en los párpados y en los dientes, y a pesar de tener una dentadura completamente blanca, tenía un diente en el medio de oro que llevaba incrustado un diminuto y delicado diamante. Se llamaba Teeboa Sinjohn Sniff.

Entonces habló. Tenía la voz como el retumbar de un enorme tambor de terciopelo:

—¡Miserables! ¡Ésta es mi casa, malvados! Mirad todos los daños que me habéis causado, mesas volcadas, sillas rotas... y encima, los clientes se han ido enfadados. Ahora, quiero que paguéis los daños y en monedas verdaderas, no de las de oro de las que caga el moro. O si no jamás os dejaré volver a entrar a esta extraordinaria casa de ron y decencia, ni comerciar, ni conspirar, ni consumir y ni tan siquiera jugar a las cartas. Os lo juro, como que me llamo Teeboa Sinjohn Sniff. —A continuación empezó a crecerse y se convirtió en un enorme y oscuro nubarrón—. Si no pagáis por los daños, traeré un hacha y os cortaré en pedacitos, después los meteré en un saco y los tiraré a las profundidades más profundas de las aguas de las Azules Indies y allí descansaréis en paz para el resto de vuestra vida. Pero vuestras almas no perecerán, y caminarán en vela, sollozando para siempre de pena por las arenas del Caribe hasta el último soplo de viento. Os puedo asegurar que allí se os juzgará por lo que realmente sois, unos provocadores, y las tormentas del infierno llamarán a vuestras puertas y entonces rogaréis y suplicaréis por vuestra eternidad.

Art y sus piratas y Goldie y sus piratas pagaron su deuda y se fueron tan rápido como pudieron.

Teeboa Sinjohn Sniff miraba desde la puerta con el ceño fruncido mientras éstos se marchaban. Finalmente, no tuvo que pegar a ninguno de ellos. Su taberna se llamaba así gracias a un famoso puñetazo que había logrado derribar a trece piratas a la vez y empotrarlos contra la pared.

231

Capítulo III

1. Comerciante y traidor

Art se detuvo bajo la sombra de los plátanos del parque Belmont. Y entonces se dio cuenta de que, en vez de separarse, Goldie y sus dos oficiales se habían pegado a la tripulación de Art.

Ahora las cosas estaban mucho peor. De entre los plátanos y hortensias se acercaban pavoneándose quince hombres por lo menos, y todos parecían tener el mismo aspecto que Beast y Pest, con lo cual seguramente también acompañarían a Goldie.

—¿No creéis que esto es genial? —dijo Goldie—. Quizá ahora el señor Esclavo Vooms accederá a devolverme mi arma.

—Devuélvele la espada a la señorita —ordenó Art.

Ebad obedeció sin rechistar.

Goldie volvió a colocarse el alfanje en su elegante vaina dorada. Entonces, le echó una mirada coqueta a Felix mientras se volvía a poner su larga falda y se la abrochaba como era debido.

—Creo que la hija de Molly antes ha preguntado

qué haríamos ahora —dijo Goldie—. Veamos. Creo que deberíais aceptar mi proposición, ya que tengo diecisiete hombres a mis espaldas y ella tiene... ¿Tres? ¿Cuatro? No tenéis muchas opciones. Así que lo que deberíamos hacer es lo siguiente: que ella me entregue el mapa.

Art se encogió de hombros.

—No puedo, señorita. No lo tengo conmigo.

—Podemos registrarte.

—De hecho, no creo que puedan —dijo Art sin dudar.

—No —añadió Ebad.

Eerie y los demás repitieron las palabras de Ebad del modo más fiero y pirático posible. En el hombro de Art se posó *Plunqwette*, quien emitía unos alaridos espeluznantes y sumamente agudos.

Entonces, el señor Beast comenzó:

—Capitana, si me permite una palabra... —Pero entonces detuvo su discurso, pues Art le había lanzado uno de los pequeños cuchillos de su colección directamente a su sombrero, enviándolo fuera de su cabeza hasta que aterrizó sobre el camino arenoso.

A Beast le encantaba su sombrero, así que cuando se vio sin él empezó a jurar y a lanzar insultos mientras lo recogía y le sacudía la arena que se había posado sobre él con tanta delicadeza que parecía una madre acariciando a su bebé.

—Ese mapa —dijo Art crispada— está en mi camarote, a bordo de la *Inoportuna*. Ya que la veo tan interesada por tenerlo en su poder, se lo voy a vender.

La pequeña Goldie soltó una nueva carcajada, mucho menos encantadora que la anterior.

—Vendérmelo...

—Así es. Reconozco que no tiene ningún valor, como también lo reconoce cada autoridad a la que he pedido opinión —la mentira parecía bastante creíble—, pero si está tan obsesionada, pobrecita señorita Goldie, se lo entregaré por tres meras monedas de plata. Es todo lo que le cobraré. No me gustaría timar a una tonta ridícula.

—¿Tonta? —Goldie se colocó la mano sobre la cadera, donde se encontraba el alfanje, bajo la falda. El señor Pest la agarró del brazo y la empujó.

—No, no, estimada capitana. —Y con sus diminutos ojos, que reflejaban preocupación, dio un vistazo a toda la tripulación de Art—. Si podemos conseguirlo de forma pacífica, ¿para qué vamos a enfrentarnos?

Art no pudo resistirse a mirar hacia atrás y contemplar quién había.

En una rápida ojeada, estudió a toda la tripulación de la *Inoportuna Forastera*, y por un momento casi se le escapa una risilla.

Vio lo que ya había visto antes. Parecían mucho más terribles, sedientos de sangre y rabiosos, preparados para una acción vil y viciosa que cualquiera de los que acompañaban a Goldie. Es más, los hombres de Goldie parecían estar nerviosos, gruñían e intentaban desenvainar sus pistolas y alfanjes mientras la tripulación de Art ya las había desenvainado y los apuntaba con ellas.

Más allá del parque, unos gritos de alegría y unos cacareos de gallos retumbaban desde la lejanía.

Pero aquí se vivía un punto muerto, pues en cualquier momento empezarían a estallar las balas y a empuñarse las espadas.

Para la sorpresa de Art, Felix Phoenix había pasado justo por delante de ella y se había dirigido hacia la tripulación de la *Enemiga*, capitaneada por la pequeña Goldie Girl, y se quedó allí mirándola con la cabeza gacha y con la mirada más extraña, intensa e hipnótica que jamás había contemplado.

—Una capitana hermosa —dijo Felix.

Entonces Goldie le devolvió la mirada de una manera altiva, pues él era unos centímetros más alto que ella y Felix continuó:

—No los provoque. No arriesgue su valiosa persona.

—¿Arriesgar? ¿Quién es usted para...?

—Jamás me perdonaría a mí mismo que una mujer de tal delicadeza y valor cayera ante las bárbaras y despiadadas armas de una grosera y malvada reina tirana, Art Blastside. Escuche, ahora no les tengo miedo. Me han tomado como su prisionero y tan sólo me quieren para después pedir un rescate. Seguramente les pagarán el rescate, y ésa es la única razón por la que me tienen aún de una pieza. Si no fuera por eso, Dios sabe qué hubieran hecho conmigo. Acepte su oferta de las monedas de plata por el mapa. Acéptela. Ahórrese a usted misma y a su fiel tripulación más tratos con estas víboras y ratas de alcantarilla —en ese momento, *Muck*, ofendido, empezó a ladrar y a mover su cola—, pues si no lo hace, me estará forzando a arriesgar mi vida para salvar la suya.

El corazón de Goldie palpitaba a mil por hora.

—¿Por qué, joven cortés? Soy capaz de cuidarme yo solita. Aun así, debo admitir que su galantería es admirable. ¿Qué puedo decir?

—Diga que sí.

El rostro de Art era todo un cuadro. Parecía estar aterrada, pero, a la vez, parecía más peligrosa que antes.

Goldie parecía considerar la oferta. Quizá estaba recordando cómo Art había empuñado su espada minutos antes.

Entonces, dijo:

—De acuerdo, acepto los términos del contrato. No me gustaría dar un disgusto a esos adorables caballeros de allí.

—De acuerdo —aceptó Art. Su expresión de ira y rabia, que quizá era real, no había cambiado. Y prosiguió—: Vuelva con mi tripulación, señor Phoenix.

Felix se inclinó ante Goldie y le besó su pequeña y pálida mano. Después de pestañear con sus larguísimas pestañas, volvió al lado de la tripulación de Art.

—Bueno, entonces —dijo Goldie— tendremos que ir a vuestra embarcación.

—O nosotros a la vuestra.

—La nuestra está en otro lugar, bien oculta, así que olvidaos del plan de visitarnos.

—Entonces, iremos a la nuestra —asintió Art.

—Subiré a bordo con doce de mis hombres.

—Entonces no subirá a bordo.

De repente, volvió a nacer el mismo cascabeleo de objetos de metal mortíferos y de gatillos de pistolas, a la vez que el loro volvía a sobrevolarlos.

Entonces Art habló con un tono de voz más severo:

—Debemos llegar a un acuerdo. Iremos hacia el puerto, y allí os dejaremos a un rehén. A cambio, cogeremos a uno de vuestros hombres. Él, el señor Vooms y yo remaremos hasta mi embarcación, cogeremos el mapa y volveremos. Entonces usted y yo intercambiaremos los bienes y los hombres. Creo que es un trato justo.

Goldie miró al señor Beast.

—¿Qué hubiera hecho mi padre, Beastie?

—Abrir fuego contra todos ellos.

A lo que Art contestó:

—Señor Beast, si no cierra su bocaza, yo sí que abriré fuego contra usted, y le endiñaré la bala entre ceja y ceja.

Algo mucho peor que la ira se estaba apoderando de Art, y se podía reflejar en su rostro. El señor Beast dio dos pasos hacia atrás y al retroceder de espaldas le pisó fuertemente el dedo gordo del pie al pirata que tenía detrás de él, quien gritó como una niña y lo maldijo con los insultos más despreciables, mientras disparaba al suelo accidentalmente causando un pequeño alboroto.

Con un chillido espantoso, la pequeña Goldie Girl volvió a poner orden entre sus hombres.

—¡Parad ya, cerdos!

Y el alboroto desapareció.

—De acuerdo —le dijo Goldie a Art con enorme desdén—. Yo escogeré mi rehén. Escojo a ese indeseable con el parche en el ojo y cerdas.

Refunfuñando, Black Knack dio un paso al frente, mientras el resto de la tripulación le daba palmaditas en la espalda a medida que se abría paso entre ellos. Saludó a Goldie con un gesto de burla, y se unió a su tripulación.

Art recorrió con su mirada de acero a todos sus adversarios, fijándose en el rango que desempeñaban, hasta que finalmente escogió:

—Tú, el del tatuaje en la nariz.

Tattoo dio un paso hacia delante. Era un hombre achaparrado que parecía estar en forma y además aguantaba toda su armadura sin problemas. Lo más seguro es que fuera de mucha utilidad para Goldie, quien lo querría de vuelta, pues sería toda una pena perderlo.

Nuevos cacareos se oían en la distancia.

Y para colmo, *Plunqwette* chillaba cada vez más alto.

Muck se había sentado detrás de sus piratas con una expresión vigilante mientras todos abandonaban el parque y, como una masa gélida, bajaban hasta el puerto.

Glad Cuthbert estaba impávido por el regreso de Art, Ebad y el hombre de la *Enemiga*. Sin embargo, Salt Peter parecía estar ofendido, mordiéndose las uñas y mirando fijamente a Tattoo amenazadoramente, lo cual era, quizá, innecesario.

Art y Ebad entraron al camarote del capitán.

—No les entregues el mapa, Art —murmuró Ebad justo cuando cerraron la puerta.

—No era mi intención, Ebad. Aquí hay una gran cantidad de mapas.

—Art —dijo Ebad—, no es tan fácil. Juraría que saben, o están casi seguros, del tipo de mapa que tenemos en posesión y de cómo es.

—Es el atrezo de una obra.

Ebad aún bajó más el tono de voz. Obviamente, dominaba el truco de poder hablar casi sin pronunciar palabra, en un tono de voz tan suave que casi resultaba inaudible. Gajes del oficio, claro.

—Es real.

Art entonces asintió con la cabeza.

—Estaba empezando a pensarlo.

—Es una historia muy larga.

—Me la tendrás que contar en algún momento, señor Vooms. Pero no ahora.

—Obviamente, éste no es el momento. Art, el mapa que está colgado en la pared es casi igual que el que yo te entregué. Seguramente muestra alguna isla remota, así que tan sólo tenemos que quemar el borde inferior.

—También saben eso, ¿verdad?

—Diría que sí —contestó Ebad—. Creo que tenemos una manzana podrida a bordo, Art. Alguna rata callejera de nuestro grupo de actores se ha vuelto un bandido con dos caras ante nosotros. —Ebad parecía estar meditabundo y, ahora, sus ojos negros resultaban incluso más inteligibles que antes—. Él sabía que el mapa que te entregué era real y los avisó.

—Pero, ¿cómo? Si ha estado con nosotros a bordo todo este tiempo...

—Seguramente se dio cuenta de que desenterré el mapa en Grinwich. Quizá me estaba controlando justo cuando lo hacía, o quizá en algún otro sitio, quizá cuando tú reapareciste en nuestras vidas. Nadie, aparte de

Eerie, sabía dónde estaba escondido. Algunos pensaban que el mapa se había quemado, pues de lo contrario podía encontrarse en ciento y un lugares diferentes. Siempre tuve mucho cuidado, Art, por si acaso tenía algún valor. Por lo que parece, durante este tiempo, desde que dejamos Grinwich, nuestro traidor, sea quien sea, le ha estado pasando informaciones a la majareta hija de Golden Goliath. Le ha tenido que enviar algún mensaje, quizá mediante otro barco, pues pasamos al lado de muchos cuando navegábamos por el río, o quizá mediante una paloma mensajera. Si fuera así, probablemente lo habría hecho desde Port Mouth, pues allí tienen muchas palomas mensajeras encerradas, incluso en la isla Spice, para este tipo de mensajería marina. Y, conociendo el funcionamiento de Port Mouth, no podemos descartar que lo hiciera a través de otras embarcaciones piratas.

241

—Pero tan sólo tú, Felix y yo fuimos al puerto. Y Walt. El resto permaneció en la isla Spice. Quizá en la taberna Pudin alguno de ellos pudo deslizarse y escurrirse hacia el exterior, porque la verdad es que no podía tener la mirada clavada en los dos durante todo el tiempo que estuvimos...

Entonces Art empezó a inspeccionar las paredes del camarote con más atención.

—¡Mira! Éste. Son islas remotas que no tienen nombre más allá de Canadia. Será un divertido viaje para ellos. Incluso tiene un delfín dibujado y un barco, igual que el mapa verdadero.

—Déjame verlo. Sí, puede colar, excepto porque nuestro mapa, el real, tan sólo tiene una isla dibujada y seguramente, ellos también lo saben.

—Dibujaré una cruz sobre una de estas islas. Sobre ésta de aquí abajo. Enciende la pipa, señor Vooms, vamos a quemar el borde inferior del mapa.

Fuera, en la cubierta, Glad Cuthbert y Tattoo se habían embarcado en una discusión sobre los viejos tiempos de antaño y sobre las batallas piratas que habían librado en alta mar.

El aroma a tabaco del camarote de Art se escapaba por debajo de la puerta del camarote y se propagaba por toda la cubierta, cosa que provocó que Glad y Tattoo se encendieran sus propias pipas.

Mientras, Peter no paraba de morderse las uñas.

—Aquí tiene.

—Gracias, señorita Art. Oh, y qué bien enrollado está en este envoltorio de piel de foca, aunque ahora que lo tengo entre mis manos me parece que está un tanto húmedo, pero no importa. —Acto seguido la pequeña Goldie empezó a olisquear el mapa—. Huele a humo, aún...

—Ebad ha estado fumando de su pipa.

—Travieso Vooms. Seguramente habrás quemado otro trozo.

Entonces Goldie abrió por completo el mapa y disimuladamente pegó los ojos al papel, evitando que la tripulación de la *Inoportuna* y también Felix se dieran cuenta de ello. Instantes después, dijo:

—Parece ser que he pillado a alguien mintiendo. —Art no musitó palabra, tan sólo la miraba con impaciencia pero sin mostrarse interesada. Goldie la miró y continuó—: No se moleste, alguien me ha dado una dirección equivocada sobre este mapa. Me dijo que esperaba compartirlo. Vaya, vaya. Debería haber sabido que me mentía, pues nunca encontré nada donde él me indicó.

—Si está satisfecha —dijo Art—, el trato eran tres monedas de plata.

—Oh, páguele, señor Beast. Menuda exigente para su patético botín. Una cosa —añadió mirando a Art, mientras le entregaban las monedas a Eerie—, ¿me permitiría pagar el rescate del pobre señor Phoenix aquí y ahora?

Art contempló cómo Felix alzaba la mirada y su rostro cobraba una expresión de esperanza e ilusión.

—Maldita seas —contestó Art.

El sonido de la risa de la pequeña Goldie era como el tintineo de abalorios de cristal esparcidos por todo el puerto. Ahora Felix apartaba la mirada, como si estuviera algo aburrido.

Art y sus hombres, incluyendo a Black Knack, se volvieron a amontonar en el bote y volvieron a cruzar la bahía. Felix miraba con atención hacia la orilla melancólicamente.

—Tal y como pensaba —dijo Art—, la muchacha es una burra.

Tattoo y el resto de la tripulación se quedaron en la orilla, contemplando cómo Art y su tripulación se esfumaban. La tripulación de la *Enemiga* decía cosas parecidas sobre Art.

Dos horas después, cuando Goldie y sus hombres estaban de celebración en otra de las célebres tabernas de Puerto República, situada en los muelles de la taberna Dizzy Lobster, se acercó un pájaro que segundos después aterrizó sobre su mesa.

—¿Qué es esto? —se preguntaban borrachos los unos a los otros, mientras el pájaro permanecía sobre la mesa.

—¡Es una gallina!

—¡Aquí! ¡Gallinita, gallinita!

—No, es un gallo de pelea.

El gallo negro empezó a picotear sobre el suelo con su pico de color coral. Estaba domesticado y parecía estar contento por haberlos encontrado. Además, llevaba un papel amarrado a la pierna.

—¿Qué dice, capitana?

Estaba demasiado furiosa como para burlarse de ellos enseñándoles la carta a sabiendas de que no sabían leer, así que la pequeña Goldie Girl les siseó las palabras:

—Es de nuestro «amigo», y dice: «He oído por causalidad a Eb y A. Mapa equivocado, Goldie».

2. Embarcaciones que navegan a medianoche

Felix contemplaba cómo los débiles rayos de sol se desvanecían detrás de él, mientras el oscuro manto de la noche teñía las aguas de un color café oscuro.

Cerca del puerto había libélulas que revoloteaban en el aire, mientras que aquí, en las aguas caribeñas, tan sólo brillaba el resplandor de las estrellas sobre el mar.

Era maravilloso. Hacía mucho tiempo había oído hablar sobre estos momentos, estos viajes, estas noches.

Felix apoyó la cabeza sobre su mano. Tenía los ojos húmedos, pero ¿era por dolor? ¿Por rabia? ¿O por frustración?

La *Inoportuna Forastera* navegaba a toda marcha, ayudada por un cálido y salado viento que hacía que las velas se movieran para poder atrapar cada soplo a la vez que la madera chirriaba.

La bandera de fondo rosa con la calavera y los huesos cruzados ondeaba gozosamente.

Felix dio un salto, y fue entonces cuando cayó en la cuenta de que Art estaba justo detrás de él. Parecía que hubiera aparecido de la nada. Tenía el poder de acercarse siempre con cautela, sigilo y silenciosamente. Bueno, de hecho era una experta ladrona, ¿verdad? Pero, ¿cómo había aprendido todo eso? Los otros le habían contado pocas cosas sobre ella, de hecho todo lo que sabían era todo lo que ella les había contado. Lo que más le sorprendía no era cómo había desarrollado tales habilidades cuando era una niña, sino cómo podía acordarse de ellas a la edad de dieciséis años, seis años después de que todo aquello acabara para ella.

—Señor Phoenix, quiero expresarle mis más sinceras disculpas. —Felix la miraba perplejo—. Quiero decir, señor, por no haberle permitido quedarse con ellos y convertirse en la mimada mascota de esa capitana del tres al cuarto, Goldie. No entraba en mis planes, y bajo ninguna circunstancia entraba dejarlo en Own Accord. Seguramente Goldie se dará cuenta de que le hemos

245

tomado el pelo, ¿sabe? Entonces no creo que ella le parezca tan dulce y amable.

—Sin duda, no. Pero usted tampoco es dulce y amable, así que hubiera sabido perfectamente cómo tratarla.

Art sonrió ligeramente.

—Tenga paciencia. Lo desembarcaremos muy pronto. Hay muchísimos puertos en las costas de las Amer Ricas.

Esa tarde, antes de que abandonaran la bahía, Art había estado comentando ciertas cosas con Ebad y Eerie en su camarote. Ambos siempre habían sabido que el mapa de la Isla del Tesoro no era falso. *Plunqwette* también lo sabía, o eso parecía. El loro se había posado sobre la biblioteca mirando a cada uno de ellos mientras hablaban.

Tan sólo una única vez dio un consejo.

—¿Cómo encontraste ese mapa, Ebad?

—En el mar.

—Ah, ¿cuando eras aún un esclavo, en ese barco? —Ebad no contestó—. Entonces, debo pensar que lo robaste.

—Teníamos un plan —interrumpió Eerie—, ahorrar un poco de dinero, cosa que jamás logramos conseguir, fletar un barco e intentar encontrar la bendita Isla del Tesoro. Dicen que tan sólo hay un cofre, enterrado y cargado con la mayor fortuna del mundo. Los astutos cuervos de Eeira saben lo que ese cofre puede contener.

—Entonces —le dijo Art a Ebad—, ésa era la razón por la que tú no armaste un gran escándalo cuando se te habló de volver al mar.

—En cierta manera, así es, Arty. Pero además ya te dije que jamás había sido un pirata, sólo sobre el escenario.

—Pero ahora lo somos.

—Sí. Pero no los típicos piratas con aspecto de malvados asesinos cobardes. Como esa mugre que acompañaba a Goliath. O eso es lo que quiero pensar. Yo diría que el mapa es real, pero jamás nadie ha encontrado esa isla, así que a lo mejor tan sólo se trata de un cúmulo de mentiras. Pero, por otra parte, ahora que has engañado a Goldie...

—Bueno, lo mejor que podemos hacer es comprobar si vale para algo —terminó Art.

En ese preciso instante, el loro habló tal y como lo había hecho aquella otra vez.

—¡Tierra! ¡Playa, por Cobhouse! ¡Diez kilómetros hacia arriba! ¡Quince pasos izquierda!

Perplejo, Ebad dijo:

—Hacía seis años que no decía todo eso.

—Pero ¿qué es lo que ha dicho? —preguntó Art—. ¿Son indicaciones reales para encontrar el cofre que contiene el tesoro? No hay ningún tipo de indicación escrita sobre el mapa, ninguna excepto esas letras... oes... tes... Y *Plunqwette* dice «diez kilómetros hacia arriba», y vosotros sacudís la cabeza. Dice «Playa, por Cobhouse», y volvéis a sacudir la cabeza y os quedáis asombrados, perplejos. ¿Debo ahora confiar en vosotros? Me dijisteis que el mapa tan sólo era un atrezo del teatro.

—¡Por las barbas de Céfiro, dios del viento, Art! ¡Por los quesos de Eira!

—Muy bien. Entonces, ¿dónde está la isla? Me refiero a dónde se calcula que se encuentra. ¿Lo sabéis?

—Todo lo que sé —contestó Ebad— es que yace sobre el océano Índico, a la altura del trópico de Capricornio, pasada la isla Mad-Agash Scar, la isla pirata por excelencia de Africay.

—Eso es un largo viaje, Art —dijo Eerie un tanto afligido—. Deberíamos navegar hacia el sur, atravesar el extenso océano Atlántico y las terribles calmas ecuatoriales. Después, navegaríamos hacia el este, rodeando el cabo de Buena Esperanza, que es capaz de arrebatar las esperanzas de sus visitantes con sus tormentas y huracanes.

—Pero nosotros lo conseguiremos —espetó Art.

—Jamás imaginé que pudieras ser tan codiciosa, Art Blastside, hija de Molly —dijo Eerie.

—Hay muchas cosas que se pueden hacer con dinero, Eerie. Es muy útil, pero se trata de algo más que eso.

Y Ebad continuó, con suavidad:

—Ella quiere conseguir lo que todo el mundo ha intentado pero no ha logrado conseguir. A Art le gusta ganar.

—Todos ganaremos. Así que trace nuestro rumbo, señor Vooms. Antes de que lo haga, una última pegunta. Si la Isla del Tesoro está tan cerca de Mad-Agash Scar, la isla pirata por excelencia, tal y como me habéis dicho, entonces, ¿por qué no intentan encontrarla? ¿Acaso nunca nadie ha intentado encontrar la isla, o el tesoro?

—La Isla... —Eerie hizo una pausa—. Hay una leyenda que circula y que Ebad ha oído sobre ese lugar. La Isla del Tesoro es mágica. Se hunde de tal manera que no se puede avistar, y tan sólo sale a flote cuando quiere ser encontrada. Las aguas que la rodean son extrañas, están hechizadas.

—¡Polly quiere una muhura de oro! —soltó de repente el loro en un tono práctico—. ¡Piezas de mocho!

Ahora estaba justo al lado de Felix Phoenix, ambos contemplaban la oscuridad de las aguas marinas con tal de mirarse el uno al otro, cuando de repente Art, que aún tenía en mente el tesoro, sintió un curioso retortijón en el estómago.

«Sí —pensó—, lo sé. Este jovencito me importa más de lo que creía. Bien, bien, Art. Bien, bien.»

Art miró a su compañero de reojo, quien parecía poco predispuesto a hablar. Se le escapaba una tímida sonrisa al pensar que Felix Phoenix había cobrado un valor de la nada.

Y Art se había dado cuenta de todo esto justo cuando vio a Felix Phoenix junto a Goldie. Jamás había osado preguntarle si realmente le gustaba el aspecto de Goldie y si estaba dispuesto a ignorar otras cualidades de Goldie menos atractivas. O si su propósito tan sólo había sido detener una batalla en la que él y los otros actores-piratas, a quien Felix tenía mucha estima, pudieran resultar heridos.

Entonces, dijo:

—Quiero que sea sincero conmigo, señor Phoenix. Respecto a todo ese espectáculo que escenificó en el parque, ¿se hubiera marchado con Goldie Girl si yo se lo hubiera permitido?

—Sí, señorita. —Su perfecto perfil se giraba hacia el cielo estrellado, y continuó—: He estado buscándola... sin saber quién era... casi toda mi vida.

249

Art frunció el ceño y cambió la expresión de su rostro:

—Tiene usted un gusto pésimo, señor.

Ella también se dio la vuelta y se fue dando pequeños golpes a la empuñadura de su espada, a la vez que saludaba enérgicamente a Honest, quien estaba en la cofa de vigía.

Media hora más tarde, Honest, aún en la cofa de vigía, empezó a gritar:

—¡Barco a la vista! ¡Barco a la vista! ¡Un guardacostas a estribor!

Art estaba inquisitiva y dijo a Salt Walter y Whuskery, quienes estaban junto a ella:

—Hay una gran cantidad de embarcaciones surcando por estas aguas y Own Accord está muy cerca, y la isla Brown Sugar también se halla por aquí.

—¡Mala jugada! —gritó Honest, imitando el cantar tirolés, desde la cima del mástil principal.

Dirk se dirigió a la barandilla de popa. Tenía el pequeño catalejo de Ebad en el ojo. Desde la galera, Peter y Cuthbert se acercaban haciendo un ruido estrepitoso y Peter llevaba un cucharón en la mano.

—¡Nos está persiguiendo! —gritó Dirk.

—Déjame ver. —Art le arrebató el pequeño catalejo y entornó los ojos hacia la distancia y hacia la oscura luz trémula de las olas. Entonces vio con sus propios ojos una esbelta figura veloz, armada hasta los dientes, como inclinada hacia delante y muy oscura, incluso más oscura que la propia noche.

En su cabeza, Art podía escuchar claramente la voz de Hurkon Bear de hacía seis años, almacenada en su recuerdo:

—La *Enemiga* jamás se rinde. Quiere nuestro mapa del tesoro, Molly.

«Son ellos», se dijo a sí misma Art.

—¡Preparad los cañones! —decía Molly en su recuerdo.

—¡Cañones! —repitió Art con una expresión severa y fría como el hielo—. ¡Cuthbert, Peter, a trabajar!

Calculaba que dos o tres hombres podrían apañárselas con los siete cañones de la *Inoportuna*, que estaban en perfecto estado. Además, contaba con Glad Cuthbert, quien en otros tiempos ocupaba el puesto de artillero en su velero pirata. Pero el resto de la tripulación vacilaba y caminaba por la cubierta como si estuviera ida.

251

—Art...

—¡Vamos! ¿O acaso quieres que esas repugnantes serpientes nos alcancen y se nos lleven por delante?

—Podríamos simplemente huir y dejarlos atrás.

—Por supuesto que no, señor Salt Peter. No podemos. El navío de Goldie es tan veloz como el mismísimo viento, se abre paso entre las aguas sin obstáculo alguno. Así que, Walt, Dirk y Whusk, orientad las velas. Veamos qué velocidad podemos alcanzar.

Ahora todos obedecían sus órdenes al pie de la letra. Dirk y Walter trepaban por la mesana y el trinquete y Whuskery revoloteaba por todas partes, ajustando los palos, los cabos y demás aparejos.

Pero las velas ya habían tomado casi toda la velocidad que la brisa marina les podía aportar.

Art apartó a la relajada *Plunqwette*, desplumándola, arrojándola fuera de la barandilla de la embarcación, la llevó hasta el camarote del capitán y la encerró dentro mientras ésta no paraba de graznar.

—Black Knack, quiero que estallen más pistolas de mano, incluyendo los mosquetes. Cargad y disparad.

Black Knack, el único, aparte de Art y Ebad, que se había cambiado los elegantes ropajes por ropa más cotidiana, estaba clavado sobre sus botas, observando boquiabierto cómo el problema se iba acercando hacia ellos. Art volvió a gritar. Entonces, éste se despejó y salió corriendo para no quedarse atrás.

Los cañones de la *Inoportuna*, al igual que en la obra, estaban justo debajo de la cubierta superior. Ahora se oían unos sonidos secos mientras las escotillas se abrían y unos sonidos metálicos mientras los cañones eran empujados hacia delante.

Art contemplaba este espectáculo desde la barandilla. Su embarcación navegaba ligeramente más despacio que en la última batalla, pues ahora cargaba consigo bienes y provisiones que no había logrado vender en Own Accord, por culpa de Goldie.

Art podía escuchar a *Plunqwette* chillando enfadada en el camarote, a pesar de que las paredes de éste eran de madera consistente. Pobre viejo pájaro. Al menos siempre parecía estar preparado para emprender una batalla.

El tembloroso llanto de Salt Walter se podía apreciar a pesar de la matraca de los cañones y del estrépito del loro:

—Art, ¿qué es eso? ¡Es otra embarcación! ¡Hacia el este! ¡Y está completamente alumbrada!

—Valor, señor Salt. Tan sólo es la luna.

La luna se asomaba por el este. Casi era luna llena y había cobrado un amarillo tan intenso como el de la piel de un plátano maduro. Alumbraba directamente a la *Inoportuna Forastera*, a sus mástiles y a proa, de lleno al siniestro mascarón de proa. A sus espaldas, la luz de la luna perfilaba los rizos de las olas, y a lo lejos, pero no mucho más lejos, la macabra figura de la *Enemiga*, que de pronto había dado media vuelta de forma que sus velas mostraban todo su esplendor a Art y a su tripulación.

De esta manera, el enorme navío parecía un verdadero puñal. Su bauprés era largo, espinado y como con una especie de aletas de lona. Pero también...

—¡Por los fuegos del infierno! Echa un vistazo a eso.

En la memoria de Art, sonaba de nuevo la voz de Hurkon:

—Cada una de las velas del navío es negra y lleva pintada la calavera y los huesos.

¿Acaso Art recordaba la *Enemiga* así?

Para la *Enemiga*, la bandera Jolly Roger, no era una simple bandera.

De hecho, estaba pintada en un blanco resplandeciente y sus dimensiones eran enormes: cada una de las velas de la embarcación era como una pieza de un rompecabezas, de modo que si se contemplaba el navío de frente, se podía ver una gigantesca calavera negra. Una de las tres partes de la calavera estaba en el sobrejuane-

253

te mayor, una segunda justo debajo del juanete de proa y el último pedazo, con la enorme sonrisa, ocupaba toda la vela principal superior. De la misma forma, los dos huesos, enormes como monstruos marinos, estaban cruzados debajo del velamen del mástil principal. El resto se desplegaba para decorar la mayoría de trinquetillas y sobremesanas, hasta llegar a popa, sobre la cangreja hasta el foque de proa.

No necesitaba otra bandera.

El oscuro navío se balanceaba sobre el escenario iluminado por la excelente actuación de la luna, y así se convirtió en su última imagen pirata, gigante, esquelética y que se acercaba con una sonrisa enorme.

Realmente, era pavorosa. Horrible.

¿Cuántos se habrían intimidado ante ella antes de que las armas de la *Enemiga* empezaran a estallar?

Entonces Art dijo:

—Bien, ahí la tenemos. ¿Qué es lo que dije? Un gusto espantoso.

Art echó una ensordecedora carcajada, y Eerie y Dirk hicieron lo mismo pero con menos fuerza.

Con un sonido discordante, Black Knack arrojó mosquetes, polvoreras, vainas de piel para balas, espadas y dagas.

—Por si acaso nos abordan.

Art le echó una mirada de desaprobación. Pero no había tiempo para eso.

A través del pequeño catalejo Art podía escudriñar a diminutas figuras saltando y que resultaban parecer enanos al lado del pánico que provocaban la enorme calavera y los gigantes huesos de la *Enemiga*. Art no estaba segura de poder distinguir a Goldie Girl entre la tripulación, pero lo que sí podía ver era el parpadeo de las luces, los barriles llenos de pólvora sobre el castillo de proa y las enormes bocas de los cañones, que estaban impacientes, al igual que los cañones de la *Inoportuna*.

—Girad a estribor. Señor Vooms, al timón. Señor O'Shea, la cubierta está a su cargo hasta que yo lo releve. Walter, Peter, Whuskery, bajad a la cubierta superior. Seguramente necesitaré más ayuda con los cañones. Pero, de momento, quiero que cojáis vuestras armas, os coloquéis en vuestras posiciones y señaléis vuestros objetivos: la embarcación y su mobiliario, no quiero que disparéis contra su tripulación, y preparaos para recibir más de un golpe. Señor Knack, esto también va por usted.

—De acuerdo, capitana. Tú lo que quieres es lo imposible, pero yo intentaré hacerlo lo mejor que pueda.

Art dio un enorme salto desde la escalera hasta la penumbra de aceite y yesca de debajo.

Ahora, la *Inoportuna* estaba dando la vuelta, girando como un atleta sobre un pie.

El veloz navío se dio cuenta de la nueva maniobra, y estaba más que listo. A través del enorme charco de aguas oscuras como el carbón que los separaba, se percibía el retumbar de los cañones de la *Enemiga*, ¡uno!, ¡dos!, ¡tres!

Peter chillaba.

Art apretaba los dientes. Si no había nadie que ejerciera como público ante su maravillosa interpretación, ¿era posible que se convirtieran una vez más en actores cobardes que no sabían cómo librar una batalla?

—Peter, tranquilízate. Ese miserable barco repleto de escoria está demasiado lejos como para alcanzarnos.

Pero entonces escucharon el silbido de una maravillosa bala de cañón aproximándose a ellos. Un vapor humeante y ardiente alumbraba diabólicamente la cubierta inferior por el costado izquierdo. Los tres primeros cañonazos de la *Enemiga* habían caído sobre las aguas, pero habían hecho que la *Inoportuna* se balanceara muy violentamente. De pronto, las estridentes quejas de *Plunqwette*, que hasta ese momento habían sido el sonido más escandaloso de todos, cesaron.

Art había virado la embarcación de forma que, ahora, cuatro de sus siete cañones estaban orientados hacia la *Enemiga*. No sabía con cuántos cañones contaba la *Enemiga*, pero seguramente serían más de siete, de eso estaba convencida. También estaba segura de que tenían al menos un cañón en la cubierta superior, a juzgar por lo que había podido ver a través del pequeño catalejo.

Y Goldie parecía estar impaciente, o eso era lo que pensaba Art. «Está ansiosa por clavarnos sus garras.»

Art miraba a través de las cañoneras, rodeada de cadenas y de metales.

«Ahora ya estamos lo suficientemente cerca», pensó.

Cogió la pequeña antorcha de su recipiente y prendió la pólvora. Al menos, el artillero Glad Cuthbert había cargado y cebado las balas de cañón y lo tenía todo preparado. Él también parecía estar listo.

—Ahora.

Los cañonazos de la *Inoportuna* también seguían el

orden de: ¡uno!, ¡dos!, ¡tres! Y a continuación, a la par que Art se apresuraba en encender la mecha, se escuchaba el ¡cuatro!

A pesar de la cercanía de ambos barcos, dos de las humeantes balas de cañón cayeron en el océano, a pocos metros de la *Enemiga*. Aun así, una aterrizó justo al lado de la embarcación, y enormes chorros de agua brotaron por el impacto iluminados por la luz de la luna. La cuarta bala de cañón de la *Inoportuna* atravesó la cubierta del veloz navío, llevándose consigo la vela inferior del mástil principal.

De repente, unas llamas empezaron a emerger de la *Enemiga*.

—¡Recargad las balas de cañón y disparad!

«Necesito a más hombres aquí», pensó. Ella también había estado ayudando y cargando los cañones mientras gritaba por el hueco de la escotilla a Black Knack, quien, junto a Peter, había sido el artillero más experto en la obra. Además, había conseguido el efecto perfecto cuando se apoderaron del velero franco-español, la *Royal*. Una figura se precipitaba hacia la cubierta inferior, y parecía muy entusiasmada. Tan sólo Black Knack se entretuvo por el camino. Art saltó por la escalera y, al pasar junto a él, le dijo:

—Coja sus armas, señor.

Mientras hacía lo que Art le había ordenado, ésta estaba ansiosa por darle una bofetada, porque, ¿cómo era posible que estuviera merodeando por ahí y perdiendo el tiempo de esa manera?

Y por cierto, ¿dónde estaba Felix? Art hasta ese momento no había pensado en él. Seguramente estaría escondiéndose debajo de un camastro, al igual que *Muck*, quien había echado a correr al oír el primer chillido de Honest desde el mástil, «o eso espero», se dijo a sí misma.

Art corrió hasta el alcázar, e incluso desde allí no necesitaba el pequeño telescopio, pues la vista era excelente: grandes bocanadas de agua se apoderaban de la *Enemiga* para sofocar el fuego de la vela inferior. Lo lograron apagar, pero el humo subía dibujando espirales por todas partes, tal y como Art recordaba, como un puré de patatas con nata sucia por encima.

La *Enemiga* volvió a cargar.

Art podía ver cómo estallaba la bala de cañón, de hecho seis balas de cañón a la misma vez.

Era increíble con qué lentitud se desplazaban las balas, y de repente, con qué rapidez.

—¡Todo a babor, señor Vooms! Tan rápido como pueda.

Daba la impresión de que la *Inoportuna* fuera a dar una voltereta de un momento al otro. Walter, que estaba de pie en medio de la cubierta, cayó de bruces mientras Peter se sentaba.

Sí, unas cuantas balas de cañón de la *Enemiga* habían aterrizado sobre las cubiertas superiores, y ahora sobresalían a través de la madera por debajo de la barandilla.

Art alzó su mosquete de latón, que previamente había escogido y llevaba colgado del hombro.

El objetivo era la embarcación y su mobiliario. Molly nunca mataba.

Aunque eso era en una obra de teatro...

No.

Con una claridad muy peculiar, como la del pequeño catalejo que Art ya no volvió a utilizar, contempló a algunos hombres que huían a toda prisa por el castillo de popa, dejándolo desolado y vacío excepto por algunos barriles.

Art se dio media vuelta con su mosquetón. Sabía que era más preciso, más certero en el tiro que cualquier otra pistola e incluso le resultaba más familiar que su propio brazo. Entonces disparó.

La bala alcanzó, tal y como Art se había propuesto, directamente al humeante barril lleno de pólvora que la tripulación de la *Enemiga* había dejado en el castillo de popa. La explosión retumbó como fuegos artificiales rosas y primaverales. —El cañón llamado *Duquesa* había estallado. Pólvora. Molly. La cubierta, el escenario. Todo por los aires...

Ahora no. No era el momento de acordarse de todo aquello...

El veloz navío empezó a tambalearse, y realizó una asombrosa reverencia hacia delante.

Art salió corriendo de la cubierta inferior y gritó por la escotilla a los artilleros:

—¡Fuego! ¡Seguid disparando! Estáis dormidos, ¿o qué? Apuntad al casco y a los mástiles.

Ardientes como el mismo infierno, los cañones de la *Inoportuna* estallaban y volvían a cargarse.

Sobre la *Enemiga*, tras la explosión del barril y del fuego provocado, se produjo un remolino de hombres y agua. Pero en el mismo instante, el cañón de la *Enemiga* volvió a estallar, y las sacudidas que provocó hizo que perdieran otro costado. Su tripulación era sin duda más numerosa, pero quizá les faltaban... ¿agallas?

El espacio que separaba a las dos embarcaciones cada vez era más pequeño...

Justo en ese segundo, mientras saltaba otra vez hacia la cubierta, Art se encontró allí a Felix Phoenix, como si fuera un fantasma, o un idiota, o una especie de público que contemplaba el espectáculo desde la barandilla.

—¡Agáchese! —le gritó empujándolo. Ambos cayeron al suelo, a la vez que un oscuro estruendo ardiente sobrevolaba sus cabezas y rozaba el mástil principal de la *Inoportuna Forastera* de forma que empezaron a formarse grietas por todo el mástil.

Art, que podía ver cómo la mitad de las jarcias y de los mástiles de madera se estaban resquebrajando y estaban a punto caerse sobre ellos, agarró a Felix y lo puso contra un costado de la embarcación y rápidamente se arrojó ella hacia él.

—No se mueva. Puede que caiga.

—Pensaba que ya se había caído. De hecho, creía que se había caído sobre mí. Oh, ¿era usted?

Pero, rugiendo y astillándose, el mástil consiguió aguantarse en pie. Habían logrado agrietar el mástil superficialmente, como si hubieran pelado una fruta.

Ahora, el disparo de pistolas petardeaba desde la *Enemiga*. En la barandilla de la *Inoportuna*, Dirk y Eerie empezaron a disparar desde su escondite y un barril cargado de pólvora empezó a escupir llamas y humo.

Art se apartó de Felix y le ordenó:

—Levántese y resguárdese en el castillo de popa, señor Phoenix. Como ve, este lugar no es muy seguro y aquí no nos sirve de nada.

—Mis disculpas.

En lo más alto, el mástil agrietado aullaba lastimosamente, como un arpa mal afinada.

Con la cabeza gacha, Art contemplaba la estrecha distancia que los separaba —tan sólo debían de ser un par de metros más o menos—, a pesar de que los disparos de la *Enemiga* parecían haber cesado. Ah, uno de los disparos de la ronda anterior de la *Inoportuna* había estallado, gracias a su mala puntería, en dos de las cañoneras del barco enemigo. Ambos cañones se habían desequilibrado y, segundos después, volcado, dejando así dos enormes agujeros dentados de madera por los que entraban grandes bocanadas de agua.

261

—Excelente —dijo Art.

—Para ser una pesadilla —objetó Felix.

—No pongo en duda que teme que su chica sufra algún daño, su pequeña Goldie. No se inquiete. Tan sólo habrán sufrido alguna que otra chamusquina, eso es todo.

Los cañones de la *Enemiga* permanecían silenciosos. La mayoría de su tripulación estaba ocupada en apagar algunos fuegos o construyendo balas en las cañoneras derribadas.

Pero, de pronto, una única bala de cañón, de hecho la última que tenían, estalló debajo de la cubierta inferior, justo bajo los pies de Art. La bala explotó, voló y se desplomó con solidez en el trinquete de la *Enemiga*.

—Cuthbert —dijo con decisión Art—. No puede

ser otro que él, pues quién más puede lanzar tal golpe en estas circunstancias.

Diversas palabras de aclamo, vitoreo y aplausos llenaban las cubiertas de la *Inoportuna Forastera*, mientras que un llanto de desmayo surgía de la lisiada *Enemiga*, a la vez que se derrumbaba buena parte de su penol principal, con las dos velas que llevaban dibujadas las puntas de los huesos cruzados. Un enjambre de hombres corría por todas partes. El humo cubría la vista.

—Lo hemos hecho por ella, Art. —Peter saltaba de un lado a otro y sollozaba.

—No del todo, pero puede servir. Por favor, vuelve abajo y felicita al señor Cuthbert de mi parte.

Black Knack también estaba en la cubierta:

—¿Por qué no acabamos con ella, Arty? No se merece salir con vida de ésta.

—¡Por el amor de Dios, señor! —exclamó Art—. Yo jamás mato. Dejemos que se vaya. A ver, señor O'Shea, ¿hay alguien herido?

—Tan sólo algunos cortes por las astillas y algunas magulladuras, capitana.

—Entonces, nos dirigiremos hacia la isla Brown Sugar. La *Inoportuna* necesita algunas reparaciones y, la verdad, dudaría mucho que nos siguieran. Incluso con el mástil principal agrietado, podemos dejarlos atrás.

El veloz navío casi había perdido el control por completo y se balanceaba bruscamente de lado a lado a la vez que sus jarcias se bamboleaban por culpa de la desenfrenada ventisca nocturna. No habían logrado apagar todos los pequeños fuegos que se dispersaban por la embarcación y por el costado que había sufrido el gran impacto no paraba de entrar agua. Era imposible saber si alguien estaba timoneando la nave.

Felix se acercó al hombro de Art y le susurró:

—Y entonces, señora capitana «yo-jamás-mato», ¿qué hará si se hunde esa embarcación?

—La *Enemiga* no está tan magullada como usted cree. Además, tienen botes de sobra —dijo Art con frialdad—. En sus condiciones, lo mejor que pueden hacer es remar hasta Own Accord. Incluso remando, estarían allí al amanecer.

Honest bajó hasta la cubierta, cabizbajo. Felix había contemplado a Honest durante la batalla, y se había dado cuenta de que éste no se había involucrado mucho en la batalla y disparaba sin un objetivo concreto. No parecía asustado, tan sólo triste. A Felix le daba la impresión de que, al igual que él, Honest Liar sentía la misma antipatía por las armas de fuego.

Entonces dijo:

—¿Realmente cree que se ha deshecho de Goldie? Recuerde, Art, de quién es hija.

—¿Y yo, señor Phoenix? Soy una capitana a prueba de balas y la hija de Pirática.

Nadie se acercó a molestarlos o incordiarlos cuando llegaron a Brown Sugar. No había ni rastro de la *Enemiga*.

La tripulación holgazaneaba sobre el césped húmedo bajo los cálidos rayos del sol, mientras otras pandillas de hombres anárquicos, quienes no parecían trabajar en las cañas de azúcar pero que sin embargo conocían todas las embarcaciones, se dedicaban a enmasillar y a carpintear la *Inoportuna*. En definitiva, convertir a la *Inoportuna* en lo que una vez fue.

Plátanos amarillos, té anaranjado, vinos exquisitos, pargos violetas cocinados en puchero, la esencia del azúcar moreno...

—Quedémonos, Art. ¡Esto es el paraíso!

—Walter —contestó Art—, tenemos un asunto pendiente. El señor Vooms te informará de ello.

Y el señor Vooms los informó a todos sobre ello.

—Entonces, el tesoro... ¿es real? —preguntó Black Knack.

—Posiblemente.

—Entonces... entonces... ¡seremos ricos! —exclamó Whuskery.

—Oh —dijo Dirk—, fundaremos nuestra propia compañía de actores... nuestro propio teatro...

Los demás permanecían perplejos y en silencio.

Entonces Felix le dijo a Art:

—Espero que comprenda que éste no sea el momento más apropiado para que me desembarque.

—Y no se lo estoy pidiendo, ¿verdad? Aun así, creí que prefería volver a Own Accord. Seguramente Goldie se habrá dirigido hacia allí para reparar su navío.

—Goldie la seguirá a usted.

—Entiendo. —Art miraba fijamente a Felix, le sirvió una copa de vino, se inclinó un poco y se colocó una flor en el escote.

—Igualmente, usted es todo un misterio, Felix Phoenix.

—No. Soy franco y transparente. Al contrario que usted.

—Eso no es así. Simplemente, quiero seguir con vida, ¿usted no?

—¿Debo responder a eso?

Ella negó con la cabeza y entonces fue cuando se dio cuenta de que ya no llevaba el anillo con el rubí de cristal. «¿Por qué?», pensó, pero no osó preguntárselo, así como no osó preguntarle nada más.

Permanecieron once días en la isla Brown Sugar. Cuando volvieron a adentrarse en el océano, no había ninguna pista de ningún enemigo, ni siquiera de la *Enemiga*. Pero aún se encontraba un traidor entre ellos y necesitaban descubrir quién era.

265

Goldie, a duras penas y sorprendentemente, había logrado llegar hasta Own Accord, pues las cubiertas estaban con una gruesa capa blanca del humo, un mástil estaba completamente destrozado y el casco estaba totalmente agujereado. El camino hasta Own Accord fue duro, pues su tripulación no cesó de quejarse y de discutir. El señor Pest circulaba por todo el navío cargado con vendajes, tablillas y otros utensilios, intentando curar un brazo por aquí (sollozos), un hombro dislocado por allá (más sollozos). Mientras tanto, aún revoloteaban pequeñas chispas por toda la embarcación, como diminutas luciérnagas, que se sofocaban y apagaban una y otra vez.

En el alcázar, la pequeña Goldie también chisporroteaba, a ella misma y al señor Beast.

—¡Pagarán por esto! ¡Por las tretas del timón! ¡Y pagarán con su propia sangre! También ese Phoenix, con sus truquitos deliciosos de hechicero... sí, es un embaucador, como todos los demás. Oh, le haré sufrir —asintió con la cabeza y continuó—, o mejor aún, me casaré con él.

—El peor de los castigos, desde luego —dijo imprudentemente el señor Beast con una sonrisa de satisfacción. Esa sonrisilla de júbilo se desvaneció en el momento en que Goldie sacudió su preciosa cabeza, se giró y le dio una patada en el estómago.

266 3. Al sur por el sureste

—¿No podríamos tomar otro camino?

—Los barcos no navegan tan cerca de la costa, Walt.

—No hay otra ruta marina hacia el este —añadió Ebad—. Tenemos que ir por esta ruta, y así cogeremos las corrientes de vientos alisios.

—Pero esas calmas ecuatoriales... ¿son tan fuertes como se decía en la obra?

—Sí.

—Entonces...

—Y... —añadió Eerie—, el temido cabo aún es peor: huracanes, barcos fantasma, la maldición del buque holandés que trae mala suerte a todos los que lo ven...

Υ

Surcaron en dirección sur por el sureste. Las aguas cambiaban ligeramente, como si intentaran engañar a los que navegaban sobre ellas, pero no lo lograban con ellos. De un azul cristalino, se fundían en un gris azulado nebuloso. Y el cielo parecía ir al compás de estos colores además de que cada día quedaba suspendido a una altura más baja, como si estuviera colgado por cabos. Parecía que de un momento a otro pudieras darte con la cabeza, darte un coscorrón contra la densidad del cielo. Además, hacía un calor sofocante.

—Deberíamos honrar aquí a los antiguos dioses del océano —propuso Eerie.

—Sí, ésa es la tradición —consintió Glad Cuthbert bastante desanimado—. He presenciado muchos infortunios en estas aguas, cruzando la Línea. Peor —continuó en voz baja—, en embarcaciones normales, aunque mi antiguo velero pirata sufrió muchos daños.

Se encontraban casi en el Ecuador, la línea que divide la Tierra en dos polos, el norte y el sur.

Entonces los piratas se volvieron a convertir en actores. Se vistieron con los ropajes más estrafalarios jamás inventados, se pintaron los rostros para simular que tenían barba o bigote, y cómo no, se colorearon el cabello de color verde. Recitaron largos sonetos de Shakespur a Neptuno, el dios del mar, sacaron el ron y a Cuthbert enseguida se le subió el ánimo. Art, vestida para la ocasión con una barba de lana verde y un parche en un ojo, arrojó ron hacia las aguas del océano a modo de ofrenda.

Pero una vez cruzaron la Línea, la cosa no mejoró en nada.

Al caer la noche, las estrellas cobraban una brillantez y un tono muy poco habituales: parduzco, rojizo, malva... La luna estaba en cuarto menguante, y parecía apagada, sin luz propia, además de estar marcada con sombras.

Para empezar, había corrientes de viento por todas partes, desde el este, el oeste, el norte, el sur... Así que la *Inoportuna* estaba constantemente reduciendo y haciendo bordadas. No había tierra firme a la vista, ni vagas brumas de las costas del sur de las Amer Ricas, ni tan sólo diminutos islotes alrededor. Las ráfagas de viento se iban desvaneciendo y Art y su tripulación las veían ya a lo lejos, corriendo con destreza sobre las olas. Ahora, un bochorno se apoderaba del clima, como si la embarcación estuviera metida en una especie de horno.

Entonces, todo movimiento se detuvo, o casi. Sin ningún soplo de viento, la embarcación, construida especialmente para navegar con corrientes de aire, permanecía inmóvil en la inmensidad del océano, quien, sin previo aviso, cada cinco minutos más o menos se revolvía, como un estómago vacío.

Muck aullaba, una y otra vez. *Plunqwette* revoloteaba, sin intención de intimidar, por entre las velas, quizá para intentar provocar una pequeña brisa que los hiciera desplazarse.

Art miraba con desaprobación a sus hombres. Muchos de ellos estaban en la barandilla trasera, tocando la bocina y vomitando. Quizá servía como un derecho marítimo el hecho de sentir náuseas en ese océano. Pero así pasaron dos días más.

Art, Ebad, Glad Cuthbert, sorprendentemente Dirk,

Black Knack y, el más inesperado de todos, Felix, no sentían náuseas. El resto, incluso Honest, se desplomaban en la barandilla.

—¿Y ahora, qué? —preguntó Black Knack—. Estamos atascados. Eso es todo lo que este hervidor de mala muerte hace: atascarnos aquí. Y ella, me refiero a nuestra queridísima Goldie Girl, nos puede atrapar en cualquier momento.

—Eso asumiendo que conoce nuestro rumbo.

—La última vez lo conocía.

—Tranquilízate, Black —dijo Art—. Tenemos botes y remos.

Con arcadas y refunfuñando, toda su valiente pero enferma tripulación arrastró los tres bonitos botes de madera de las casetas de cubierta y los colocó sobre el repulsivo océano.

269

—Atadlos con cuerdas. Eerie, mantente en el timón. Black, atento y vigila. Walt, no, tú no puedes, ¿verdad? Whuskery, ¿te encuentras mejor? ¿No? Sí, sí. Sube hasta la cofa de vigía del mástil principal y estate pendiente de quién se acerca. El resto, venid conmigo. ¿Qué tal se le da el remo, Felix?

—Nunca lo he probado.

—Pues ésta es una buena ocasión. ¡Menudo regalo!

—No, Art... burgggg —protestó Walter a la vez que vomitaba.

—Señor, estará mejor con algo que hacer.

—Es dura y severa. Me recuerda a mi mujercita, cuando tenía un hogar —confesó Glad Cuthbert.

—Igual que Molly. Era imposible llevarle la contraria.

Plunqwette salió escopeteada de la cofa de vigía del mástil, que a veces utilizaba como nido propio, justo cuando Whuskery aterrizó tras ella. Entonces, estiró el cuello y proyectó su vómito con un arco espectacular hacia el océano.

—Muy bien, señor Whusk. Por poco le das de lleno a mi loro, pero eso sí, ni una gota sobre la cubierta.

—Art, no seas despiadada.

—Señor Dirk, no te olvides. Llámame «capitana».

—Sería una buena ocasión para olvidarlo. ¡Está a punto de caer!

—Eso jamás, y mira, ya se encuentra mejor.

Descendieron, o mejor dicho, se dejaron caer, hacia los botes. Ebad comprobó los cabos y los ató al casco de la *Inoportuna*.

Honest Liar levantó su rostro y miró a Art:

—Me encuentro mucho mejor aquí abajo.

—Menos charlatanería.

Art había colocado a Ebad y a Cuthbert, que eran considerados los más fuertes, solos en un bote. Felix y ella, los más livianos y quizá los menos fuertes, estaban en dos botes diferentes, cada uno de ellos con un remador diferente.

Posicionaron los remos.

Al principio fue un caos. Incluso Art se dio cuenta de que se equivocaba, y odiaba tener que reconocerlo. Ahora ya había aprendido a hacer las cosas por sí misma, al menos las cosas que eran estrictamente necesarias. Pero sus primeros intentos para remar, pensaba con ferocidad e ira, parecían los de una joven dama de la Academia de Ángeles.

Instantes después, los remos dejaron de salpicar y de darse golpes los unos contra los otros. De pronto, en un mismo intento, se estableció un único ritmo muscular.

Ebad tan sólo echó un vistazo a Art una única vez. Obviamente, ella sabía cuántos barcos se habían hundido en las temidas calmas ecuatoriales, donde, generalmente, las fuertes ventiscas desaparecían. A Ebad aquello no le hacía mucha gracia.

Sobre el castillo de popa, Black Knack miraba enfurecido. En lo más alto, Whuskery ya había parado de sentir náuseas, y Eerie tenía el mando del timón e intentaba cantar una lamentación, a pesar de que en ese instante tenía hipo.

Hacía tres días que llevaban remolcando a la *Inoportuna Forastera*, cruzando las cálidas y espesas aguas del océano, al abrigo del bajo cielo y sin soplo de brisa marina alguno. Empapados de sudor, cada músculo de los brazos y de la espalda pedía a gritos un descanso. Se movían como serpientes y estaban demasiado entumecidos, extasiados y doloridos como para vomitar.

A veces se tomaban un pequeño descanso. O Art se cambiaba con Eerie, o Whuskery y Black Knack con los demás. Art no se mantuvo nunca quieta, sino que participaba en cada turno de remo. Por la noche, sus hombres se estiraban lloriqueando sobre la cubierta, pues en los camarotes aún hacía más calor.

Muck ya había parado de aullar y deambulaba de arriba abajo, lamiendo las manos de sus amigos, como si los estuviera consolando.

—Es un buen perro.

—Es el mejor de toda Inglaterra.

—Inglaterra... Oh, Inglaterra... ¿Creéis que volveremos a ver esas pálidas costas?

Por el contrario, *Plunqwette* bajaba hasta la cubierta para ayudar a Art en el bote, posándose sobre su cabeza hasta que Art empezara a insultarla, o sobre el remo, agitando las alas y cogiendo el vuelo antes de rozar con el agua, aterrizando sobre el remo justo cuando volvía a sobresalir del agua.

—¡*Plunqwette*! ¡Te mataré! ¡O mejor, te cocinaré y haré un delicioso pastel contigo!

Plunqwette, que para ese entonces estaba sobre una pata encima de la bota de Art, se limpió el pico con una garra y dijo:

—¡Piezas de mocho!

Esa tarde, durante el tiempo de descanso, Felix se sentó bajo un toldo dado de sí, justo debajo del castillo de popa, y empezó a dibujar. Tenía los dedos muy resbaladizos por el sudor, la camiseta blanca la llevaba pegada al cuerpo, de la misma forma en que las calmas ecuatoriales habían pegado las aguas al barco.

Art se acercó, lo miró primero a él, y después a lo que estaba dibujando.

—No parece muy dolorido después de remar, pues, por lo que veo, aún le quedan fuerzas para blandir un lápiz. Qué pena, debería haber consumido toda la energía que le quedaba.

Y es que estaba dibujando a la pequeña Goldie Girl: su rostro despiadado en forma de corazón, sus enormes ojos y su cúmulo de rizos negros. Realmente, era un retrato fiel, y se notaba que él estaba convencido de ello.

Felix no musitó palabra, ni tan sólo se movió.

Ya habían recorrido algunos kilómetros, o eso era lo que Ebad aseguraba. Pero nada parecía haber cambiado. El cielo y las aguas parecían los mismos, tan sólo un poco más profundos cuando atardecía. Por la noche, el bochorno parecía ser un poco más llevadero, pues corría una suave brisa.

Black Knack le dijo a Peter:

—No sabía que un capitán remara con su tripulación.

Salt Peter parecía perplejo e incómodo.

Plunqwette decoró la cubierta con una salpicadura blanca.

Desde lo más alto, Dirk exclamó con un tono de voz un tanto disparatado:

—¡Veo el viento! ¡Y viene hacia aquí!

—No puedes ver el viento —dijo Glad Cuthbert.

Aun así, todos se giraron hacia donde Dirk decía que veía el viento, hacia el norte, y la verdad es que Cuthbert estaba equivocado. Sí que se podía ver el viento.

Ahora, las olas parecían haber cobrado vida y se movían abruptamente, como perros azulados y agrisados persiguiéndose los unos a los otros mientras enormes nubes, como enormes coliflores de color azul pálido, trastabillaban hacia el horizonte. El océano se convirtió en una especie de cacerola hirviendo.

—¡Alzad los botes! ¡Izad las velas! ¡A los astilleros!

273

Los actores-piratas se arrojaron, aullando, a los botes y los elevaron, a pesar de la fatiga que acarreaban, hasta las jarcias.

Muck los animaba ladrando.

Un frescor se apoderó de la embarcación, y todos, humanos, perro y loro, mar, atmósfera, cielo... pudieron finalmente respirar. Las velas oscilaban hacia delante y hacia atrás, creando unos fabulosos arcos empujados por la brisa.

La *Inoportuna* también empezó a moverse como si hubiera perdido el control, deshaciendo las crestas de las olas.

—No durará mucho —dijo Black Knack.

La ráfaga de viento también se había llevado consigo el dibujo de Felix cuando se dio la vuelta y se quedó pasmado al ver la embarcación despertarse tan alocadamente. El retrato de la pequeña Goldie se deslizaba por sí mismo, como un inocente pájaro blanco.

—Vaya, qué pena —dijo Art. Pero no había tiempo para regodearse del asunto.

Las ráfagas de viento siguieron hasta la tercera vez que cambiaron al guardia nocturno. Entonces, en el tintineo de la campana de la embarcación, místicamente destruidas, se hundieron en las profundidades del mar. El viento se había desvanecido.

—Os lo dije.

—Cierra tu enorme bocaza, Blacky —contestó Whuskery, quien aún llevaba un bigote pintado.

—Oh, escuchad... —exclamó Eerie—. Un tamborileo...

En este nuevo silencio absoluto, toda la tripulación

permanecía expectante y escuchando sobrecogida el extraño sonido supersticioso que, según informaban centenares de cartas, le había otorgado a esta zona ese nombre.

Un agudo y débil repiqueteo sonaba ahora a este lado, ahora en este otro. Tpp... tpp... tppp... como el redoble de los tambores de diminutos soldaditos de plomo mecánicos. Tambores de juguete... los escucharon durante más de una hora. Incluso la luna se asomó para escuchar, aunque no alumbró otra cosa que el océano y su embarcación.

Cuando finalmente el misterioso sonido cesó, el viento volvió a aparecer con suficiente fuerza como para poder controlarlo. Así pues, durante toda esa noche pudieron navegar gracias al viento hacia el sur y el este rumbo a las abrigadas costas del sur de Africay, donde varias aldeas sin leyes daban una cálida bienvenida y acogían alegremente a los piratas, con todas sus riquezas y provisiones.

275

La *Inoportuna* permaneció breves instantes alrededor de esas aldeas crecientes con edificaciones muy bastas y toscas. Tan sólo se detuvieron para degustar cenas de pescadito frito y recostarse bajo las palmeras, con los alambiques para destilar el brandy amarillo bajo la luz de las estrellas. Los aldeanos, de una raza negra muy remota, coronaban a todos los visitantes, especialmente a Felix, Ebad y Eerie, con enormes coronas de flores, y les ofrecían sus mujeres. Eerie estaba, por lo visto, más que encantado con la idea, pues lo tuvieron que llevar a rastras hasta la embarcación. Incluso a Art le ofrecieron una de sus mujeres. Art sonrió y dijo que desgraciadamente ya tenía una en Inglaterra.

Un largo desfile de leones acaparaba las calles de Free Cape Town, bajo su acantilado púrpura de montaña, leones con abalorios en sus melenas y garras pintadas. Las cebras corrían en enormes manadas rayadas hacia la bahía, donde estaban estacionadas una gran cantidad de flotas marinas: balleneros, comerciantes e indudablemente embarcaciones piratas que ondeaban otras banderas. Siguiendo las órdenes de Art, su tripulación había arriado la bandera rosa de Jolly Molly antes de entrar al primer puerto. Ahora ondeaban los colores de Jack *el Republicano*, pues en este lugar no gustaban los negocios con piratas.

Una vez que buena parte del cargamento se hubo vendido, que una parte del dinero se había guardado y que unas cuantas cajitas de diamantes en bruto se habían almacenado (que no se parecían en nada a como Art los había imaginado), empezaron a abastecerse de frutas y otras existencias generales, aunque tuvieron que persuadir a Walter para que no comprara una cebra.

—¡Tan sólo piensa en esa cosa con rayas dando patadas y relinchando toda la noche! ¡Así que olvídate de la idea!

—Más allá de este punto —dijo Eerie mientras hacía movimientos dramáticos con los brazos, mientras subía la marea—, se encuentra el cabo, ese lugar donde todos los océanos se cruzan. Por encima, se unen las tierras que separan el Atlántico y el Pacífico, como un par de padres severos que intentan separar a dos amantes. Pero nunca nadie ha logrado pasar por ese cabo y por esas aguas intermezcladas. ¿Y qué vamos a hacer con nuestra insignificante embarcación? ¿Chocar contra su feroz abrazo?

—Ese discursito lo has sacado del guión de la obra —comentó Dirk.

—Lo sé —dijo Art—, ya me acuerdo.

Pero, aparte de los brillantes diamantes, ella creía que también recordaba el resto, incluso Free Cape Town. ¿Seguro que no había estado antes ahí?

La tormenta llegó a medianoche.

Primero surgió una bruma marina, y tras la neblina de la bruma aparecieron unas rocas que indicaban la costa, y no eran en absoluto acogedoras ni estaban adornadas por flores de colores. Y efectivamente, la imagen que vieron apareciendo y desapareciendo vagamente tras la bruma era igual, o eso creían, que una calavera con unos huesos cruzados.

—Un mal lugar. Un lugar de horrores...

—Ahórrate esa retahíla de chorradas. Ahora no es el momento.

Para entonces, las aguas estaban calmadas y la brisa era ligera. Art acordó la hora de los relojes y envió al resto de su tripulación a dormir. Incluso ella se fue a su camarote. Felix estaba en el alcázar, y ella le dio las buenas noches, aunque él ni tan siquiera le contestó. Estaría profundamente dormido, pensaba, soñando con Goldie.

En el camarote del capitán, *Plunqwette* bebía chocolate y chasqueaba el pico contra los mapas del capitán Bolt, que, al igual que todos sus libros, se estaban volviendo de un color verde oxidado por la humedad creada desde las calmas ecuatoriales. Encerado y bien almacenado, el mapa del tesoro no había sufrido ningún percance.

—Puedo percibir más ráfagas, más ventiscas, *Plunqwette*. Y *Muck*, también.

—¡Oh, el barco! —gritó *Plunqwette* con otra voz, desconocida—. ¡Ayuda! ¡Ayuda! ¡Salvad nuestro mote!

—¡Shh!

Los cristales de los portones del camarote estaban cubiertos de vaho, aunque si se quería ver qué pasaba en el exterior, también resultaba imposible, pues la impenetrable oscuridad y la bruma lo impedían.

Art se estiró para echar una cabezadita de una hora, más o menos.

Soñó que la atrapaban en mitad de la noche con una red de unas dimensiones gigantescas. Molly estaba junto a ella, una Molly joven, esbelta y maravillosa, con su mirada verde grosella. Una mirada que no tenía par en la faz de la tierra. Juntas, madre e hija, cayeron en la trampa, pero Art se sentía feliz. Y sobre la cubierta estaba el joven Ebad, también sonriente y rebosante de orgullo por alguna cosa.

Entonces, Molly y la embarcación desaparecían, y Art se caía por un precipicio hasta aterrizar sobre una telaraña en forma de espiral a oscuras y con espuma marina salada alrededor, hasta que finalmente se daba un golpazo.

Entonces se despertó y puso los pies sobre el suelo del camarote, y se levantó directamente del camastro gracias a una repentina inclinación del navío que la empujó hacia delante.

La puerta estaba entreabierta, y Art podía ver a Eerie de pie y gritándole. Un diminuto riachuelo de reluciente agua se abría camino por el suelo, con *Plunqwette* saltando y maldiciendo el agua.

—¡Al cuerno! ¡Y tres veces al cuerno! ¡Por los bonejos de Kranken!

—Señor O'Shea, cálmese usted también. Todo el mundo, arriad las velas.

Art salió hacia la cubierta mientras Eerie se tambaleaba de un lado a otro.

Era la primera tormenta que había presenciado desde las tempestades que guardaba en su memoria. Pero ésta, ésta también, la reconocía. Y con esa sensación de temor en sus entrañas, llegó una ráfaga de regocijo puro.

Las gotas del océano intentaban incansablemente unirse al cielo, pero la embarcación se esforzaba por anteponerse a ellas para así mantener la cubierta superior por encima de la furia de las aguas que se agitaban continuamente bajo ella.

La mayoría de la tripulación había estado durmiendo en la cubierta por el frescor que corría. Ahora, todos se habían hecho a un lado, bramando y gritando desesperadamente, pero Art a duras penas podía entender alguna de sus palabras, ni siquiera el silbato de Honest en medio de la espiral de viento y líquido.

Los relámpagos hacían desaparecer la oscuridad, y

durante unos breves instantes, las aguas cobraban un color lima y el cielo un blanco porcelana.

Segundos más tarde, la oscuridad volvía a reinar sobre todas las cosas, y parecía que todo chocara con la *Inoportuna Forastera*.

Por encima de la embarcación, Art veía que las velas entraban y salían en tropel. Los mástiles estaban empapados, y durante un momento llegó a plantearse si el mástil principal, que habían reparado, aguantaría.

A pesar de que no podía escuchar con claridad las voces de su tripulación, la voz de la misma embarcación se oía alto y claro. Crujía, chirriaba y maullaba como un enorme gato a punto de atacar a otro. Entonces estiraban el velamen, que hasta entonces había permanecido desatendido, pero éste se escapaba una y otra vez del mástil, provocando así colosales golpes secos y rasgaduras que sonaban igual que el talar de un árbol.

—¡Seguid amarrando! —Art zigzagueaba sobre la cubierta y todos sus hombres estaban manos a la obra, los aparejos estaban bien sujetos o amarrándose. Sobre los camarotes, estaban constreñidos los botes, que se tambaleaban y tableteaban.

Art saltó sobre un pequeño charco de agua resbaladiza hasta el timón. Ebad timoneaba la embarcación, su rostro parecía el de una estatua de basalto e intentaba mantener el navío lo más firme que le era posible. Fue entonces cuando Art, mirándolo directamente a su rostro, pensó que podía ser un descendiente real, un descendiente de los verdaderos reyes de Egipto.

La *Inoportuna* ahora había tomado otro rumbo. Ahora eran las olas marinas las que se anteponían a su rumbo, las que se colaban por los rincones más recónditos mientras navegaba. El agua cubría todo lo que se encontraba por delante: las miradas, las respiraciones, la noche y el mundo.

Parecía que este siglo acabaría bajo el agua en quizá tres latidos del corazón. Art estaba agarrada al mástil principal, que parecía que aguantaba perfectamente. Detrás de ella, Ebad gritaba su nombre una y otra vez, mientras las velas, empapadas, graznaban.

Art corrió hacia el astillero. A pesar del temblor de la embarcación, consiguió trepar tan lejos como pudo hasta el juanete de proa, mano sobre mano. Agarrándose con las piernas alrededor del palo, empezó a arreglar las velas que se habían soltado.

El resto de la tripulación estaba en el astillero. Se empujaban los unos a los otros hacia la galera o hacia la caseta de cubierta. Art contaba a su tripulación para cerciorarse de que no faltaba nadie, incluso contaba a Felix. Todos estaban sanos y salvos. *Muck* permanecía en silencio, ¿y *Plunqwette*? Ah, allí estaba, con el pico clavado sobre el techo de la caseta de cubierta.

La embarcación saltaba como un caballo blanco por las montañas a medianoche. Ahora que habían conseguido domar las velas, no tenía sentido luchar para arriarlas. Art se había atado a sí misma con unos cabos a la madera del mástil. Miró hacia arriba y contempló las estrellas, más allá de la tormenta y de los rayos, que aparecían y desaparecían como dagas plateadas. Se reía a carcajadas. Se reía a carcajadas y oía a su madre decir, años atrás, cuando Art era una niña, o quizá un bebé entre los brazos de su madre: «¡Qué espectáculo!

¡Mira, es maravilloso!», a lo que Art contestaba: «Sí, mamá». Art cantaba al vendaval, desafiándolo, temiéndolo, adorándolo, y continuaba: «Sí. Y esta embarcación es afortunada. Ella y el mar son amigos, ¿verdad mamá? Saben cómo tratarse, esto no es una guerra, tan sólo dos gatitos jugueteando...».

Sobre la punzante esquirla de otra ola, nadaba un pez con plumas verdes y rojizas. Era *Plunqwette*, que, empapada y resoplando, acabó aterrizando sobre Art clavando así sus garras en el palo.

—¡Aguanta, bonita! —gritaba Art.

—¡Aguanta, bonita! —contestaba *Plunqwette* con la voz de Molly Faith.

Entonces el tiempo dio un cambio inesperado. Todos estaban empapados por las aguas más profundas del océano, y ahora las estrellas brillaban sobre todos ellos. Incluso el viento ahora era como una vela de lona que dejaba caer alguna que otra lágrima.

La tripulación de Art aullaba aterrorizada mientras la joven, aún sentada, sonreía.

No había ocurrido, ¿o sí?... ¿cómo podía ser igual... en el escenario?

—¿Qué es ese ruido? —preguntó Walter a su hermano.

—Y yo qué sé. Además, ¿qué ruido?, si aquí todo son ruidos.

Tres pasos más allá, sobre la caseta de cubierta, Glad les decía de un modo tranquilizador:

—Tan sólo es una ola que ha quedado atrapada en la sentina. Pasará.

Pero entonces, Walter se empezó a estremecer

mientras las olas retumbaban yendo y viniendo en las entrañas de la embarcación, sonando como varios coches de caballos lundinenses que cabalgaban en la sentina.

Felix, que seguía amarrado a la caseta de cubierta junto a Cuthbert y Eerie, levantó la cabeza para mirar, a través de los chorros de agua y el viento, a Art, el leopardo, quien estaba en lo más alto del navío, casi rozando el cielo. Entonces murmuró:

—Está como una cabra.

—Sí —dijo Cuthbert, y escupió una bocanada de agua marina—. Casi todas las buenas mujeres lo están. Y decididamente, todos los capitanes lo están.

—¿Por qué? —preguntó Felix con una voz que, incluso en esa delicada situación, seguía fría.

—Si no, señor, ¿cómo se explica que esta maldita chiquilla se adentrara al mar y se llevara consigo a todos estos hombres?

Eerie rezaba, y les pidió que bajaran la voz, pues con esos gritos quizá Dios no lograba escuchar sus plegarias.

Las ráfagas de viento emitían unos silbidos muy agudos. Les venía de frente y los hacía tambalearse de babor a estribor, de popa a proa. La popa se alzaba cada vez que chocaba con una gigantesca ola hasta tal punto que Art y *Plunqwette*, quienes estaban en lo más alto del mástil principal, quedaban empapadas por el impacto con la ola. Entonces la embarcación volvía a posarse sobre la superficie, dando vueltas sin parar, como si estuviera atascada en una especie de alcantarilla sobrenatural.

—Se necesita a alguien más en el timón —gritó Cuthbert.

Felix fue testigo de cómo Cuthbert se liberó por sí solo de las cuerdas que lo mantenían amarrado a la caseta. Al verlo, Black Knack, desde su refugio situado bajo el mástil principal, gritó en una voz áspera una especie de aviso. Dirk y Whuskery clamaban a pleno pulmón y Salt Walter y Salt Peter chillaban desde la cocina. Pero Cuthbert ya no estaba.

—¿Está ahí al lado, señor Phoenix? No me he atrevido a comprobarlo por mí mismo.

—No, señor O'Shea. Ahora está con Ebad, aguantando el timón. Y Honest también está con ellos.

—Que Dios los bendiga, a los tres. Pero ese timón se quebrará de un momento a otro, estoy seguro. —Eerie no podía retener las lágrimas—. Creo que todos acabaremos en la penumbrosa bodega marina.

Felix se dio la vuelta y cogió de la mano a Eerie:

—He escuchado miles de historias sobre estas tormentas, Eerie. Una embarcación de estas dimensiones puede capear el temporal.

Eerie tosió, y segundos después, durante una calma momentánea del temporal, le preguntó:

—¿Cómo lo sabes? Tú nunca has estado en el océano.

—Pero una vez conocí a alguien que sí que lo estuvo.

—¿Te fías de los mendigos cuentacuentos?

—Sí. Eran mi padre y mi tío.

Una ráfaga de viento volvió a azotar la embarcación, y fue imposible volver a entablar la conversación. Transcurrió otra hora más de tempestad, con los fuertes latidos palpitando al unísono, y resultó ser incluso divertida para ellos, e incluso, si Art estaba en lo cierto, hasta la embarcación se lo pasó de lo lindo jugueteando con la tormenta.

Las lluvias, truenos y relámpagos finalizaron inesperadamente, tal y como empezaron.

De repente, dos enormes olas se avecinaron ante ellos como dos paredes de ladrillos, rompieron y retrocedieron replegándose. Entonces, volvió a aparecer la luna, suspendida, baja, de un color naranja calabaza, alumbrando unas aguas oceánicas vivas pero ya no desbandadas.

Una vez ya habían salido de la boca del lobo, se deslizaron hacia otra noche, una noche diferente, un universo diferente.

—Aquí está mi viola de rueda. Tan resistente al agua como la misma lluvia.

—La *Inoportuna* apesta a fango, pescado y algas.

—Hay varios peces en los camarotes de la tripulación. *Muck* ya se ha comido uno... maldito chucho...

—Los pollos están completamente empapados, hemos perdido por lo menos cuatro huevos...

—Mira todos estos platos rotos... y eso que estaban hechos de peltre del bueno...

—¡Mis manos! Mirad mis manos... ¡arruinadas!

—Sí, Dirk... no volverás a tocar el clavicordio nunca más.

285

Después de la tormenta, las aguas volvieron a su cauce. Bajo el resplandor de la luna anaranjada, una cantidad de objetos emergían desde las profundidades y cubrían la superficie. Balsas de pecios color verde y algas marinas como larguísimos collares de perlas. Los peces voladores sobresalían de la llana superficie oceánica, planeaban brillantes a través de la oscuridad y opacos a través de la luna. Más tarde, las anguilas serpenteaban por las aguas, enrollándose y desenrollándose, de un color azul eléctrico y blanco luminoso. La atmósfera estaba cargada de ozono y estrellas de mar flotaban en grupos, como si fueran pequeñas islas coralinas.

Arriba, pequeñas nubes pasajeras hacían cabriolas al pasar a través de las estrellas. Mar y cielo, ambos en movimiento, ambos oscuros pero con pequeñas luces móviles, eran un reflejo el uno del otro. Mientras, la luna y la embarcación navegaban océano adentro.

Al día siguiente, despejaron y limpiaron la *Inoportuna Forastera*. Intentaron sacar toda el agua que se había colado durante la tormenta, fregaron todas las cubiertas y engrasaron los mástiles. Se ocuparon de la carpintería y taparon los agujeros con alquitrán.

Las fuertes ráfagas de viento se habían convertido en brisa marina, lo que resultaba muy útil para poner en orden la nave. El astuto Cuthbert cortaba él mismo con las tijeras la tela de las velas y las cosía, trepaba por los mástiles y arreglaba los juanetes de proa.

Llegaba el crepúsculo, las colosales estrellas y, por supuesto, la cena. De pronto, la brisa marina empezó a convertirse en un viento menos útil.

La calma empezó.

No era como el pavoroso silencio de las calmas ecuatoriales, sino un silencio aliviante. La embarcación se balanceaba sin hacer ruido.

—Aprovechad la ocasión —ordenó Art—, e intentad descansar un poco.

Inesperadamente, la luna apareció más pronto de lo normal, y apareció por todos los lados.

Todos se dirigieron a las barandillas.

Una luz fulgurante se asomaba por el horizonte en todas direcciones. Estaban en el epicentro de una oscuridad total, como una piedra preciosa negra incrustada en el centro de un anillo de oro resplandeciente.

—Señor Vooms —dijo Art—, ¿qué es eso?

—Algo que la tormenta ha dejado atrás, capitana.

Entonces Eerie exclamó:

—Imposible. Eso no es natural, por las pestañas de las marsopas.

—Tonterías, señor O'Shea.

—Capitana, preste atención —dijo Eerie—. Estas aguas... ¿Ha oído hablar alguna vez del misterioso holandés?

Art frunció el ceño. El resto miraba fijamente a Eerie, quien estaba asombrosamente alumbrado por el ardiente anillo de las aguas.

Sorprendentemente, fue Felix quien habló:

—Señor O'Shea, eso es una antigua leyenda, no es la realidad.

Eerie sacudió la cabeza y continuó:

—Era un comerciante holandés... algunos dicen que era un cazador de ballenas. Cuando necesitaba ayuda, despertaba a los demonios para que acudieran a él y utilizaba los terribles huracanes del cabo para surcar a toda marcha y así poder sacar más beneficios de los mares. Pero un día los demonios lo traicionaron. Asesinaron a toda su tripulación y lo abandonaron en las solitarias profundidades del océano, y asignaron a su destino la inmortalidad, condenado así a vagar por estas aguas para el resto de la eternidad.

—Y de la tripulación que aviste su barco fantasma —añadió Black Knack en un tono de voz verdaderamente espeluznante—, al menos uno de sus hombres debe morir.

Entonces Art intervino diciendo:

—Dios mío, me acaba de venir a la cabeza que... ¡sois actores, caballeros! —Y comenzó a aplaudir—. ¡Bravo!

Black Knack se escabulló sigilosamente hacia un lado.

El resto permanecía en la penumbra y en la melancolía, pero seguían merodeando a su alrededor. Nadie estaba dispuesto a bajar a los galeotes a dormir, y Art tampoco insistió.

Había algo en el aire que a Art le provocaba un terrible escozor en la piel.

—Ebad, según tus cálculos, ¿estamos surcando por los mares del este?

—Ahora estamos justo en la frontera. Art, tengo que admitir que, tal y como ha dicho Eerie, en estas aguas ocurren cosas muy extrañas.

—No se lo comentes al resto. Ni tampoco a Eerie. Señor Phoenix —dijo Art acercándose a él—, muchas gracias por sus palabras de sentido común.

—No se merecen. No creo en fantasmas. Los muertos no vuelven a la vida, y nadie es inmortal.

Todos permanecían bajo la aleta de popa.

—No creía que usted fuera tan cerrado de mente, señor Phoenix. A veces, vuelven al mundo terrenal, y algunos son inmortales.

Felix asintió con la cabeza y dijo:

—Pero sólo en sueños.

De pronto, un temeroso y agudo llanto retumbó en la oscuridad de la noche. ¿Quién o qué había lanzado esa especie de sollozo?

Felix, Art y toda su tripulación se habían dado la vuelta en dirección al este, incluso *Muck* se había girado, cobrando un color plateado por la luz que lo alumbraba y con los pelos de punta, y también *Plunqwette*, quien tenía las plumas espigadas, parecía estar incluso más preocupada que el perro...

289

Felix posó su mano sobre el hombro de Art. El contacto entre ellos fue tan electrizante como la noche misma.

—Ahí está.

Desde la hechizada luz del extraño anillo, se divisaba una figura que emergía como un resplandor trémulo. Era una embarcación realmente colosal. Larga, extensa y cuadrada, con las velas izadas al completo. Navegaba a toda vela alrededor del resplandeciente anillo, impulsada por un viento que no soplaba, iluminada por una luz que no mostraba nada más allá de una leve silueta trémula.

—¡Es el misterioso holandés!

—Deseo la mejor de las suertes a todos aquellos que lo vean...

—La muerte se cruzará en el destino de uno de nosotros...

Art se conmocionó. Abrió la boca para vociferarles o para tranquilizarlos. En ese preciso instante, el anillo luminoso se desvaneció. Tan sólo una negrura opaca cubría el cielo y el océano. Y aparte de la *Inoportuna*, no se divisaba ninguna otra embarcación.

TERCER ACTO

Pirática

Capítulo I

1. Alumbrando los lienzos

Una vez hubo logrado pasar el cabo de Africay, la *Inoportuna Forastera* se adentró en los mares del este. Más allá descansaba el océano Índico, pero antes tendrían que navegar por las costas piratas que bañaban la isla de Mad-Agash Scar.

Fue en una jubilosa mañana de cielo despejado cuando avistaron por primera vez la isla de Mad-Agash Scar.

De hecho, se parecía más a un pequeño país asentado a la deriva en medio del océano que a una isla. Por el este emergían monumentales montañas y, entre ellas, un pequeño volcán fumaba de su pipa, evidentemente con la intención de ser visto.

La brisa marina era enérgica y refrescante, así que orientaron las velas hacia tierra firme de forma que hicieron una bordada y giraron para aprovechar la vigorosa brisa.

Mad-Agash Scar había sido, durante dos siglos, una fortaleza pirata. Infinidad de terratenientes piratas tenían sus dominios sobre esas tierras y ejercían el comercio y las treguas con todo aquel que los tratara en unos términos cordiales. Así que en este lugar podrían averiguar algunas noticias y pistas de todo tipo.

La luna apareció tras ellos y, bajo las órdenes de Ebad, surcaron en dirección a la costa oeste. Así pues, se dirigieron hacia esa costa, que estaba a unos dos kilómetros más o menos, y cuyas aguas eran poco profundas y de un color turbio. El pequeño volcán, que se encontraba bastante lejos de la costa, avanzaba al mismo ritmo que ellos fumando de su pipa. Pero algo más cerca, se podían divisar extensas llanuras de vegetación exuberante y suntuosa donde habitaban manadas de animales de galope, como ciervos, entre otros.

Una hora o dos más tarde, se fijaron en un par de fortificaciones situadas más allá de la costa. Estaban construidas a base de troncos y rodeadas de árboles que ondeaban unas banderas con colores extremadamente vivos. Pero, por el catalejo, también lograron divisar unos cañones con balas de diez centímetros de calibre, que apuntaban directamente desde las paredes de madera de las fortalezas.

Aun así, hasta bien avanzada la tarde, nadie intentó establecer ningún contacto ni realizar investigación alguna.

Más tarde, un pequeño grupo de botes se acercó sigilosamente hacia la *Inoportuna*, rozando el borde de las olas color verde cocodrilo.

—Prepárense, caballeros —dijo Art. Cargó su mosquetón y permaneció a la espera. La tripulación siguió sus pasos e hizo lo mismo.

Los botes, que cada vez se aproximaban más, sumaban en total diez. Sus tripulantes remaban hábilmente, y cada bote ondeaba una bandera con los colores blanco y escarlata.

—Señor Vooms, ¿sabe usted cuál es esa bandera?

—Seguramente representa a algún residente de este lugar, pero también es posible que sea una simple invención, puro espectáculo.

Los hombres de los botes tenían un aspecto racial extraño, una mezcla de todas las razas en una sola. De pronto, uno de los que iba en el bote más cercano se levantó y saludó a la *Inoportuna*:

—Amarrad la embarcación y declaraos, camaradas.

Entonces Art exclamó con claridad:

—La *Inoportuna Forastera*, bajo el mando de la capitana Art Blastside.

—¿Ingleses?

—Exacto.

—Éste no es territorio inglés, ni encontrarán compañía inglesa por aquí, así que les sugiero que me acompañen. Los guiaremos por la costa hasta llegar a tierra firme. Una vez allí, deberéis exponer los asuntos que os han conducido hasta aquí ante el Gobernador.

Todos los hombres de los botes estaban armados hasta los dientes, y eran como unos cuarenta.

—Muy bien. Haremos lo que usted dice.

Los botes husmearon a la *Inoportuna* y después la escoltaron hasta la orilla, tal y como habían prometido, o amenazado.

Una extensa bahía se aposentaba detrás del cabo donde las colosales ramas de los árboles colgaban simulando unas tupidas cortinas. Los pájaros gorjeaban y revoloteaban sobre sus cabezas, mientras *Plunqwette* alzaba su rostro color esmeralda e, interesada, observaba a esos pájaros, que no eran ni más ni menos que loros.

Si bien las aguas que habían visto antes eran verdes, las de la bahía eran cristalinas, transparentes y se fundían con la suave arena blanca. Jugueteando entre ellas como diminutas lentejuelas, los pececillos nadaban a la vez que cambiaban de color a cada instante. Entonces, la *Inoportuna* echó el ancla.

—¿Quién es el Gobernador? —preguntó Eerie.

—Sea quien sea, debemos ser amables y simpáticos con él —advirtió Art—. Incluso puede que necesitemos mentir. Por ejemplo, ¿dónde está el resto de nuestra flota?

—El resto de ¿qué?...

—Deberemos actuar, señor O'Shea, y decir que nuestros compañeros nos siguen de cerca y deben de estar al caer.

Sin prestar atención a esta discusión, Cuthbert avistó otra embarcación, o mejor dicho, un mascarón de proa. Era una dama con un pecho considerable y de cabello oscuro.

—¡Dios mío, es espectacular! —Entonces Cuthbert leyó en voz alta el nombre del navío, que, a pesar de la advertencia anterior, estaba escrito en inglés: *Saucy Mrs Minnie*.

Los pequeños botes volvieron a agruparse.

—¿Ésta es toda su tripulación? —gritó el madagashqueño que había hablado antes—. ¿Diez, once personas?

—En esta embarcación, sí.

Sorprendentemente para Art, el mad-agashqueño parecía estar interesado sólo por razones científicas:

—Por el dragón de las profundidades, ¿cómo es posible que tan pocos tripulantes puedan manejar su nave?

Art sonrió y contestó:

—Es posible, créame. Pero, por supuesto, si necesitamos ayuda, podemos llamar a más hombres.

Art seleccionó a los hombres que la acompañarían a tierra firme, incluyendo a Ebad. Whuskery, Black Knack y *Muck* se quedaron a bordo, bien armados y alerta por si ocurriera algún contratiempo. Le sorprendió encontrarse a Felix junto a los que la acompañaban.

—No le aconsejo que nos acompañe a tierra firme, señor. Puede que no resulte una bonita excursión.

297

—Por la misma regla de tres, usted debería ignorar su propio consejo.

—¿Aún intenta comprender a los piratas? Puede ser peligroso.

—Eso hace que el cambio sea agradable.

—Entonces, permanezca en la retaguardia, junto a Honest y Walt.

Nadie les pidió que se despojaran de sus armas; de hecho, los hombres de los botes fueron muy corteses y educados con ellos mientras llevaban a la tripulación de la *Inoportuna* hasta tierra firme.

Detrás de la tupida cortina de ramas y hojas, aparecía una colina, y sobre ésta, una enorme mansión que le trajo reminiscencias de ciertas escenas a la memoria de Art. Era del mismo color que las galletas de jengibre, aunque con unas suaves pinceladas de color blanco. Las ventanas relucían, pues los rayos de sol apuntaban directamente a ellas. Una bandera blanca y roja ondeaba en el tejado de la casa. No cabía duda de que era la casa del Gobernador.

Una vez que los botes hubieron encallado en tierra firme, sus guías los condujeron desde la playa y les hicieron atravesar extensas laderas cubiertas de hierba. La hierba era de color leonado, y estaba muy alta en ciertos lugares. Repentinamente, bajo un corrillo de arbustos, apareció una multitud de criaturas blancas y peludas que no paraban de brincar, saltar y hacer payasadas justo por el sendero por el que ellos caminaban, cuando en un abrir y cerrar de ojos, desaparecieron entre otros arbustos emitiendo unos sonidos muy molestos.

298

Todos se divertían con el espectáculo y Walter exclamó:

—Son hombres... ¡son hombres con cabeza de perro!

—No —dijo el portavoz de los guías mientras sus compañeros se reían a carcajadas—, son lémures, animales originarios de la isla.

—Pero caminaban con sólo dos patas... y tenían puestos una especie de pantalones con rayas blancas y negras... y tenían una nariz igual que el hocico negro de un perro... —insistió Walter.

Continuaron comentando lo visto una y otra vez mientras esos animalillos trepaban por árboles de borlas amarillas hasta que al fin llegaron a una terraza tapiada y decorada con estatuas. A través de las verjas de hierro forjado, se dejaba entrever un colosal jardín y una fuente que desdibujaba enormes burbujas. La colosal mansión del Gobernador se situaba al final del camino de arena y como telón de fondo artístico se alineaban las montañas y los volcanes.

De pronto se detuvieron bajo unos árboles ornamentales, a la expectativa.

Cada fracción de segundo que pasaba, todos y cada uno de ellos abrían más y más los ojos. En lo más bajo del camino de arena, un hombre se acercaba tranquilamente, como dando un paseo, hacia ellos. ¿Sería el Gobernador? Iba vestido como un hombre de clase alta, con abrigo de seda y camisa de lazo, a pesar de que no llevaba peluca. Tenía el cabello rizado y de un color grisáceo y su manera de caminar era un tanto rezagada, y a la vez, familiar. Junto a Art, Ebad se quedó sin respiración.

Entonces, Peter dijo:

—Pero si es... ¿no es...?

Plunqwette graznó y de pronto alzó el vuelo como una bala de cañón con plumas directamente hacia el Gobernador, que no era otro que el mismísimo...

—¡Hurkon Beare!

Después de una cena espléndida —únicamente eclipsada por los gemidos de los lémures al atardecer—, Hurkon invitó a sus huéspedes a dar una vuelta por su mansión.

—Preferimos utilizar antorchas cuando tenemos que caminar por estos oscuros pasillos antes que faros, pues eso mantiene alejados a los mosquitos tanto dentro como fuera de la mansión.

Tenía el mismo acento, con el mismo tono meloso y melódico típico de las montañas de Canadia, a pesar de que lo aprendiera a base de una formación explícita como actor. Para Art, era la misma voz que acompañaba a la de su madre, aquella que reconoció el día en que todo volvió a su memoria.

Tuvieron el gran placer de poder contemplar enormes salones decorados con suelos de mosaicos de mármol y escaleras con barandillas doradas. La mansión también contaba con una fuente interior, y en algunas paredes había incrustadas conchas marinas. Pero, en general, estaba bastante vacía, a excepción de algunas estatuas, cofres y cajas de latón.

300

—Mirad esto, camaradas. —Hurkon abrió uno de los cofres con un golpe de espada seco y limpio. La tapa cayó al suelo y con la llama de la antorcha se iluminaron las más deslumbrantes e impresionantes joyas jamás vistas: enormes trozos de los rubíes más puros, topacios verde intenso y amarillo canario, larguísimos collares de perlas y monedas, monedas de oro francesas, muhuras provenientes de la Indie, doblones españoles, e incluso las monedas favoritas del loro, piezas de ocho.

—Son todas falsas —espetó Hurkon—, pertenecían a cierto grupo de actores. Cualquier riqueza que yo pueda poseer está depositada en el banco de Puerto Libertad, en las Amer Ricas.

Plunqwette, quien dormitaba sobre una estatua de bronce, parecía haber perdido toda su fascinación por

Hurkon. Dio un enorme bostezo y cerró con un golpe seco su pico.

Algunos de los hombres de Hurkon que habían decidido quedarse en el salón cenando, ahora se añadían al pequeño paseo por la mansión. Entre ellos, había los cuatro capitanes de sus cuatro embarcaciones, que ya los habían acompañado en su travesía hasta la mansión, y tres oficiales más. Todos ellos formaban parte de la flota de Hurkon, y, según el propio Hurkon, en aquellos tiempos raramente se adentraban en la inmensidad del océano para ejercer la piratería. Hurkon estaba considerado más bien como un respetable comerciante de las costas de Africay y Arabia, no como un tipo cualquiera que utilizaba vínculos piratas para así salvaguardarse de cualquier clase de peligro marino.

—En Inglaterra me colgarían —declaró Hurkon—, y seguramente también en Canadia.

Extrañamente, durante toda la pequeña excursión por su enorme mansión, Hurkon había hablado muy poco sobre la época en la que abandonó la compañía teatral en Lundres. Y menos aún, comentó la época en que ejerció la piratería. Pero, de pronto, empezó a hablar:

—Me vi inmerso en esta vida —dijo— casi por una casualidad. Ebad, sabes a lo que me refiero, ¿verdad? Existe una vieja leyenda que cuenta que cuando estás a bordo de una embarcación y otra embarcación pirata te ataca, su tripulación te ofrece dos caminos: tu propia muerte o el sombrero del capitán. Obviamente, escoges el sombrero del capitán.

—Eso es lo que me pasó a mí, y bueno, a casi todos

301

los piratas que surcamos los mares en busca de otras embarcaciones —añadió Cuthbert—. A ver, ¿quién diría: venga, mátame aquí y ahora, y así no serviré a una tripulación pirata?

Felix permanecía serio, pálido y perplejo en ese salón donde las joyas falsas rebosaban del cofre. Entonces, con una voz sombría e inexpresiva, dijo:

—Algunos puede que lo hagan, señor Cuthbert. De hecho, algunos lo han hecho.

—Allá ellos. Yo jamás lo haría.

—¡Ni yo! —exclamó Hurkon—. Vamos, Ebad, viejo amigo. Dime que comprendes por qué lo hice. —Hurkon se reía a carcajadas, unas carcajadas que intentaban disimular cierta desconfianza e intranquilidad.

Art se giró para mirar a Ebad. Parecía que siempre fuera capaz de esconder cualquier cosa, cualquier sentimiento, pero lo que verdaderamente no podía esconder era que en realidad estaba escondiendo algo.

Y Ebad, al igual que Felix, le contestó en un tono de voz bajo y apagado:

—Ahora, no soy mucho mejor que tú, Hurkon.

—De hecho, eres mucho mejor que yo, pues imagino que sigues aferrado al código de nuestra obra de teatro. Al código de Molly: no quitar una sola vida.

De repente, sorprendida, Art exclamó:

—Entonces, nos estás diciendo, Hurkon, que has llegado a matar.

—En defensa propia.

—Siempre hay otras maneras para defenderse, Hurkon.

Hurkon, mirando hacia el lado contrario de donde estaba Art, sentenció:

—Eres igual que tu madre, y juzgas a las personas de una forma muy severa. Art, eres joven y cuentas con la suerte de diecisiete demonios. —Suspiró, y continuó—: Y estoy seguro de que ésa es la razón por la que has guardado ese mapa, Ebadiah, para así, años después, entregárselo a la pequeña Art.

Ambas tripulaciones contaban con el mismo número de hombres, ocho contra ocho. Justo allí, junto al resplandor de la luz proveniente de la antorcha, estaban Art y sus siete hombres, y Hurkon con sus siete hombres.

Pero ninguno osó empuñar su espada o desenvainar su pistola.

Entonces, Art preguntó:

—¿Qué piensas sobre ese mapa del tesoro, Hurkon, viejo amigo?

—Sé que vale una fortuna.

—¿Alguna vez has intentado hacerte con esa fortuna?

—Por supuesto, a pesar de que nunca he logrado encontrarla. No me considero un hombre con suerte, sinceramente. Pero tú, capitana Art, estoy convencido de que cuentas con esa suerte de la que yo carezco, y sé que eres... —hizo una pausa, se le humedecieron los ojos y con solemnidad continuó— la verdadera Pirática.

—Pero señor Beare, Pirática —replicó Art— tan sólo era un personaje que Molly interpretaba en una obra de teatro.

—Y una vez lo fue. Pero ahora, tú has hecho que Pirática cobre vida. No nos engañemos. Veo a Pirática justo ahí, donde estás tú. Pirática, que cuenta con la suerte de diecisiete demonios. No os decepcionaré; a fin de cuentas, vosotros sois mis viejos compañeros, mis viejos amigos. Alguien debería encontrar de una vez por todas ese grandioso tesoro, y sé que vosotros lo vais a intentar, así que os ofrezco toda mi ayuda para que logréis conseguirlo.

Al darse media vuelta, su abrigo de seda se ondeó con flexibilidad, y Hurkon los condujo por otro pasadizo muy estrecho que llevaba a otro salón.

Art se preguntaba si las cosas siempre funcionaban de esta manera, es decir, ¿cómo era posible que viejos amigos se reencontraran después de tanto tiempo y no se fiaran los unos de los otros? Art contemplaba a los hombres que la acompañaban.

Plunqwette los seguía de cerca, batiendo sus alas muy suavemente. El rostro de Ebad era un escudo de penumbra y oscuridad, mientras que el de Felix era un escudo de esmalte blanco.

El resto estaban borrachos y, por lo tanto, bastante alegres.

Art presentía que Hurkon no se había creído que ella controlaba toda una flota pirata.

Finalmente llegaron al salón: una galería de pinturas. A primera vista, se podría decir que contaba con treinta o cuarenta lienzos, cuyas imágenes, iluminadas con la antorcha, de paisajes, palacios y personas parecían cobrar vida y moverse.

—Mi único lujo —dijo Hurkon—. No es una gran fortuna, pero vale algo.

Pasaron al lado de una doble fila de cuadros.

Cuando Hurkon acercaba la llama de la antorcha a los lienzos, cada uno de ellos brillaba durante unos instantes como una estrella y, poco después, esa luz que habían cobrado se desvanecía.

De pronto, Ebad murmuró:

—Aquí es donde yace toda su fortuna, además de algunas de esas gemas que nos ha mostrado antes, genuinas piedras preciosas que estarán mezcladas con piedras falsas en ese baúl. Que me caiga un rayo si me equivoco.

Felix, en voz baja, contestó:

—Entre esos lienzos por lo menos hay tres pintados por grandes maestros clásicos italianos. Con tan sólo uno de ellos, se podría comprar una isla como ésta.

Al fondo de la galería de Hurkon estaban colgados los dos últimos cuadros. En ellos, se trazaban dos paisajes y curiosamente, después de haber visto los demás lienzos, no parecían estar muy bien pintados.

—Aquí está —dijo Hurkon—. Me trajeron estos cuadros hace mucho tiempo, pues mis hombres conocían mi debilidad por los objetos artísticos y, por ese entonces, mi otra debilidad, que no era ni más ni menos que encontrar la Isla del Tesoro. Ahora, tenéis ante vuestros ojos, y en lienzo, a la isla.

Todos miraron fijamente los cuadros, débilmente iluminados por la luz que emitía la antorcha.

—Pero ¿cuál de los dos es el que retrata la isla? —preguntó Peter, finalmente.

—Ambos.

—Pero...

Las semejanzas entre ambos cuadros eran mínimas, aunque los dos mostraban una larguísima extensión de tierra costera bañada por un mar picado, y donde se alzaba una imponente colina inhóspita y desolada sobre la que, según se contemplaba en ambos cuadros, anidaban en la cumbre una gran cantidad de gaviotas.

Por otra parte, el resto de la extensión cobraba un aspecto totalmente opuesto.

En el primer cuadro, estaba cubierta con un manto de arbustos y flores y adornada con árboles cargados de frutos naranjas, verdes y dorados. En el segundo lienzo, la arena de la orilla era negra como el carbón y sobre ella había esparcidos escombros y restos de otras embarcaciones. Y a pesar de que hubiera un par o tres de árboles, éstos estaban derribados por las balas de cañón o marchitos. Parecían ser simples esqueletos de lo que una vez, tiempo atrás, fueron.

Hurkon apareció tras ellos sólo para deleitarse con su asombro y desconcierto. A pesar de que Art permanecía tranquila, permitió a su tripulación formular todo tipo de preguntas, mientras detrás de todos ellos los hombres que capitaneaban las embarcaciones de la flota de Hurkon sonreían con aires de superioridad. Parecían saber de qué se trataba la broma. Fuera lo que fuera.

Al fin, Hurkon decidió emprender su discurso:

—Existe una leyenda, que ya habréis escuchado, que cuenta que la isla se hunde y se esconde. Es cierto que esas aguas, llamadas los Ámbares Orientales, son traicioneras y peligrosas, pues están malditas, hechizadas. Pero el hombre que pintó la Isla del Tesoro, la encontró dos veces. Sin embargo, nunca llegó a desenterrar ningún tesoro, quizá jamás tuvo un mapa verdadero entre sus manos, pues existe más de uno, como ya sabréis. La primera vez que contempló la isla con sus propios ojos, los deslumbrantes rayos del sol iluminaban extensas praderas cubiertas de árboles frutales y rosales. En cambio, la segunda vez, la isla parecía emerger del mismísimo infierno, ardiente y sucia, fétida y temerosa. Como veis, la Isla del Tesoro tiene dos caras, camaradas. Y, ¿dónde yace el tesoro? Nadie ha logrado dar con él, con o sin mapa. Los dos lienzos se llaman igual.

Art dio un paso hacia delante. Había algo que le había llamado la atención.

Contemplaba curiosamente el breve escrito que había en cada uno de los lienzos, una especie de garabato en la parte inferior del cuadro seguido de una firma del autor de la obra. Tal y como Hurkon había dicho, el autor y el nombre de ambas obras coincidían.

307

De pronto, la luz que proporcionaba la antorcha se fue haciendo cada vez más tenue, como si se alejara de allí. Efectivamente, Hurkon se había alejado y parte de la achispada tripulación de la *Inoportuna* se fue corriendo tras él. Incluso Eerie había salido tras ellos.

Art miró fijamente a Ebad y dijo:

—¿Viste las palabras escritas sobre el lienzo?

—Sí, justo cuando alumbraron con la antorcha.

—«Título y artista: *Playa* —dijo Art—, por Cobhouse.»

ϒ

2. Un rubio explosivo

Como viejos amigos, los piratas cantaban canciones al unísono. Habían acabado con todas las botellas de ron, de vino, de brandy traído de Africay, de sidra de limón elaborada de forma casera y con sacos repletos de café.

—Debéis hospedaros aquí, en mi casa —propuso Hurkon, como buen anfitrión—. Las camas son cómodas, seguro que mucho más que los camastros de vuestra embarcación.

La tripulación de Art aceptó la propuesta sin pensárselo dos veces; se quedarían.

Entonces, Art, quien estaba sentada sorbiendo de su taza de café, en un tono de voz muy relajado dijo:

—Lo siento, señores, pero volveréis a la embarcación. Disciplina ante todo —añadió mirando a Hurkon—. A veces olvidan quién capitanea esta tripulación. Yo y mis dos oficiales pasaremos esta noche en su bonita mansión, muchas gracias.

—¿Y vuestro pasajero, el señor Phoenix?

Art lanzó una larga mirada a Felix, aunque ya se había dado cuenta de que, desde hacía algún tiempo, siempre lo estaba mirando a él.

—Él también se queda. Estoy segura de que le encantará dormir sobre una cama cómoda.

Refunfuñando, el resto de la tripulación de Art, escoltada por dos de los hombres de Hurkon, se dirigió hacia la orilla. Hurkon parecía sentirse satisfecho con haber conseguido que se quedaran los cuatro. Siguieron charlando un rato más, aunque la conversación cobró un tono más dramático cuando empezaron a hablar de su vida pasada como actores de teatro.

Finalmente, Art envió a sus hombres a sus respectivas habitaciones. Subieron hasta lo más alto de la escalera de caracol y después recorrieron larguísimos pasillos con enormes ventanales que dejaban entrever palmeras y otros árboles, suavemente iluminados por las estrellas de medianoche.

—Señor Vooms —dijo Art—, en una hora y media les quiero a todos en pie y preparados para largarnos de aquí.

—Yo había pensado lo mismo, capitana.

En pocos instantes, la mansión quedó en una absoluta y silenciosa oscuridad, excepto por el parpadeo de la luz de las estrellas.

Eerie era el único que se había sorprendido cuando se enteró de que Hurkon no era alguien en quien debían confiar, y que, por esa precisa razón, debían abandonar la mansión, y la isla Mad-Agash Scar.

—Pero estoy agotado, y por la mañana nos servirán chocolate caliente... ¡y podremos darnos un baño!

Por el contrario, Felix entendió desde el primer momento la idea general de sospecha y recelo hacia Hurkon.

Los cuatro —incluyendo a *Plunqwette*, que seguía aferrada al hombro de Art— se deslizaron sigilosamente hasta la escalera más cercana. No había moros en la costa. Si Hurkon Beare hubiera querido mantenerlos prisioneros, habría colocado a algunos de sus hombres para que los vigilaran, y no habría confiado tan estúpidamente en sus huéspedes.

Quizá, pensaba Art, Hurkon podía estar en lo cierto al pensar que ellos no tenían el mapa en su poder.

Una vez que hubieron llegado al impresionante mosaico frontal de la entrada, permanecieron expectantes, pues percibían unos ecos muy débiles. La puerta principal estaba cerrada, pero no con llave, así que lograron abrirla con facilidad. Una vez fuera de la mansión, desde las gélidas sombras de la veranda vieron a dos hombres patrullando por el jardín.

—Pero, ¿qué hacen?

—Mira, uno acaba de trepar por... ¡un árbol!

Art se reía para sí misma.

—Sí, claro, y también llevan unos pantalones a rayas. Son lémures, esos animales que correteaban por las praderas... ¡y ahora están por todas partes!

Lo que habían visto junto al portón no era ni más ni menos que un centinela. El lémur estaba sentado en una silla, con una pistola sobre sus rodillas y durmiendo plácidamente. En el suelo, justo al lado de su silla, había una botella vacía.

—¡Hacia la orilla!

Sin la ayuda de la luz que les hubiera proporcionado la luna, descendieron lo más aprisa posible por las pendientes de las colinas, esquivando arbustos y árboles. La *Inoportuna Forastera* apareció al fondo, flotando sobre las aguas de la bahía, justo detrás de la flota de Hurkon. Desde allí podían avistar los botes de remos de Hurkon, que permanecían en la orilla de la playa, justo donde sus hombres los habían dejado, y un poco

más allá de la playa, una especie de campamento iluminado por luces muy brillantes. Sin duda, tendrían que
evitar dejarse ver por ese lugar.

A Art ya se le había pasado por la cabeza la idea de
que Hurkon debía de ser muy poderoso en esa zona,
pues sólo había dejado a un guardia de seguridad que
parecía ser frágil y poco fiable en la puerta de su mansión. Así que, presumiblemente, nadie se atrevía a
irrumpir en su casa o asaltarlo.

De pronto, mientras recorrían el último grupo de
árboles, se percataron de que alguien corría tras ellos,
mientras se oían chasquidos de pistolas. Segundos después otro lémur muy peludo pasó haciendo gárgaras.
Plunqwette abrió un ojo.

—Ha estado a punto de dispararnos, esa condenada
cosa —se quejó Eerie.

—Pero, ¿qué tipo de criatura es? No debería estar
permitida.

Una vez llegados al último árbol, una enorme figura que a primera vista parecía un simple árbol se
dio la vuelta bruscamente hacia el rostro de Eerie y
comenzó a gritar como un desalmado. Aterrado, Eerie
emitió un agudo chillido directamente a esa cosa con
cara de perro. Era otro lémur. Afortunadamente, pensaba Art, estas criaturas por sí solas armaban unos es-
cándalos ensordecedores, de manera que el grito de
Eerie sería irreconocible entre los chillidos de esos
animales.

Finalmente, consiguieron llegar a la orilla caminando a paso largo y agachados para así evitar ser vistos.

—Ahí hay un bote. Señor O'Shea, coja los remos.

—¿Por qué yo y no Ebad? Él está completamente sobrio —añadió de forma acusadora Eerie.

—Si alguien nos está vigilando desde la flota de Hurkon y ve a Ebad regresando a nuestra embarcación, seguramente se pondrá nervioso. De todas maneras, un poco de ejercicio ayudará a disolver parte del café y el alcohol que te has tragado. El resto nos tumbaremos boca abajo, y eso también te incluye a ti, *Plunqwette*. Eerie, si al pasar junto a la flota de Hurkon alguien te reta o te amenaza, tan sólo maldíceme, insúltame si hace falta, y di que he sido yo quien te ha enviado de vuelta a la embarcación.

—De acuerdo, capitana. Me resulta muy fácil maldecir a alguien que me obliga a remar cuando mi cuerpo me pide descanso.

Sin embargo, y a pesar de su estado de embriaguez, Eerie intentó tomar el camino más adecuado, pasando así lo más lejos posible de la flota de Hurkon Beare. Y aunque había faros encendidos tanto en la proa como en la popa de todas las embarcaciones de Hurkon, no parecía haber vigilantes en ninguna de las cinco cubiertas. No hubo amenazas ni retos. Consiguieron llegar hasta la *Inoportuna*, encontraron los cabos y finalmente treparon por ellos hasta llegar a la cubierta.

Les llevó más de un cuarto de hora despertar a toda la tripulación, que roncaba tranquila y plácidamente, en particular a Black Knack, a quien encontraron profundamente dormido en el baño. Sólo les faltaba informar a cinco hombres para que todos supieran que estaban de retirada.

—¿Cómo izamos las velas, capitana? Con el ruido que hacen, seguro que llamamos su atención...

—La remolcaremos, como en las calmas ecuatoriales. Y esta vez amortiguaremos los remos con trapos. Vamos, no hay tiempo que perder.

La obedecieron sin rechistar. Incluso confusos y adormilados, pero con una voluntad de hierro, todos percibieron un cierto ambiente amenazador que los acompañó durante toda la noche. Así pues, la *Inoportuna Forastera*, remolcada por los botes de remos, se deslizó sigilosamente por la bahía de Hurkon, y volvió a adentrarse en la inmensidad de las aguas oceánicas.

—Los Ámbares Orientales, señor Vooms. ¿Cree que es una pista que debemos tener en cuenta?

—Quizá. Se sitúan en la zona este, y yo también he oído hablar de ellos. Aun así, no existen muchas cartas de navegación que muestren su ubicación. Tal y como habíamos pensado, primero rumbo al sur, después, al este. Una vez allí, deberíamos surcar sobre los Mares de Capricornio, donde las corrientes marinas son extrañas, magnéticas, pues bajo esas aguas yace el Polo Sur. Se dice que cuando navegas por esas aguas, la Indie se posa sobre las cabezas de los marineros, como si fuera la luna.

—¿Crees que nos perseguirá?

Ebad miraba hacia la lejana Mad-Agash Scar.

—Puede que lo haga. Pero tengo el presentimiento de que no lo hará. Se ha convertido en un vago, Art, en un vago desconfiado. Hurkon Beare ya no es lo que era.

313

ϓ

—Señor Phoenix, mire esa constelación de estrellas, brillan como piedras preciosas recién pulidas. Es la Cruz del Sur.

—Algunos marineros la llaman la Espiral del Sur.

—En eso tiene razón. ¿Ha visto alguna vez algo más maravilloso? —Art no esperaba respuesta a su pregunta, pero la obtuvo.

—Sí.

Entonces, Art miró fijamente a Felix mientras pensaba que o Felix se refería a Goldie o ella era el mismísimo fantasma del comerciante holandés.

—Bueno, señor Phoenix —dijo Art—, supongo que usted conoce todas las constelaciones estelares. En esa dirección se halla el Polo Sur. Seguramente nos encontraremos con icebergs flotando sobre esas cálidas aguas.

Estaban justo sobre el castillo de proa. Ante ellos se hallaba el bauprés de la embarcación, y detrás de ellos, el mascarón de proa tapado con una sábana. A su alrededor, las velas, las estrellas y el mar cobraban todo el protagonismo.

Sin duda, Felix les había sido de una gran ayuda a la hora de escaparse de la mansión de Hurkon. Había trabajado de acuerdo con las normas y al compás de sus compañeros. Realmente, les había sido muy útil a la vez que decorativo.

Entonces Felix dijo:

—Ha llegado el momento de explicarle por qué me he mantenido siempre junto a todos vosotros.

—Pensaba que era porque no tenía elección.

—No. Siempre hay otra opción, capitana Blastside.

314

—En momentos de tranquilidad y sosiego como éste, puede llamarme Art.

—Oh, ¿cree que osaría llamarla así?

Art sonrió y contestó:

—Quizá no, pero ya veremos. Sólo quería que lo supiera, pues, tal y como usted ha dicho, siempre hay otra opción.

Felix permaneció en silencio durante unos instantes, y Art también. Los dos estaban apoyados sobre la barandilla de proa, casi rozándose con los hombros.

Detrás de ellos, el resto de la tripulación se entretenía recordando los abundantes manjares que habían degustado para la cena. Las aguas estaban calmadas esa noche, pero, ¿quién sabe lo que pasaría en una hora? Quizá una terrible tormenta, quizá unos enemigos feroces, o quizá la visión de una remota isla perdida, que seguramente, entre las tres opciones, sería la preferida por toda la tripulación.

—Mi padre —dijo Felix.

Otra vez reinó el silencio durante unos instantes.

—Mi padre se llamaba Adam Makepeace. Por él, al igual que usted, Art, he cambiado mi nombre. Sólo pude disfrutar de su compañía hasta que tuve ocho años. Entonces falleció. De eso, ya le hablaré más tarde.

Art estaba expectante, y su corazón latía a mil por hora. Ella había perdido a su madre tan sólo dos años más tarde.

—Mi padre pertenecía a la clase alta, Art, era un landsir. Pero además de ser un hombre pudiente, también era amable y noble. Cuidaba a todos los que lo rodeaban, y con esto no sólo me refiero a su familia, es decir, a mi madre, sus otros hijos, yo..., sino incluso a aquellos que trabajaban para él. En su finca tenía construidas pequeñas casas y cabañas, donde todos sus trabajadores vivían sin pagar renta alguna. Y cuando iba a la ciudad, recogía a todo aquel que se encontrara en apuros. De hecho, mucha gente se acercaba a él para pedirle todo tipo de ayuda, pues él les ofrecía su dinero y les dedicaba la mayor parte de su tiempo. Toda esa zona rural dependía de Adam Makepeace. Imagínese hasta qué punto, que intentaron renombrar la zona por él, Adamsham, querían que se llamara. Pero él jamás lo hubiera permitido. De hecho, siempre se reía cuando lo recordaba. Bueno, en esos tiempos, siempre se reía.

Una vez más, silencio. Mientras él narraba su historia, Art lo miraba atenta. Desde el fondo de sus ojos azul oscuro manaban sombras y corrientes iguales a las que emergían desde el corazón del océano.

Finalmente, Art preguntó:

—¿Y qué fue lo que le impidió volver a reír?

—Oh, capitana, capitana... ¿no lo adivina? Los piratas. Los piratas se lo impidieron. Gente tan encantadora como todos ustedes.

—Ah...

—Ah. Mi padre, Adam, era un comerciante y así fue como forjó toda su fortuna. Tenía suficiente dinero como para lanzar cofres repletos de monedas, pues al día siguiente su fortuna se habría doblado. Su gran orgullo era una embarcación, exactamente una como la que usted capitanea, que, en su tiempo, era la mejor que jamás se había construido, o eso decía él. Se llamaba la *Viajera*. Viajaba a través de los Siete Mares y cuando

regresaba a la Libre Inglaterra, volvía cargada de riquezas. El capitán de esa embarcación era el hermano de mi
padre, mi tío Solomon, Sol. Yo digo que eran hermanos, pero realmente eran amigos, los mejores amigos
sobre la faz de la tierra. Un día, Sol tenía que zarpar con
un cargamento especial, pues significaba una nueva
aventura para Adam. Se suponía que la embarcación
tenía que atravesar todo el planeta para así llegar hasta
las Indies. Éste es un viaje muy arriesgado, como ya
debe saber, pero la embarcación era sólida y tenía provisiones de sobra, además de estar en manos de un
hombre que conocía sus negocios mejor que nadie. In-
virtieron muchísimo dinero, y tiempo, en ese viaje.
Incluso viajaban algunos almirantes, pero también pasajeros. Entre ellos, la hermana de mi madre y su mari-
do, sus hijos y tres amigos íntimos, quienes obviamente no se imaginaban que correrían ningún tipo de
riesgo. Sol era el capitán, así que podían sentirse más
que seguros. Esa noche, antes de que Sol bajara hasta
Port Mouth, mi padre y él discutieron. Tengo entendido que fue a raíz de una cosa trivial, algo relacionado
con la familia. Supongo que no sería la primera riña,
pues llevaban toda la vida juntos. Pero yo era sólo un
niño, y jamás los había visto discutir, así que no lo en-
tendí. Lograron arreglarlo, pero, al parecer, muy forza-
damente. La despedida fue muy fría y mi padre tuvo el
detalle de explicar un chiste, que escuché por casualidad, y que trataba sobre evitar un duelo. Más tarde,
Adam dijo que había escrito a Sol, que le había enviado
una carta al pueblo de Free Cape para averiguar qué
había encontrado en esas tierras.

Entonces, otro intervalo silencioso volvió a establecerse en la conversación. Art no pudo resistirse, y en voz baja dijo:

—Y...

—Y un mediodía, cuando navegaba entre Guinea y el cabo de Buena Esperanza, tres embarcaciones se echaron encima de la *Viajera*. Ondeaban la bandera de los asesinos, la Jolly Roger, como vosotros la llamáis, la bandera de la muerte. Los cañones estallaban a diestro y siniestro. La *Viajera* no estaba a la altura de esos tres malvados demonios, así que no tardaron mucho en darle y derribar dos de sus mástiles. Después, la abordaron sin ningún miramiento. Piratas, Art, y créame cuando le digo que no tienen nada que ver con sus nociones del honor, con Molly Faith y sus códigos de la obra..., absolutamente nada que ver. Mataron sin piedad a todos los que estaban a bordo de la embarcación de mi padre: hombres, mujeres... incluso niños. Como oye, a los niños también. Dispararon contra ella hasta hundirla, y después huyeron con todas sus riquezas. Tan sólo un hombre sobrevivió. Perdió un ojo y una pierna, pero logró escapar gracias a un tablón que flotaba sobre el océano que le sirvió como apoyo. Otra embarcación lo recogió esa misma tarde; si no hubiera sido por ella, habría muerto. Él fue quien me relató toda la historia. Por culpa del hundimiento de esa embarcación, mi padre se arruinó y perdió todo lo que había conseguido hasta entonces. Y mucho más que eso. Uno por uno, sus otros hijos enfermaron y fallecieron. Así que tuvimos que mudarnos a una pocilga de barrio bajo, donde mi padre perdió todo su cabello... y nadie volvió a interesarse por nosotros.

—¿Nadie os ayudó?

—Nadie. Mi padre tenía la esperanza de que dos o tres de sus antiguos amigos nos ayudaran, pero ni siquiera se dignaron a aparecer por casa. Gracias a sus pérdidas financieras, y a otras pérdidas consecuentes, Adam cayó en una tremenda depresión. El pueblo también se vio afectado por todo este altercado. Lo insultaban, Art, lo insultaban y maldecían por haber confiado tanto en una única embarcación. Como si fuera su culpa, y no la de esa chusma que vaga por los mares y la hundió. Vivió cuatro años más, y después falleció. A raíz de eso me acogieron en una casa de caridad del condado.

—¿Cómo logró sobrevivir usted, señor Phoenix?

—Cuando era niño cantaba, y bastante mejor de lo que lo hago ahora. Años después, era capaz de pintar retratos, así que la gente empezó a tenerme en consideración. Decían que tenía una voz muy melosa, que era un jovencito adorable... y todo gracias a este bonito cabello tan rubio. Art, mi cabello no es rubio. Yo solía tener el cabello negro como el carbón, al igual que mi padre, pero perdió el color cuando era muy joven. De hecho, cuando tenía ocho años, en esa maldita casa de caridad.

—Felix... —dijo Art.

—Sí —dijo él—, Felix. Significa «feliz», ¿lo sabía?

—Se quitó su anillo de rubí que su padre le había regalado...

—No es un rubí, es cristal, a pesar de que un día sí que tuvo incrustado un verdadero rubí. Así fue como Adam pagó al hombre que logró sobrevivir al desastre

319

de la *Viajera*, con el rubí verdadero del anillo. Después, Adam colocó un cristal rojo en su lugar. Fue todo lo que me dejó cuando falleció. Aún me acuerdo cuando me lo arrojaron diciéndome: «Puedes quedártelo, no vale nada».

Detrás de ellos, los piratas cantaban a voces mientras el tictac de los relojes sonaba al compás de la canción.

Art pensaba: «Yo tenía dos años y usted cuatro cuando la *Viajera* se hundió. Yo tenía seis años y usted ocho cuando su padre murió. Usted tenía doce años y yo diez cuando Molly... fue asesinada».

—Gracias por su confianza —dijo Art—. No cabe decir que esto quedará entre usted y yo.

—Cuente también con Ebad Vooms. Yo se lo conté, y también a Glad Cuthbert.

Art se sentía decepcionada, y después, resignada. Hombres... ¿quién los entiende?

—Así que esto me lleva —continuó Felix— a por qué estoy aquí. Ésta es la única confesión que no he explicado a ningún otro. Estoy aquí para observar todos sus movimientos, capitana, y también los de sus valientes piratas. Intento plasmarlo todo sobre el papel, todos vuestros robos, incluso escribo un pequeño diario relatando todos los crímenes. Cuando acabe, llevaré todo este material a Inglaterra, donde, junto con mi testimonio, demostraré todo lo que ustedes hacen y los conducirá a todos y cada uno de ustedes ante la justicia. No me gustan los piratas. Quizá ahora pueda entender el porqué.

Art lo miraba perpleja, con sus ojos verdes agrisados, fríos como el acero y brillantes como las estrellas del cielo nocturno. De pronto, su corazón dejó de latir.

—Entonces, señor... no me deja otra elección que...

—¿Matarme? Pero usted no mata, ni tampoco los que la acompañan. Así que no sé como va a hacerlo.

—Ya encontraré alguna otra manera —dijo Art— para impedir sus planes.

—La única manera es mi propia muerte.

Art apretaba los labios con todas sus fuerzas.

—No se preocupe. Ya encontraré otra manera. De momento, señor, le dejo a solas para que pueda tomar sus notas y tramar sus planes. Por otra parte, desde ahora, se sentirá, y muy a mi pesar, menos libre a bordo de esta embarcación.

—No me he sentido libre desde hace diez años. Buenas noches, capitana Pirática.

Cuando la tranquila, y a la vez perturbada, noche pasó, el sol apareció justo enfrente de la embarcación. El cielo estaba despejado y de un color azul claro, todo lo contrario que el océano. Las aguas estaban picadas, y se habían teñido de un color claro que se asemejaba al del té vertido en una taza blanca de porcelana china.

3. Aguas extrañas

La *Inoportuna Forastera* navegaba a través de esas aguas ámbares con ligereza, llevada por un viento caprichoso y fresco. Así pues, decidieron dejarse guiar por la brisa marina que los acompañaba y tan sólo orientaban las velas para estabilizar la embarcación. La brisa cargaba consigo un aroma floral y de hierba recién cortada, aunque no lograban avistar ni tan sólo un pequeño islote de tierra firme. Una vez, una roca pasó flotando junto a ellos, como si se hubiera desprendido de las profundidades del mar, como un barrote de una cerca flotando sobre un parque inundado.

—Algunos dicen que bajo estas aguas repican las campanas a medianoche.

—También cuentan que el kraken, el enorme monstruo marino que habita en el océano, mora por estas aguas.

—Por favor, callaos.

Plunqwette estaba apoyada en la cofa de vigía del mástil, escudriñando el horizonte y, muy de vez en cuando, gritando alarmas bastante inútiles:

—¡Polly quiere un dólar! —o—, ¡Piezas de corcho!

Muck también estaba animado y activo, corriendo arriba y abajo por la cubierta con media lengua por fuera y moviendo enérgicamente la cola.

—Estas aguas tienen energía —dijo Eerie—. Lo siento en mis propias carnes, como si fuera café puro. O mejor aún, como un té muy concentrado, que se le parece más en el color.

Mientras, día tras día, en los cálidos atardeceres ámbares, el tema de conversación principal continuaba sin resolverse.

—¿Felix es nuestro enemigo? ¿Creéis que nos traicionará ante la Corte? —preguntaba Walter.

—Dice que ha escondido todos sus dibujos y todas

sus notas en un lugar que jamás encontraremos. Y, de hecho, no los hemos logrado encontrar.

—Linchémosle, capitana Art. ¿No creéis? Eso es lo que él nos desea a nosotros una vez lleguemos a Inglaterra —dijo Black Knack.

—No —contestó Art—. Dejémosle hacer. Podemos confinarlo en las cubiertas inferiores, incluso podemos maniatarlo, si es necesario, una vez lleguemos a la isla.

—Si llegamos, claro. Si existe.

—Playa, por Cobhouse —dijo Art—. Diez kilómetros hacia arriba. Quince pasos hacia la izquierda.

—¿Cómo es posible que Hurkon no fuera capaz de imaginárselo? Además, tenía los dos dibujos.

—Quizá no tenga en su poder un mapa certero y real. Además, tampoco tiene al loro de Molly.

Art les mostró a todos el mapa. Justo en las aguas color añil dibujadas en el mapa yacía la isla marrón, a pesar de que tanto el mapa como una parte de la isla estaban quemados de una forma irregular. ¿Qué pistas se habrían perdido en ese trozo que se había quemado?

En la parte inferior del mapa estaban escritas esas letras misteriosas, que sin duda eran una especie de pista: OOP, TTU, FAB, MMN, RRS, AFC, HHI, YYZ, FAD.

—Esas letras seguro que significan algo, y algo muy importante —dijo Whuskery—. OO, TT, HH…

Cuthbert, que estaba apoyado en el mástil principal, comentó:

—Significan una gran dosis de indigestión.

—¿Por qué Ebad no nos había informado antes del mapa? Venga, Eerie, dínoslo. ¡Él te lo dijo a ti! ¡Y a ella! —exclamó Black Knack.

Art se levantó y empuñó la espada que con anterioridad había batido con elegancia y rozó con delicadeza la punta de la nariz de Black Knack.

—¿A ella, señor Knack?

—Tienes razón, no eres una chica. Eres el mismísimo demonio. Pero... ¡qué diablos, capitana! De acuerdo. Te pido disculpas, capitana. Son los nervios.

—Pues contrólate —le advirtió Art— para que no causen problemas, o accidentes. Si el señor Phoenix sufre algún daño, sabré exactamente dónde buscar al culpable, en tus nervios. No rompas el código, señor Knack. Te lo digo por tu bien.

—Ebad, es posible que Felix sea el traidor que estábamos buscando, pero espero que por su bien no sea así, aunque nunca ha estado de nuestro lado.

—Sí, es posible, Art. Pero, ¿crees que nos traicionaría para beneficiar a Goldie?

—A él le gustó Goldie en cuanto la vio. Quizá la conocía de antes... y cree que puede cambiarla y retirarla del mundo pirata.

—A mí me da la sensación de que Felix no es un bobo cualquiera.

—Ya sabemos que alguien la avisó. Alguien más, Ebad Vooms, o al menos eso es lo que yo pienso, hundió el barco del café en Port Mouth. Eso no entraba en mis planes, a pesar de que fue una gran ayuda. Podría habernos hundido por todo lo que el señor Phoenix sabía. Y él estaba en la cubierta inferior. Así que, ¿crees que pudo ser él?

—Pero no sabía nadar, Art.

—Quizá eso era lo que quería hacernos creer.

Ahora, en los camarotes de la tripulación bajo el castillo de proa, Felix estaba recostado sobre su camastro.

Aún dibujaba, a partir de las imágenes que retenía en su memoria, la galería de retratos de todos aquellos que acababa de conocer. Dos de estos retratos eran particularmente excelentes. Uno de una joven de ojos felinos y rizos negros, y el otro de una joven con una mirada de acero y cabello castaño con un único reflejo color calabaza. Goldie y Art. También había retratos del señor Beast y Pest, y de Tattoo, y uno o dos de la tripulación de la *Enemiga*. Los últimos trazaban a la perfección los perfiles de Hurkon Beare y sus capitanes. Cómo no, todos sus acompañantes también estaban presentes en la galería.

Felix, quien estaba terminando el último esbozo que había hecho de Art —de hecho, había dibujado varios esbozos de ella—, se levantó y caminó por todo lo largo de la oscura cubierta principal hasta llegar al barril de las manzanas, que habían dejado allí para que estuviera accesible a todos, y empezó a sacar manzanas. El sacar constantemente más y más frutas exóticas, además de las manzanas, hacía que el barril fuera mucho más ligero, más liviano. Una vez hubo extraído todas las frutas, se dio cuenta de que en el fondo del barril aún había restos de otros saqueos, y también los sacó fuera. Después, introdujo el último retrato de Art dentro del barril, y enseguida volvió a meter los restos de saqueo, las manzanas y, por último, la tapa del barril.

Entonces se levantó y permaneció en pie mirando el barril cerrado.

Realmente no le importaba mucho si encontraban o no el retrato de Art. De hecho, había escondido retratos por todos los rincones de la embarcación, y ni uno solo había sido encontrado. Era como una especie de juego. Además, en el caso de que encontraran los dibujos y retratos, podría volverlos a dibujar otra vez, y quizá mejor, si cabe. A no ser que Art rompiera su código y se lanzara contra él.

Había sentido la obligación de contárselo, a pesar de que aquello había sido una locura. Y obviamente, ella había alertado a todos sus hombres contra él.

Black Knack era el único que había amenazado a Felix, y Ebad y Cuthbert habían tenido que llevárselo a rastras para alejarlo de él.

Además, Black Knack también parecía ser el único que estaba preparado y dispuesto para matar a un hombre que, además, había sido compañero suyo. Pero Felix había oído a Art prometiendo que, si Black Knack lo hacía, lo abandonarían en alguna isla desierta de los Ámbares.

En lo más alto de la embarcación, Felix lograba escuchar a Honest Liar tocando la viola de rueda de Cuthbert. Honest había cogido el instrumento y, sin que nadie le hubiera enseñado previamente, empezó a tocarlo. De hecho, había pasado lo mismo cuando se vio en la obligación de nadar.

Honest era un buen hombre, además de inocente y

joven, de hecho, pensaba Felix, no mucho mayor que él. Walt tampoco era mucho mayor, y Peter tampoco. Dirk y Whuskery anhelaban su antigua vida de actores y bambalinas, y contemplaban el tesoro como una forma de convertirse en reconocidos actores de éxito. Eerie añoraba Eira. Ebad, que una vez fue un esclavo, merecía cualquier tesoro o riqueza que pudiera conseguir. Y Cuthbert tan sólo deseaba poder volver a casa para estar con su querida esposa y así tener una discusión como Dios manda —ya sabéis, tirándose cacerolas y ollas a la cabeza— para después poder reconciliarse con un cálido abrazo.

Y Art... bueno, Art sólo quería a su madre.

Su madre también debía de haber ejercido como padre, a juzgar por lo poco que Felix había alcanzado a escuchar sobre el padre de Art.

Así que Art se había transformado en la viva imagen de Molly, para desenterrarla de las memorias de sus compañeros.

Pero, ¿eso era todo?

No. Demasiado sencillo... Art...

Era Art.

Art...

Era Pirática, tal y como el ricachón del pirata de Hurkon había dicho.

Inmerso en sus reflexiones, Felix se vio sorprendido por Walter, quien había venido para llevar a Felix a la cubierta principal con el fin de que éste pudiera respirar un poco de aire fresco.

Walter, descontento, miraba de reojo a Felix. No le dirigiría la palabra.

Entonces, Ebad dijo:

—Ve a dar una vuelta, señor Phoenix. Nadie te guarda rencor. Ya has cargado con suficiente peso.

Pero nadie miraba a Felix, ni le hablaba, ni tan sólo osaba pedirle una canción. Naturalmente, nadie quería que se dibujara un retrato sobre él. Pero Felix estaba acostumbrado a estar, y sentirse, solo.

Art Blastside se dirigió hacia su camarote. Estaba muy ocupada intentando ahuyentar a los fantasmas de Felix que, con el tiempo, habían habitado su corazón.

Antes de su «confesión», ella había estado planeando cómo ganárselo. Pero ahora tenía que deshacerse de él. Molly lo habría hecho.

Amaneceres y crepúsculos, crepúsculos y amaneceres. El océano ámbar brillaba como si en la superficie ardieran pequeñas llamas. De vez en cuando, extrañas corrientes bamboleaban la embarcación. Incluso una vez se toparon con una colosal tormenta que les regaló más de un torbellino y que se rompía en mil pedazos cada vez que un rayo ensordecía el ambiente. La lluvia era fina, constante y salada, como si proviniera de las mismas aguas oceánicas. Finalmente, todo dio un giro y volvió a la normalidad y a la calma. Habían logrado dejar atrás la tormenta, mientras la embarcación se encabritaba y sorteaba las olas como si fuera un ser vivo, furioso y muy pequeño.

A la mañana siguiente avistaron una isla.

—¿Será ésa la isla que estamos buscando?

Desde luego, no lo era. A unos pocos metros, yacía

como un pastel achatado y el único adorno era una palmera, que crecía justo en el centro del islote, el cual parecía estar teñido de color negro metalizado y revestido con capas de sal marina.

Tanto Felix como Black Knack le echaron un vistazo de recelo. En horrorosos peñones como ése, cientos de piratas abandonaban a aquellos en quienes no confiaban o que les habían sido desleales. Pero, esta vez, nadie abandonó a nadie.

Después, navegaron a través de las orillas de una cantidad infinita de islotes como el primero, que parecían estar esparcidos por el océano por alguien con poco cuidado y poco pulso. Algunos de ellos no tenían nada, sólo arena tan blanca que cegaba los ojos. Otros eran pedregosos. En otro descansaba un bote abandonado y deteriorado, un desdichado aviso de que alguien había sufrido un desgraciado percance.

Al anochecer, toda la tripulación ya estaba harta de esos espantosos islotes diminutos.

—Estos malditos islotes son como un sarpullido.

—¡Por los bigotes de las focas! ¿Es que no volveremos a ver tierra firme nunca más?

Esa noche, toda la tripulación cenaría sobre la cubierta. Una cena que estaba amenizada por la banda pirata, acompañada de Honest con la viola de rueda. Felix no cantó, a pesar de que le dejaron subir a la cubierta para que pudiera cenar y respirar algo de aire fresco.

—Te damos las gracias, Señor, por estos alimentos que nos has dado.

El exquisito menú de esa noche consistía en pescado, pan recién horneado, sopa de carne y col, y una jarra llena de cerveza.

Las grandes estrellas de la tripulación abrieron la puerta.

Muck recorría sin dirección alguna toda la cubierta a la vez que ladraba sin razón aparente.

Plunqwette permanecía inmóvil, como si fuera de juguete.

Mientras, la luz de las estrellas alumbraba a la pequeña Art.

—Capitana Art...

—¿Sí, señor Walt Salt?

—Mire hacia arriba... hay un montón de loros apoyados sobre nuestros mástiles.

Art, quien hasta entonces había estado preocupada por el valioso mapa de su camarote, se giró hacia Walter con una expresión de sorpresa:

—¿Te refieres a *Plunqwette*?

—No, a menos que se haya roto en cincuenta pedacitos de colores.

Todos estaban sobre la cubierta, todos excepto Felix, quien permanecía confinado en las cubiertas inferiores.

Sobre todos los palos y barras de cada uno de los mástiles, sobre las barandillas, sobre la caseta de proa y sobre el camarote de Art..., sobre todas las partes de la embarcación había loros. Parecían flores de colores: azul celeste y negro azabache, rojo cereza y amarillo canario, blanco puro y rojo pasión, gris intenso y púrpura brillante, carmesí y jade, y miel.

Toda la tripulación se había quedado, al igual que *Plunqwette*, sin palabras. Posados en los mástiles, parecían, pensaba Art que los miraba perpleja, un coro de colosales loros que habían sido amaestrados por el mismísimo señor Haydn, el compositor, y que estaban a punto de...

—¡Tierra a la vista! ¡Tierra a la vista!

Al escuchar el alarido de Whuskery desde la cofa de vigía, todos los loros de los mástiles estallaron en graznidos de satisfacción. Los hombres de Art se ponían las manos en los oídos y se apresuraban para encontrar un cobijo seguro, pues la cubierta empezaba a estar adornada por ciertos excrementos que provenían de los loros.

Plunqwette, en cambio, se acercó caminando como un pato desde el gallinero que tenían formado los loros.

—Clac-clac —graznó *Plunqwette*, después miró a Art—. Ha llegado el momento —dijo el loro con la voz de Molly—, sé fuerte, mi vida.

Después salió disparada hacia las jarcias, junto a los demás loros, que seguían indemnes tras haber manchado todas las velas con sus excrementos.

Y a través de las velas, lograron avistar una masa de tierra firme justo enfrente de ellos. Lo primero que se alcanzaba a ver era una pequeña colina donde los árboles crecían en forma de espiral. En los pies de la colina, una línea de la arena más blanca jamás contemplada. En los extremos de la playa se veían más árboles, flores y frutas de los mismos colores que las plumas de los loros, rojo cereza, dorado deslumbrante y verde chillón. En lo más lejos, se alzaba un espeluznante y pedregoso acantilado.

Las aguas más cercanas a la orilla fluían de un color azul intenso y cristalino.

Sin duda, era la isla que Cobhouse había dibujado en su segundo cuadro. Era, y no podía ser otra, la Isla del Tesoro.

Capítulo II

1. La Isla del Tesoro

Desde las ramas de los árboles más cercanos a la orilla, colgaban los frutos más maduros y apetecibles que jamás habían visto. Más allá, otros árboles frutales mostraban sus frutas de color rosado y amelocotonado. Las flores parecían formar un manto tupido que cubría el suelo y que trepaba por los troncos de los árboles. Este paisaje yacía tras la arena de la playa, que brillaba como si en ella estuvieran esparcidos miles de diamantes. Justo donde la arena empezaba a convertirse en tierra húmeda, se alzaban flores y árboles frutales que a unos metros se convertían en un espeso bosque que parecía hecho de terciopelo verde. En el centro aparecía la pequeña colina, aunque desde la distancia a la que estaba la embarcación resultaba casi imposible advertir todos estos detalles.

Sobre la cima de la colina, sobre los altísimos árboles del bosque y sobre las frutas de los árboles situados a la orilla, había más loros. Parecía que sobrevolaban en millares, y muchos de ellos se juntaban tanto que daba la impresión de que fueran enjambres de abejas de colores.

Mientras, algunos de los loros que se habían asentado en los palos y mástiles de la embarcación la abandonaron y se dirigieron hacia la orilla de la playa. En cambio, otros permanecían en el navío, dando vueltas y más vueltas por encima del mástil principal, o sobrevolando los botes de la *Inoportuna* o las cabezas de la tripulación. Volaban tan bajo que más de una vez llegaron a tirar al suelo los sombreros de los piratas. De vez en cuando, una bandada de cientos de loros cruzaba toda la orilla hasta llegar al mástil principal, donde se reunían con sus compañeros. De pronto, plumas y excrementos de animales empezaban a caer desde el cielo como copos de nieve.

Las palas y picas que habían traído para cavar caían al suelo de la cubierta formando un escándalo estrepitoso y los cabos y cuerdas que habían traído para trepar empezaron a enredarse formando una tremenda maraña.

—Pero ¿qué es todo esto? ¿Qué les pasa?

—¡Espántales con las manos y los brazos, Whuskery! Mirad, uno acaba de echarme a perder el abrigo...

—¡Por todos los dioses!

—Baj...

—Ecs...

—¡Maldita sea! ¡Ha entrado por el calcetín!

Muck no paraba de ladrar mientras pisoteaba a todo el mundo. Mientras tanto, espadas y alfanjes chocaban entre sí y los loros se perseguían los unos a los otros. Además, resultaba imposible distinguir a *Plunqwette* entre las enormes bandadas de plumas de colores.

Entonces, Art gritó con todas sus fuerzas:

—¡Disparad hacia el aire! ¡Señor Vooms! ¡Señor Dirk! Apuntad bien, no quiero que ningún loro quede herido, ¿entendido? Los demás, no os mováis.

Art también se unió a los disparos de sus compañeros.

La multitud de loros graznaba y agitaba las alas enérgicamente mientras se dirigía directamente hacia el corazón de la isla. Presumiblemente, *Plunqwette* se había unido a los de su especie.

La tripulación se retocaba los ropajes, que habían quedado bastante desarreglados después de aquel percance.

Art contemplaba la isla gracias al catalejo de Ebad.

Algo de color negro parecía estar al acecho, merodeando por el verdor luminoso del bosque. Al principio, no estaba muy segura de lo que era. Además, en la cima del acantilado parecía haber un débil rubor que se esparcía por la vegetación.

Mirando hacia el otro lado, la colina permanecía sin movimiento alguno, tupida por el manto de los árboles. Lejos de todo eso, la playa yacía bañada por las aguas cristalinas del océano. De hecho, la colina parecía estar de más en la isla.

Una vez hubieron echado el ancla en las aguas más cercanas a la playa, la *Inoportuna* flotaba sobre un océano del mismo color que el té. Tan sólo dos hombres se quedaron a bordo de la embarcación: Salt Peter, quien se había agarrado al mástil principal como un clavo ardiendo y, muy bien atado a su camastro, Felix Phoenix, su antiguo amigo.

335

Entonces, Black Knack dijo:

—Y bien, capitana, ¿por dónde empezamos a cavar?

—Aquí, no —respondió Art—. Caballeros, les contaré lo que tengo en mente. Esta parte de la isla, aquí abajo, cuando sube la marea, queda cubierta por las aguas del océano, así que queda sumergida. Bueno, quizá no pasa cada día, pero sí muy a menudo. ¿Podéis ver eso de allí tan oscuro entre los árboles? Es una zona que se está recuperando después de haber estado sumergida en estas aguas y cubierta por salmuera marina. Se comenta que mientras se encuentra sumergida está conservada, al igual que la carne se conserva en vinagre y especias. Como podéis observar, el resto ya está del todo recuperado.

—Tiene razón —dijo en voz baja Eerie—. Es por eso que dicen que huele tan mal. Cuando sube la marea, la playa, los árboles frutales de los extremos y la zona forestal del interior se hunden y quedan sumergidos en el océano. Todo lo que se sumerge, muere. Después, cambia la marea, y todo vuelve a salir a la superficie. Tal y como ha dicho Art, parece que la isla, bajo las aguas, se conserve...

—Entonces, poco a poco la isla empieza a cobrar vida, las hojas, flores y frutos empiezan a brotar otra vez —finalizó Whuskery—. Hasta que vuelva a subir la marea y vuelva a sumergirse.

—La parte inferior del mapa está completamente quemada —dijo Art—. Puede que no haya sido un accidente. De hecho, yo creo que ha sido intencionado, deliberado. Muestra cómo las aguas del océano cubren la isla, y muestra la única parte de la isla que siempre se mantiene en la superficie, que es el acantilado —apuntó—. Como podéis ver, hay vegetación, y ésa es la razón por la que todos los loros se dirigen hacia allí cuando el resto de la isla está completamente bajo el agua. Por otra parte, cuando una embarcación navega por estas aguas seguramente no aviste otra cosa que una roca pedregosa, nada que pueda hacer pensar que vale la pena ir hasta allí para investigar.

—Entonces, ¿cómo podemos saber cuándo va a volver a sumergirse? —preguntó Whuskery intranquilo.

—No podemos saberlo. Las mareas son muy extrañas en esta zona, de eso estoy segura. Nadie que conozca este hecho enterraría aquí un tesoro, ni siquiera en la cima de la colina.

—Entonces, ¿dónde...?

—En lo más alto del acantilado, caballeros. ¿Dónde si no?

—Pero, capitana... las rocas son muy escarpadas... ¿quién sería capaz de escalar el acantilado? Aunque contáramos con cabos y cuerdas, ¿cómo lo conseguiríamos?

—Veamos a ver si podemos adivinarlo.

—¡Peter!

Salt Peter, quien empezaba a rozar la locura sobre la cubierta, escuchaba la voz de Felix, que no paraba de llamarlo y gritarle desde las cubiertas inferiores.

Peter bajó hasta la cubierta inferior y miró hacia la lúgubre habitación, donde tan sólo un camastro arrinconado ejercía de ornamento.

—¿Qué quieres?

—Me preguntaba si serías tan amable de desatarme.

—No.

—Peter, sabes de sobra que no soy peligroso. No sé luchar y no sé nadar. Te doy mi palabra de honor de que no haré nada. Pero me estoy muriendo de calor aquí abajo.

—No —contestó Peter—. Lo siento mucho, pero no lo haré, canalla. Además, si hiciera lo que tú dices, ella me despellejaría.

—¿Quién? ¿Art? Pero ella no mata, o eso es de lo que presume.

Peter no volvió a abrir la boca. Subió la escalera y cerró la escotilla de un golpe seco.

Felix suspiró y reemprendió la tarea que ya había comenzado: deshacer la cuerda con la que estaba atado con una pequeña lima que había encontrado sobre la cubierta el día anterior.

El camino a través del bosque de la isla, que debía medir casi un kilómetro, resultó ser, en un principio, realmente apasionante.

—¡Mirad! ¡Mirad! ¡Son joyas!

Todos miraban las orquídeas de los helechos que se alzaban desde el suelo.

—Sólo son flores.

—No, imbécil. ¡Míralo bien! ¡Es un zafiro del tamaño de mi ojo!

Y lo era.

Art, ahora consciente de que no era capaz de distinguir una piedra preciosa real de una falsa, preguntó cautelosamente:

—¿Es cristal?

—Sin duda, no lo es. Es tan verdadero como la luz del día.

En un principio, decidieron quedarse con el zafiro. Según la ley pirata, el botín pasa a ser propiedad común que tiene que dividirse casi en partes iguales. Dos partes para el capitán y una parte para cada miembro de la tripulación.

Pero después se encontraron con seis berilos deslumbrantes y, más tarde, con siete de color granate. Por si fuera poco, en uno de los caminos por los que corría algo de agua del océano que aún no se había evaporado, encontraron puñados de monedas de plata y pepitas de oro cubiertas de algas, que se habían quedado atrapadas en las esqueléticas raíces de los árboles y en espinas y conchas pertenecientes a antiguos animales acuáticos.

—Aquí yace una gran fortuna.

—Pero, ¿qué tipo de tesoro está enterrado en esta isla como para dejar esparcidas por la isla riquezas como éstas? —susurró Eerie.

—Sea lo que sea lo que esté esparcido por esta isla, no es más que una ofrenda al destino —dijo Ebad—. Así que mejor dejemos estas riquezas donde estaban, camaradas. Seguramente nos traerán mala suerte, pues ni tan sólo el océano se las ha llevado consigo.

De forma precipitada, todos los que habían recogido estas riquezas las volvieron a arrojar al suelo, sobre el fango y las conchas. Pues es sabido que tanto los pira-

339

tas como los actores se caracterizan por ser supersticiosos.

Así pues, con los bolsillos vacíos salieron del bosque y continuaron su camino. La luz del sol era tan intensa e impetuosa que les cegaba los ojos.

El acantilado se alzaba vigoroso y poderoso ante la lisa superficie.

—No se puede escalar.

—Tiene que haber una manera —dijo Art.

—Diez kilómetros hacia arriba, eso es lo que aquel loro dijo. Realmente, parece que tiene razón. Quizá con una cuerda no se agriete, no, o mejor con un agarre.

Art sacó el mapa, se puso de cuclillas y lo extendió sobre el suelo. Todo el mundo se agachó y lo observó con atención.

Después, se sentaron. El sol los alumbraba a todos ellos, y también al mapa del borde quemado, con su indescifrable código de letras, con las oes, y las tes, las haches, las erres, las íes griegas... Y, cómo no, alumbraba al inalcanzable acantilado.

—Fantástico. Esos pajarracos revoltosos ya están de vuelta.

Horrorizados, Art y la tripulación miraron hacia el cielo.

Como si aplaudieran con las alas, tintados de todos los colores del arco iris y farfullando entre las nubes, los loros empezaron a descender desde el sol directamente hacia su ubicación.

Tal y como iban descendiendo, llenaban la atmósfera no sólo con pelusa y otro tipo de cosas, sino también con palabras.

Ahora, cada loro graznaba palabras, palabras incomprensibles y sin sentido en inglés. Pero Art también los había escuchado decir palabras en francés y en español, incluso en latín, lengua del mundo antiguo, y otras lenguas de las que jamás había oído hablar, pero que Molly le había enseñado.

Su tripulación también se había dado cuenta de la variedad de lenguas que repetían.

—¿Es griego?

—Es africayano... conozco bien ese dialecto...

—Es chino mandarín, estoy seguro. La verdad es que no lo hablo, pero lo he oído hablar.

—Yo diría que es hindi... la lengua de la Indie.

Al fin los loros aterrizaron.

Ya no volaban sin rumbo alguno, sino que permanecían en tierra firme. Así, a primera vista, parecía que fueran más de doscientos ejemplares, y todos estaban allí, posados sobre sus cortas y peludas patas, con las alas recogidas y bien ajustadas a su pequeño cuerpo, moviendo sus cabezas con el mismo vigor que cuando graznaban, con sus ojos color perla pestañeando, chasqueando el pico y zarandeando de un lado a otro sus lenguas negras.

Balbuceaban fragmentos y partes de las frases más desconcertantes y disparatadas jamás oídas...

—¡Pájaro de hueso! ¡Ocho, y luego, ocho más! ¡Golpear justo ahí! ¡Dieciséis pasos! ¡Veintiún pasos! ¡Derecho o al suelo! ¡Quitad la tapa! ¡Diecinueve! ¡Mirad qué pálido estoy! —Esta última provenía de un loro que ostentaba los colores púrpura intenso, negro y turquesa.

341

¿Cómo podrían saber dónde empezaba la retahíla de frases y dónde acababa? Entre los parloteos absurdos y balbuceos de alaridos podían distinguirse algunas voces que parecían provenir de seres humanos, mientras que muchas otras procedían inconfundiblemente de loros.

Entonces, a través del tumulto se escuchó el característico graznido trompetero de la misma *Plunqwette*, que ya no sonaba en lo más mínimo a la voz de Molly.

—¡Diez kilómetros hacia arriba! ¡Diez kilómetros hacia arriba!

Desesperados los piratas en busca del verdadero tesoro, que nunca habían abierto un cofre que no fuera entre bambalinas y sobre un escenario, se miraban los unos a los otros. Si ésta era una especie de pista, o un código, ¿cómo lograrían adivinar lo que significaba? Fuera quien fuera quien hubiera enseñado a esos pájaros, tan sólo les había enseñado fragmentos de un elaborado discurso. Centenares de retazos de un mismo discurso, como un rompecabezas cuyas piezas están dispersas o como un plato hecho añicos que nadie se ve capaz de reconstruir.

Cuando Felix subió a la cubierta principal, Salt Peter, el único que se había quedado a bordo haciendo guardia, miraba con celos hacia la isla. No prestaba atención a nada más que no estuviera relacionado con ella.

Felix se acercó sigilosamente hacia él por la espalda y, a regañadientes, colocó una pistola, una de las muchas que se guardaban en el almacén, justo en el cuello de Peter.

Peter dio un salto del susto.

—Lo siento. Ayúdame a bajar un bote.

—La capitana dijo...

—Voy a ir a la isla.

Ambos se miraron afligidos.

—¿Por qué quieres ir a la isla? ¿Es que acaso quieres tomar más notas como pruebas contra nosotros, para que así nos cuelguen?

—Quizá. Y mi intención es ver con mis propios ojos el tesoro que están buscando, si es que realmente existe.

—¿Quieres una parte? No me lo puedo creer. Obviamente, no lo repartiremos contigo, rata callejera.

Felix blandió la pistola.

—Quiero saber si toda esta pesadilla en la que estáis metidos es verdaderamente real. Ahora, un bote.

Entonces, Felix pensó: «He aprendido el método adecuado para amenazar, Dios me ayude. Aunque, la verdad, creo que funciona».

Peter se acobardó y dijo:

—Si tú vas a la isla, entonces yo iré contigo.

—Perfecto. Serás tú quien tome los remos, señor Salt. Durante estos días he remado todo lo que debía remar en esta vida.

—¿Qué te hace pensar que seguirás con vida cuando Art te vea?

Finalmente, el bote se alejó del navío. La *Inoportuna Forastera* se quedó flotando sobre un reflejo trému-

343

lo justo en el lugar donde las aguas del océano azul se mezclaban con las aguas ámbares. No había ninguna otra isla a la vista, y tampoco ninguna embarcación más. Estaban completamente solos. Su única compañía era la isla y los loros que cacareaban desde lo más alto de la colina, cuyas plumas relucían con la luz del sol y parecían figuras hechas a partir de rubíes y esmeraldas, zafiros y topacios, diamantes y oro... Sin duda, ése era el tesoro más preciado del mundo: la belleza.

2. La moda de los loros

«Art Blastside, debes descifrar este código. Ahora eres Pirática, así que hazlo —pensaba Art ferozmente—. Molly lo habría hecho, ¿verdad? ¿Lo habría conseguido? A veces pienso en los seis años que pasé en la Academia de Ángeles. La verdad es que he olvidado casi todo aquello. Ahora, es ésa la parte de mi pasado que mi memoria no logra retener ni recordar. En cambio, a Molly la recuerdo como si la hubiera visto ayer mismo. Así que, ¿qué es real, y qué no?»

Art pensaba en Felix, quien debía estar aún atado en la hirviente cubierta inferior.

«No pienses en Felix. Felix no es real», se decía a sí misma.

Art se sentó pensando en Felix, reteniendo su imagen en su mente. Instantes después, desvió la mirada hacia el mapa y siguió contemplando la esquina quemada y el código que no lograba descifrar.

La mayoría de los demás hombres que la acompañaban se había retirado hacia la linde del bosque, donde la luz del sol no alumbraba y el ambiente resultaba menos sofocante. Estaban comiendo los frutos de los árboles, una especie de magnolias o melocotones, pero que, al parecer, eran salados. *Muck* estaba recostado sobre algunos loros, jadeando bajo una enorme palmera y una telaraña de lianas, pues estaba agotado, al igual que todos los demás.

Los pájaros aún caminaban por su alrededor, entre el acantilado y los árboles, y la mayoría estaban tranquilos, a pesar de que de vez en cuando se escuchaba una serie de balbuceos sin sentido. Otros volaban hacia la lejanía, sin ni tan siquiera acercarse, como si parecieran desinteresados.

Honest Liar se aproximó con sigilo a Art con una expresión de seriedad en su rostro. Le ofreció a la joven un melocotón recién cogido del árbol, incluso aún mantenía unas cuantas hojas en el rabito.

—Gracias, Honest. Pero no sé si esto es comestible.

—Creo que se pueden comer.

—¿Cómo lo sabes?

—Lo sé.

—A veces me da la sensación de que sabes muchas cosas que el resto de nosotros no sabemos —dijo Art con un tono dubitativo.

Honest bajó la mirada y empezó a sonrojarse hasta cobrar el mismo color que el pañuelo que llevaba en la cabeza.

—Nunca me han enseñado nada.

Art consideró la idea y después mordió la fruta. Estaba salada, pero se podía comer. A continuación observó:

—Honest, quizá tú seas el indicado para echar un vistazo a este mapa.

Así pues, Honest se acercó y se arrodilló junto a ella para contemplar el mapa más de cerca.

—Estas letras de aquí al lado podrían ser una pista —dijo Art—. Con eso ya tenemos algo. Y también contamos con todos estos loros. Pero...

Y entonces volvió a pensar en Felix, aunque se negaba a hacerlo. Así que decidió volver a la realidad y vio el ovalado rostro de Honest tan pálido como la luna misma.

Art estaba recostada con los ojos cerrados sobre el césped que había entre el inalcanzable acantilado y el sombreado bosque.

—Son los números de las letras, capitana Art.

—¿Perdona? ¿Qué?

—Las letras del mapa. Esas oes y tes y el resto... son las letras del alfabeto. Y el alfabeto tiene veintiséis letras. A es el número 1, B es el 2, C es el 3... y Z es el 26. La verdad es que no me acuerdo de las letras que hay entre el 3 y el 26...

—¡Honest! —exclamó Art levantándose de un salto.

—Así pues, los números que graznan los pájaros son los números de estas letras. Al parecer, el número de pasos. Si emparejas los números que dicen los pájaros en el mismo orden que los números de las letras del mapa... entonces, obtendrás el número de pasos que tienes que dar y el resto de pistas que van unidas a los pasos y que también se tienen que ordenar.

—Dios mío, Honest. Creo que has resuelto el enigma.

Art se sacó un lápiz de su bolsillo. No estaba muy afilado, así que difícilmente podría escribir encima del papel de cera. Sacó uno de sus cuchillos, lo afiló y después lo lamió. Escribió junto al lado de cada una de las letras del mapa el número correspondiente en el alfabeto:

O–15, O–15, P–16. T–20, T–20, U–21. F–6, A–1, B–2. M–13, M–13, N–14. R–18, R–18, S–19. A–1, F–6, C–3. H–8, H–8, I–9. Y–25, Y–25, Z–26. F–6, A–1, D–4.

Art las leyó en voz alta.

Como un torbellino, la mayoría de los cientos de loros abrieron sus alas y alzaron el vuelo hacia el cielo. Tan sólo doce loros se quedaron en tierra firme rodeando a Art. Ella estaba completamente perpleja al ver cómo los loros habían cambiado totalmente su expresión.

—Estaban esperando la señal. Los demás eran aquellos que habían hablado en otras lenguas, aquellos a quienes habían enseñado la misma versión en español y en francés, en chino y en árabe, pues seguramente el alfabeto sería diferente y, por lo tanto, las pistas también debían de ser diferentes.

Art contemplaba a los doce loros que la rodeaban. Fue entonces cuando la joven se dio cuenta de que, entre ellos, se encontraba también *Plunqwette*.

Si los loros se caracterizan por vivir un centenar de años, o incluso más, entonces, ¿cuándo fue la primera vez que aprendieron el centenar, o quizá millar, de versiones del código?

Art se preguntaba cómo podía hacerlos hablar uno por uno y cuál sería el orden correcto.

—Esperad —ordenó Art—, *Plunqwette* es la primera. Tiene que ser la primera. «Playa, por Cobhouse», ella solía decir eso. Creo que significa que, con la playa y el bosque al pie de la orilla sumergidos, no existe manera alguna de llegar al punto correcto del acantilado y así encontrar el camino. A pesar de que fuéramos en un bote, no encontraríamos el camino. Seguramente, el camino está bajo el océano. Pero entonces... dice aquello de diez kilómetros hacia arriba... 10 corresponde a la J. Pero la J no está entre las letras que hay en el mapa... Bueno, de todos modos, intentemos con la primera letra, a ver qué sucede.

Art miró directamente a *Plunqwette* y con voz firme y clara dijo:

—Quince.

—¡Tierra a la vista! —graznó *Plunqwette*—. ¡Playa, por Cobhouse! ¡Diez kilómetros hacia arriba! ¡Quince pasos hacia la izquierda!

Art frunció el ceño y se quedó pensativa. Después, volvió a repetir la misma palabra todavía con más claridad:

—Quince.

Entonces, un loro de color negro dio un paso hacia delante meneando sus alas de color mandarina, y finalmente dijo:

—Quince pasos más. Levantad los pies. Dieciséis pasos hacia la izquierda.

—Perfecto —siseó Art mientras comprobaba las letras del mapa.

Doble O y una P correspondían a quince, quince y dieciséis. Las siguientes letras eran dos T y una U. Así que Art anunció en voz alta hacia los loros:

—Veinte.

Un loro de color escarlata y con un pico del color del hierro alzó el vuelo y gritando dijo:

—Entrad por la roca. Veinte pasos hacia el interior. Veinte pasos más.

Uno tras otro, Art fue entrevistando a todos los loros, colocándolos en fila india como si fueran actores a punto de estrenarse que no se han aprendido muy bien el guión. Para cada número de letra, si se decía en el mismo orden en que aparecía en el mapa, un loro diferente respondía. En el caso de que más de un loro tuviera la misma letra, y por consiguiente el mismo número, éstos seguían un orden definido que continuaba siendo el mismo, de forma que jamás dos loros hablaban a la vez. Por ejemplo, *Plunqwette* y el loro gris y negro tenían el mismo número, el quince, pero ninguno de ellos habló a la vez. Algunos tan sólo tenían un número y un conjunto de pistas, mientras que otros tenían dos o tres números y una pista para cada uno de los números.

—¿Qué hace nuestra pequeña Art? —preguntó Walter desde los árboles—. Oh, pero mira qué ricura, ella y Honest están conversando con los pajarillos.

Cuando Art se acercó a ellos como una tormenta eléctrica, con Honest pisándole los talones y los doce loros sobrevolándole la cabeza, la tripulación se alarmó ligeramente.

—Por todos los tambores, tenemos un problema...

—Tranquilízate, capitana. Y sé lo que estoy diciendo...

—Por favor, dejaos de tonterías y escuchad.

Art colocó a su coro de loros en fila india.

Cada uno de los loros dijo su frase.

349

Juntando todas las frases de los doce loros, el discurso tomaba la siguiente forma:

«1) Playa, por Cobhouse. Diez kilómetros hacia arriba. 15 pasos hacia la izquierda. 2) 15 pasos más. Levantad los pies. 16 pasos hacia la izquierda. 3) Entrad por la roca. 20 pasos hacia el interior. 20 pasos más. 4) Mirad qué pálido estoy. Golpeadme en la parte derecha, que de hecho, es la izquierda, 21 veces. 5) Cruzad a través de mí. 6 pasos hacia delante. 1 paso hacia la izquierda. 2 pasos hacia el faro. 6) Trepad hasta donde se puede trepar. 13 pasos hacia la derecha y 18 más. Levantad la tapa. 7) Liberaos de la oscuridad. 14 pasos hacia delante hasta el pájaro de hueso. 8) 18 pasos hacia la derecha y 18 más. Cuando deis el paso 19 os mantendréis en pie, o caeréis. 9) 1 paso hacia delante. 6 pasos hacia la derecha. 3 pasos hacia delante. 10) 8 pasos hacia delante y 8 más, podéis manteneros en pie, o caeros. 9 pasos hacia abajo. 11) 25 pasos hacia la izquierda. 25 pasos hacia delante. Contad 26 sobre el suelo. 12) Leed con la luz del sol. 6 pasos hacia el norte. 1 paso hacia el oeste. 4 pies os conducirán hasta mí».

—Esto se ajusta perfectamente al orden que siguen las letras del mapa —explicó Art a sus hombres—. Honest lo adivinó. Muchas felicidades, señor Honest.

De pronto, unas confundidas ovaciones emergieron de la confundida tripulación.

—Ahora, lo único que nos falta por saber es dónde empieza ese recorrido y comprender esas pistas astutas.

Ebad se había levantado. Instantes después, todos estaban en pie jadeando como *Muck*, como si hubieran estado corriendo durante horas.

Entonces, Ebad dijo:

—Tiene que haber algo marcado o escrito al lado del acantilado, Art. Algo que se relacione con la primera pista, que es la de *Plunqwette*, y que no sea la del cuadro de la playa, eso ya lo tenemos. Yo creo que todo empieza con la frase de diez kilómetros hacia arriba. Ése es el punto de partida.

—Pero aquí no hay nada que se dirija diez kilómetros hacia arriba —refunfuñó Black Knack, quien se había quitado el parche que llevaba en el ojo dejando a la vista de todos su mirada. Sus dos ojos brillaban como sucios, pero afilados, cuchillos.

Entonces, Dirk repitió, tal y como Art había dicho antes:

—Diez es el número de una letra. Concretamente, de la letra J...

—La J no está en el mapa. Pensaba que significa algo más.

Y Eerie agregó:

—Camaradas, acompañaremos a nuestra inigualable capitana, a nuestra querida Pirática, y recorreremos como halcones cada centímetro de esta maldita roca hasta encontrar el punto de partida.

Muck, acarreando una expresión de intolerancia, se levantó y siguió a sus camaradas hasta el acantilado.

El sol se desvanecía por el horizonte, y el acantilado empezaba a crear un pequeño dobladillo de oscuridad en el borde.

Los doce loros acompañaban a los buscadores del

tesoro, preparados para recitar sus útiles, o no tan útiles, pistas tantas veces como fuera necesario.

—¿Quién habrá entrenado a estos pájaros? Son incluso mejores que las gallinas de Clora Snutch.

—Yo diría que un millar de personas, y en un millar de lenguas. Supongo que cada conjunto de pistas no será el mismo que las nuestras.

—Tienes razón, porque, por ejemplo, el alfabeto de la Indie no es el mismo que el nuestro. Ni el griego.

Buscaron sin cesar, esforzándose en explorar cada milímetro de todos los costados de la colosal roca.

Fue Walter quien encontró el punto de partida.

—A juzgar por el aullido de Walter, pensaría que lo ha atacado una serpiente.

En la superficie de una roca que les servía de cobijo, alguien había escrito unas palabras, concretamente las siguientes:

«Aquí estuvo Jacobo Diez Kilómetros, capitán de una colosal flota que surcaba los Siete Mares el año 16ψ2».

—Es un nombre... Diez Kilómetros...

—Mil seiscientos diecidós. De eso hace un siglo, y quizá hasta el día de hoy, nadie...

—Y entonces, ¿qué hay de lo de «hacia arriba»?

Eerie se giró hacia Black Knack con el desdén de un poeta que se enfrenta a un realista pesimista.

—Se refiere a una escalera, cerebro de mosquito. Si dice hacia arriba, es que va hacia arriba, y déjame pensar, ¿qué más sube hacia arriba?

—Bueno, ¿y dónde está esa escalera?

A lo que Art contestó tajantemente:

—Está allí dentro, Black. Dentro del acantilado. Así que empecemos con los pasos para encontrar el camino de entrada.

Ahora los loros, en respuesta a cada número correcto, los seguían en línea recta.

Primero dieron quince pasos hacia la izquierda, tomando como punto de partida la piedra donde habían encontrado el punto de partida esculpido y en dirección al acantilado. Después, dieron quince pasos más.

—¡Levantad los pies!

Justo allí se encontraba un pequeño pozo muy poco profundo, así que lo atravesaron dando un pequeño brinco y siguieron con los dieciséis pasos siguientes, en dirección izquierda.

353

—Entrad por la roca...

—¿Entrad por la roca? Pero, ¿por dónde? No hay ninguna entrada...

Art, que iba a la cabeza de la fila, les mostró una planta trepadora que se tambaleaba al compás del viento. Al apartarla, un pasadizo muy angosto surgía desde el interior del acantilado.

—No puede ser eso. Es demasiado estrecho, sólo un felino podría introducirse por ahí... y probablemente no volvería a salir jamás.

—Yo puedo entrar, caballeros. Veamos qué es lo que encuentro.

Art apartó la planta trepadora y se adentró por entre la roca, como una espada en su vaina.

En el interior, reinaba una oscuridad opaca, y, una

vez dentro, Art se sentía completamente encajonada entre la parte exterior del acantilado y la pared interior. Gracias a los esfuerzos que realizó para avanzar por ese estrecho pasadizo —causándose arañazos y más de un rasguño—, Art consiguió llegar a un espacio que parecía ser más ancho y en el que se podía mover con total facilidad. Así que llamó a los demás.

Uno por uno, cada miembro de la tripulación se esforzaba y hacía los malabarismos más extravagantes para poder pasar por ese lugar mientras maldecían al diablo, gritaban cada vez que las afiladas paredes les desgarraban trozos de piel y de su ropa. Incluso Dirk se dejó más de una uña en esas paredes. Tan sólo Whuskery y Eerie se quedaron encajonados durante un momento. Pero los demás los empujaban con todas sus fuerzas para que así lograran cruzar. Cuthbert, quien parecía estar bastante en forma y que, de hecho, podía doblarse tanto que llegaba a parecer un paraguas cerrado, atravesó el angosto espacio casi a la misma velocidad que Art.

Los loros se adentraban por la roca con una cautela extrema, como un pez nadando entre peligrosos arrecifes.

—Ya hemos dado los veinte pasos que nos conducen al interior. Ahora, debemos dar veinte pasos más.

Los contaron todos en voz alta.

—¡Veintiuno! —gritó Art a los loros.

Y el loro azul y púrpura fue el que respondió.

—¡Mirad qué pálido estoy!

—¡Así es! ¡Mirad!

Una piedra del acantilado parecía tener un color

más pálido que las demás, incluso parecía que estaba iluminada.

—Golpeadme en la parte derecha, que de hecho, es la izquierda, 21 veces.

—Son pequeñas adivinanzas, Art. Son peores que la sección semanal de crucigramas del periódico *The Tymes*.

Entonces, helada como el hielo, Art dijo:

—No. Significa que para hacerlo «derecho», es decir, adecuadamente, tenemos que golpear veintiún veces el lado izquierdo de la roca. Utilizaremos las empuñaduras de nuestras armas. Cada uno golpearéis dos veces en la roca, y yo, como capitana, cinco. Empezará el señor Vooms, seguido del señor O'Shea.

Cada miembro de la tripulación que acompañaba a Art golpeó dos veces la pálida roca del acantilado. De cerca, se podía ver que la superficie estaba picada, marcada por los golpes que quizá otros buscadores de tesoros habían atestado a la roca. Cada golpe sonaba seco y hueco.

Justo en el quinto golpe que dio Art, que correspondía al vigésimo primero, el astuto truco de la puerta de Jacobo Diez Kilómetros funcionó, y ante ellos se abrió una imponente puerta que chirriaba a medida que se iba abriendo.

Todos se habían quedado boquiabiertos, paralizados por su primer triunfo.

—¡Pero está completamente a oscuras!

—Tienes razón, Dirk. No te adentres ahí, Ebad, o no habrá forma de distinguirte —soltó en broma Black Knack.

Dirk, que tuvo que inmiscuirse entre sus compañeros como una comadreja debido a la falta de espacio, se dirigió hacia Black Knack y le asestó un par de bofetadas.

Enfadada, Art gritó:

—¡Parad ya! ¿Se os ha caído un tornillo y yo no me he dado cuenta? Este lugar seguramente esconde trucos y trampas, pues fue construido por piratas. Así que estad atentos. No quiero más discusiones, ni tampoco más comentarios patéticos, Black Knack. Lo primero que debemos hacer es bloquear esta puerta para que se mantenga abierta. Creo que con las espadas será suficiente. Después entraremos en la caverna y mantendremos la calma.

Todo el mundo permanecía en silencio, mientras Art seguía dando indicaciones a los loros:

—¡Seis!

Enseguida, un loro contestó:

—Cruzad a través de mí. Seis pasos hacia delante. Un paso hacia la izquierda. Dos pasos hacia el faro.

Ahora, Art y sus acompañantes se movían con suma cautela, pues en esa oscuridad fácilmente podían golpearse con las paredes o tropezarse los unos con los otros. Ebad intentó encender una mecha con la ayuda de una piedra y yesca. Gracias a las llamas temblorosas que se encendían y se apagaban a intervalos, Whuskery dio con la escalera. *Muck* aullaba con todas sus fuerzas, pues Dirk le había pisado de lleno una de las patas traseras.

Instantes después, llegaron al faro. En un frasco de aceite cerrado herméticamente deslumbraba una luz cegadora, y como el aceite aún estaba en buenas condiciones, vertieron un poco en la antorcha que habían logrado prender proporcionando así una luz brillante y una mecha duradera.

Estaban en el interior de una extensa chimenea negra. Desde el techo, colgaban afiladísimas rocas en forma de colmillo o agua que se había solidificado. En las paredes, enormes bandas de oro macizo deslumbraban entre tanta oscuridad, pareciendo así enormes venas de las paredes. De pronto, justo enfrente de ellos, se alzó una escalera de piedra que parecía no tener fin.

—Esto sí que parece tener diez kilómetros de altura —dijo Eerie.

Aun así, decidieron subir la escalera. Después de los eternos cuarenta minutos que tardaron en llegar a la cima acompañados por quejas y sollozos, dieron trece pasos hacia la derecha, seguidos de otros trece más, hasta que Ebad, el más alto de todos, alcanzó una pequeña ventana de metal oxidado que empujó con todas sus fuerzas mientras ésta chirriaba, hasta que al fin la logró sacar y a través de ella empezaron a entrar los primeros rayos de sol. Habían logrado llegar a la cima del acantilado, sobre el que sobrevolaban más loros. Uno por uno, cada miembro de la tripulación cruzó a través de la pequeña ventana ayudado por sus compañeros.

La cima del acantilado, que parecía medir por lo menos otro kilómetro, estaba cubierta por una hierba gruesa y alta, y por arbustos. También había unos pocos árboles, imposibles de avistar desde otro punto del acantilado, que parecían estar esparcidos por la cima pero que se reunían sobre todo en el centro de la misma. A su alrededor, plantas enredaderas y orquídeas crecían en abundancia.

En aquel momento, el resto de los loros ya había desalojado esa zona. Tan sólo doce loros, armados con las pistas correspondientes del alfabeto inglés, revoloteaban de un lado a otro.

De pronto, avistaron un riachuelo que corría por el acantilado. Sedientos, todos se apresuraron a acercarse y beber de su agua dulce, pero con un regusto un tanto amargo.

—Catorce pasos hacia delante hasta el pájaro de hueso.

—Pero, ¿qué es eso? Si se refiere a los huesos de un pájaro, resultarán muy pequeños como para que los veamos.

Pero no eran tan pequeños como pensaban.

Mientras vagaban a través de la alta vegetación del acantilado dando el número correcto de pasos, Dirk soltó un grito que, del susto que les dio, los doce loros salieron disparados hacia el cielo. Sin embargo, los loros no aterrizaron en la zona desierta de la isla, sino sobre las hojas de una palmera solitaria.

Y entonces, debajo de esa palmera...

—Eso no puede ser un pájaro.

—Sí, sí que lo es. ¿No ves el pico?

—Esto es un monstruo, el legendario Roc de las Mil y una Noches.

—He oído hablar de esa criatura —murmuró

Ebad—. Su origen es prehistórico y dicen que mide tres metros.

—Es como un loro... un enorme y colosal loro...

El pájaro se había fosilizado, justo debajo de la palmera. Estaba amarillento, el esqueleto estaba completamente cubierto y atado con plantas trepadoras y en la parte donde tenía las garras empezaba a crecer una pequeña palmera. El esqueleto sólo contaba con una única ala, que estaba cubierta por las trepadoras, dando la impresión de ser un arpa. El pico aguileño parecía ser un par de martillos de marfil que se acoplaban perfectamente para formar un pico.

Justo cuando dieron el último paso, los catorce loros pertinentes se posicionaron enfrente del esqueleto. Dirk y Walter dieron un paso atrás y se hicieron a un lado, mientras que Glad Cuthbert parecía disfrutar con el nuevo descubrimiento.

—Sólo pienso en lo que diría mi querida esposa si le llevara un bicho de éstos a casa vivito y coleando en una jaula... Seguramente no me dejaría ni entrar.

—Dieciocho pasos hacia la derecha y dieciocho más. Cuando deis el paso diecinueve os mantendréis en pie, o caeréis.

—Se refiere a las piedras.

—¿Tú crees? Yo pensaría que son plantas.

—Son plantas trepadoras, y son como piedras, que pueden tenerse derechas, o caerse. Así que tendremos que contarlas.

Había diecinueve piedras, de las cuales siete permanecían a un nivel más bajo y se habían fosilizado, confundiéndose así con los huesos del gigantesco loro.

Además, otras dos piedras también se encontraban a ese nivel, a pesar de que resultaba bastante difícil distinguirlas, pues estaban rodeadas de malas hierbas y flores de color rojo intenso. Y empezaron la travesía.

—Un paso hacia delante. Seis pasos hacia la derecha. Tres pasos hacia delante.

—Hay más piedras.

—Cuéntalas bien. Deberían de ser ocho, y después ocho más.

—No, es imposible. Debería de haber dieciséis y tan sólo hay quince.

Eerie señaló hacia el suelo.

—Aquí, mirad.

Justo ahí había una única piedra, completamente desconchada y cubierta por las raíces de un árbol quemado, cuyas llamas se habían sofocado hacía muchos años.

—Dieciséis, ocho más ocho.

—Sí, pero ahora habrá que dar nueve pasos, y no hay más piedras para continuar el camino.

—Tienes razón. Pero es que los nueve pasos tienen que ser hacia abajo, así que tendremos que cortar todas estas plantas trepadoras para poder bajar.

Lograron arreglárselas y dar los nueve pasos hacia abajo.

Entonces, el decimoprimer loro graznó:

—Veinticinco pasos hacia la izquierda. Veinticinco pasos hacia delante. Contad veintiséis sobre el suelo.

—¿Qué significa eso? ¿Sobre el suelo? ¿Es que acaso no damos todos los pasos así?

—Demos primero los veinticinco pasos y después los otros veinticinco —contestó Art.

Ella empezó con los pasos, mientras el resto la seguía a cierta distancia, observándola bastante agotados después de subir todos aquellos escalones.

A pesar de que Art logró dar los primeros veinticinco pasos hacia la izquierda sin dificultad, los siguientes veinticinco que debía dar hacia delante no le resultaron tan fáciles.

Justo en ese punto, el terreno cedía el paso. Piedras y trozos de suelo se habían desmoronado, resecando así todas las plantas desarraigadas y bloqueando ambos caminos y, en consecuencia, cualquier estimación que Art pudiera haberse hecho.

Art miraba hacia delante, justo a través del pequeño desmenuzamiento, o hundimiento.

Contó veinticinco pasos hacia delante, y después veintiséis sobre el suelo. Pero ¿veintiséis qué? ¿pasos? ¿centímetros? ¿metros?

El decimoprimer loro dio un pequeño salto, pasó por el lado de Art cruzando así el pequeño revoltijo de piedras y aterrizó sobre la hierba. Justo allí había otro riachuelo, por donde sobresalían cañas y juncos.

Art saltó al igual que el loro, cruzando el pequeño agujero, y aterrizó sobre un terreno cubierto de vegetación y malas hierbas. Una vez estuvo en la superficie, miró a su alrededor. ¿Habría dado los veinticinco pasos por el camino correcto?

¡Sí! Allí, medio escondido por las malas hierbas, se tendía un montón de pequeños palos grises. Eran antiguos remos, quizá tendrían más de cien años. Art caminaba a su alrededor, y después decidió contarlos. Había veintiséis, veintiséis palos sobre el suelo.

En aquel instante, el resto de la tripulación apareció corriendo, aterrizando, al igual que había hecho Art, sobre el terreno cubierto de vegetación y observando el conjunto de pequeños remos y el riachuelo. De pronto, todos empezaron a gritar y a dar saltos de alegría, incluso los ladridos de *Muck* eran de júbilo.

—Una más... tan sólo una pista más...

—Aún falta un conjunto de tres pistas más, señor Whuskery. El loro número doce es quien nos las tiene que recitar.

La verdad era que este último conjunto de pistas era el único que todos habían retenido en su memoria desde el primer momento que lo escucharon.

Así que todos corearon al unísono junto al decimo-segundo loro:

—Leed con la luz del sol. Seis pasos hacia el norte. Un paso hacia el oeste. Cuatro pies os conducirán hasta mí.

Realmente, no les resultaba muy sencillo leer con aquella poca luz solar con la que contaban, pues el sol ya se había puesto por el noroeste, y la luna ya estaba tomando el papel protagonista.

Aun así, leyeron en voz alta, y desde la cima del acantilado empezó a soplar una suave y fresca brisa que ondeó la hierba sobre la que pisaban, como si fuera borlas de seda de unas cortinas.

«Cuatro pies os conducirán hasta mí.»

De pronto, esa euforia colectiva se desvaneció. Esta última pista era la más extraña de todas, y en esos momentos se encontraban agotados, pero estaban ansiosos por encontrar el tesoro.

—¿Cuatro pies?

—¿A qué se refiere? ¿A que nos pongamos a gatas?

—Eso no puede ser cuatro pies, imbécil, eso sería dos manos y dos rodillas.

—Entonces, ¿qué es lo que tiene cuatro pies?

—Los leones, las cabras, los caballos...

—Los perros.

—¡*Muck!* Ven aquí, viejo amigo.

—Pero ¿cómo puede ser que se refiera a *Muck*?

—Él tiene cuatro pies. ¡Mirad!

Muck empezó a correr por toda la superficie, arriba y abajo, resoplando y moviendo la cola. Repentinamente, *Muck* había encontrado algo allí que, al parecer, le intrigaba mucho. Instantes después, empezó a escarbar.

—¡Vamos, bonito!

—Nuestro *Muck*... ¡El perro más limpio del mundo entero!

—Decididamente, ¡es un genio!

—*Muck*, ¡te regalaremos un cuenco de oro!

Finalmente, *Muck* desenterró su tesoro. Estaba encantado y presumía de su descubrimiento.

Era un enorme hueso de loro que medía casi medio metro.

Como un conquistador que acababa de descubrir un nuevo país, *Muck* brincaba feliz y contento, perseguido por los piratas, que ahora perjuraban retorcerle el pescuezo.

—El tesoro está por aquí —dijo Art—, en algún sitio cercano. Así que, por favor, calmaos y no perdamos la compostura.

De pronto, todos ellos cayeron en picado tragados por la tierra.

La brisa ya no era fresca, sino gélida a pesar de que el día había sido bastante caluroso, incluso sofocante. El sol, con su último rayo del día, les echó una mirada lasciva y maliciosa. Los loros caminaban por entre la hierba, arreglándose las plumas e intentando darse picotazos entre ellos.

Art se levantó muy despacio.

—Y justo aquí —dijo Art— es donde vamos a empezar a cavar. Así que, sacad vuestras espadas, caballeros.

—Pero aquí es donde dimos los últimos pasos, capitana.

—Piense, señor Cuthbert.

—Estoy pensando, capitana. Pero nunca pasa nada. Ésa es la triste historia de mi vida.

—¿A nadie se le ocurre nada? ¿No? Cuatro pies —dijo Art mientras sopesaba su espada y la clavaba en el suelo. El césped estaba seco y bastante compacto, a pesar de que no había notado ninguna piedra—. Caballeros, no se refiere a dar cuatro pasos, significa que debemos cavar cuatro pies hacia el interior, y cuatro pies equivalen a casi un metro y medio. Así que el tesoro está enterrado en las profundidades de este acantilado. Vamos, manos a la obra.

En pocos minutos, todas sus espadas chocaron con algo metálico que era, nada más ni nada menos, que un enorme cofre rectangular.

Los últimos rayos de sol iluminaban las aguas de Oriente. El cofre era de madera negra, sin esculpir, pero con algunas incrustaciones de metal descoloridas y una larga placa de latón, como una página metálica, clavada en la tapa. Art leyó en voz alta lo que estaba cincelado en esa página de latón.

«Nosotros, los piratas, pertenecemos a otra especie. A una especie marcada por la sangre, la muerte y el asesinato.

Nuestros días de gloria siempre acaban entre cuerdas o sumergidos en las despiadadas profundidades del océano. Por si eso no fuera suficiente, después debemos pagar todos y cada uno de nuestros pecados en el reino del infierno.

Así pues, a pesar de que nuestra especie sea rica y poderosa, raras veces nombra a un heredero de su fortuna y de sus secretos mejor guardados.

Por esta razón, cien grandes hombres de nuestra especie una vez hicieron un pacto y, bajo una tregua pirata, cada uno de ellos trajo hasta aquí una muestra de sus inmensas riquezas. Aquí yacen esos tesoros, reunidos en un mismo lugar. Ésta es nuestra última, para algunos, y la única, para otros, aventurera hazaña. Puede que, en la balanza del cielo, se sopese con nuestros pecados cometidos.

Un día u otro, este tesoro será encontrado. Aquí yacen los mapas y las pistas de todos los tesoros del mundo, aunque no son fáciles de encontrar. Seguramente, habrá más copias de estos mapas, pero no debéis confiar en ellas, pues todas contienen errores. De hecho, vosotros debíais tener entre vuestras manos un mapa verdadero, pues de lo contrario no hubierais conseguido llegar hasta aquí.

Así pues, por vuestro ingenio y buena suerte, a quienes hayáis desenterrado este cofre os nombramos, sin reserva, nuestros herederos.

Haceos con todo el botín, bebed un buen sorbo de la copa de oro a nuestra salud y prosperad.»

Los hombres de la *Inoportuna* permanecían estupefactos ante el cofre. Un cofre con el que jamás habían soñado, y del que jamás habían tenido conocimiento. Un cofre que reunía las inmensas riquezas de un centenar de antiguos piratas.

Nadie era capaz de mover un dedo.

Entonces, Ebad dio un paso hacia delante y colocó sus manos sobre el enorme baúl y, de un tirón, desanudó las húmedas bisagras que mantenían el cofre cerrado.

—Por Molly Faith —susurró Ebad tan flojito que tan sólo los muertos eran capaces de oírlo—. La Reina entre las mujeres. Mi único amor.

Y destapó el cofre.

Inmersos en un terror más profundo que el que se siente dentro de un pozo o en una fosa sin fin, todos ellos, actores, piratas y demás, se habían quedado de piedra mientras miraban boquiabiertos el interior del cofre hasta que al fin Walter empezó a lamentarse, cosa que todos ellos ya habían empezado a hacer en silencio.

—¡Pero si está lleno de papeles viejos! ¡Papeles! ¡No hay nada más!

3. Mareas

La alta vegetación sombreaba los papeles enrollados dándoles un aspecto rayado, como el pelaje de una cebra.

Los rayos del sol ya no eran tan intensos, y la luz era mucho más tenue. ¿Se habían pasado más de una hora sin moverse y desmoralizados?

De repente, todos empezaron a recoger sus bártulos para volver a la embarcación.

—Oh, siempre pasa lo mismo... pones toda tu ilusión en una cosa para que después...

—Desde luego, la fortuna no está de nuestro lado.

—Si lo hubiera sabido antes, no me habría molestado en llegar hasta aquí.

—¡Qué rabia! Mi madre tenía razón cuando me decía que nuestros destinos estaban ya escritos, y esto lo demuestra.

—Esperad —dijo Art en un tono de voz con cierto efecto.

Black Knack estaba golpeando la empuñadura de su espada contra una roca, mientras Cuthbert mantenía una pequeña conversación con su esposa, quien obviamente, no estaba presente.

Incluso Ebad se había dado media vuelta.

Pero Art, haciendo caso omiso de las quejas y protestas de sus hombres, se dirigió hacia el cofre, se arrodilló ante él y empezó a sacar los papeles uno por uno.

Enrollados y arrugados, con un poco de musgo y fango en los bordes —aunque no mucho, pues los habían encerado—, y gracias a la ayuda de Art, aquellos

367

papeles vieron por primera vez en años los rayos del sol, y sintieron la fresca brisa marina.

La tripulación que acompañaba a Art la dejó allí sola.

—Miradla, se ha vuelto loca otra vez.

—Está tan chiflada como la heroína shakespuriana. Seguro que sabía que iba a suceder esto.

—Bueno, es que esta historia vuelve loco a cualquiera.

A pesar de estas palabras, Art decidió hablar con su voz vibrante típica de una actriz de teatro veterana y que tan sólo utilizaba para dar órdenes sobre su embarcación. Al escucharla, su tripulación se detuvo, dio media vuelta y se quedó mirando a su capitana.

—Caballeros, os rendís muy pronto. Tenéis razón, en este cofre no hay ni rastro de un gran tesoro. No hay monedas de oro, ni cadenas de diamantes, ni grandes piedras de amatista o esmeralda.

—Así es, querida.

—Pero no os dejéis engañar, camaradas. Lo que realmente yace en este cofre es un centenar de mapas. Eso es lo que son estos papeles arrugados, caballeros, mapas. Mapas del tesoro. En ellos, se muestran los tesoros más recónditos jamás revelados del mundo. Estos tesoros están enterrados por todos los lugares de la Tierra, de norte a sur y de este a oeste.

Todos se apresuraron en acercarse a ella, y al cofre.

Se arrojaron frente al cofre, sacando mapas sin parar, pasándoselos a sus compañeros y colocándolos sobre el césped. Incluso *Muck* se abalanzó sobre ellos para poder tener una mejor vista, aunque ya estaba su-

ficientemente ocupado con el hueso gigante que llevaba en el hocico.

Plunqwette también se aproximó al corro y se posó
sobre el hombro de Art.

—Hola, *Plunqwette*. Eres un pajarito muy listo.
¡Vaya si lo eres!

—¡Polly bonita! —contestó *Plunqwette*.

El resto de los loros había desaparecido. Quizá se
habían asustado al escuchar los cantos tiroleses y las
carcajadas de la tripulación de Art.

—Aquí dice: «Un millón de perlas de agua dulce y
siete vajillas de oro que una vez pertenecieron a la realeza española...».

—Y aquí reza: «Una fortuna intacta de tres rajás de
la Indie...».

—Y aquí pone que en Africay hay «diamantes pulidos que tienen un valor de unos dos millones de guineas españolas».

—Algunos mapas están escritos en otras lenguas.

—¡Los traduciremos!

Ahora, una brisa fría soplaba desde la cima del pedregoso acantilado. Con ella traía unas voces distorsio-
nadas y frías, pero ninguno de ellos, ajetreados como
estaban con su tesoro, las escuchó, o quiso escucharlas.

Ninguno se dio cuenta de aquello, excepto Art,
quien, junto a *Plunqwette*, fue testigo directo de la lle-
gada de las personas que tenían esas voces.

Se acercaban con una espada en la mano y cortando
toda la vegetación que les obstaculizaba el paso. Habían
conseguido llegar hasta allí no gracias a las pistas, pues
tampoco les resultaban necesarias, sino guiados sin

problemas por el ruido que sus compañeros despedían.

—El señor Peter Salt y el señor Felix Phoenix. ¿No deberíais estar en la embarcación? De hecho, señor Phoenix, ¿no debería estar usted atado en la cubierta inferior?

Ambos permanecían mirándola de arriba abajo y sin saber qué decir. En el rostro de Peter se dibujaba una amplia sonrisa fruto del nerviosismo.

Entonces, Felix, con una mirada de acero, explicó:

—Ha resultado bastante sencillo encontrar el camino. Por el costado del acantilado parecía que hubiera entrado una enorme bestia, así que no fue muy difícil verlo y penetrar por allí... y bueno, también resultó fácil continuar el camino una vez dentro, pues la puerta se aguantaba abierta por cuatro espadas. Incluso había un faro ardiendo en lo más alto de las escaleras, cosa que nos ayudó cuando tuvimos que subirlas.

—Ni siquiera volvisteis a poner la tapa de metal de la ventana que conducía directamente a la superficie —añadió Peter.

Entonces, Art dijo:

—Bueno, ya habéis llegado hasta aquí. Peter, eres un completo idiota. Después de todo, señor Phoenix, ya veo que sigue siendo un vil traidor.

Art llamó a Ebad, quien se apresuró a acercarse hasta ella. Art se dio cuenta de que Ebad no estaba tan eufórico como el resto de sus compañeros.

—Como vemos, señor Vooms, nuestra embarcación está completamente desatendida en unas aguas de mareas y corrientes extrañas. Así que reúne a toda la tripulación, debemos irnos a toda prisa.

El cofre era muy pesado y eran necesarios cuatro hombres para poder alzarlo, Ebad, Black Knack, Whuskery y Cuthbert.

Black Knack sugirió que maniataran a Felix, y Art estuvo de acuerdo con la idea.

Con Art encabezando el grupo, empezaron a caminar por el acantilado rumbo a la orilla. El camino no resultaba complicado, pues tan sólo la parte que se había hundido presentaba algunos elementos con los que resultaba fácil tropezarse. El agotamiento y el cansancio de la aventura empezaban a dar sus frutos, pues después con la gran victoria habían desgastado toda la energía que les quedaba.

Además, el clima empezaba a enfriarse, el viento soplaba con más fuerza, los rayos de sol eran menos cálidos y en el horizonte unos nubarrones oscuros teñían el cielo de gris. Los loros retornaban al acantilado en bandadas, o eso o volaban al compás de los soplos del viento en espiral. Así pues, el cielo parecía un revoltijo de pelusas de colores amenizado por graznidos agudos y graves.

Finalmente llegaron al lugar donde permanecían las diecinueve piedras y, de repente, la luz del ambiente cambió por completo.

El cielo se había tornado de color verde.

—Se acerca una tormenta —advirtió Cuthbert.

Muck soltó uno de sus aullidos, pero sin dejar caer el hueso que acarreaba desde hacía cierto tiempo.

—¿Falta mucho? Me da la sensación de que ha sido mucho más sencillo llegar hasta aquí que volver por el mismo camino —se quejó Walter.

—¿Qué es eso?

Fue Peter, quien había hecho novillos de su puesto de vigilancia, quien señaló hacia un punto del lúgubre paisaje.

—Es un árbol.

—No, no lo es.

—A no ser —añadió Whuskery ansiosamente— que los árboles caminen.

De lo que no cabía duda era de que allí había algo. Parecía haber venido desde un conjunto de pequeñas palmeras que estaba justo detrás de ellos. No era ni muy alto, ni de una envergadura considerable. Era de un color oscuro y tenía una forma muy difícil de definir, pues la criatura, o lo que fuera, llevaba una especie de sábana o velo que le tapaba completamente todo el cuerpo. Ante ella, había una cosa, también difícil de definir, de un color muy pálido.

—¿Es un animal? ¿Quizá uno de esos lémures?

—Pero, ¿habitan aquí? ¿Cómo habrá trepado hasta aquí?

—Callaos —dijo Art poniendo fin a la charla.

La tripulación aminoró el paso.

Todos miraban perplejos a la oscura criatura cubierta por el velo, con un brazo pálido que le sobresalía de la tela, y que se deslizaba sigilosamente por la vegetación que ya olía a tempestad.

Fue Walter el único que soltó un pequeño sollozo. En cambio, el resto de la tripulación, incluso Art, ya podían observar y comprobar con exactitud qué era esa cosa que se acercaba hacia ellos.

Ahora fue Eerie quien habló:

—Que Dios nos ampare. Es el mascarón de proa de nuestra embarcación.

A lo que Art contestó con rapidez:

—Lo dudo, señor O'Shea.

—Nos ha estado siguiendo...

—Nos siguió flotando cuando el *Café Pirata* se hundió. Nosotros cubrimos el rostro con un velo negro... mirad el mascarón, no puede ser otro... con su siniestro brazo para agarrar a alguien...

En ese momento, un ensordecedor estruendo resonó desde algún lugar, quizá desde el cielo, quizá desde el océano, quizá desde ambos. De pronto, el mascarón de proa de la *Inoportuna Forastera* echó carrerilla y empezó a correr velozmente hacia ellos, mientras que otras figuras sombrías y brillantes parecían haber cobrado vida a su alrededor.

—¡Preparad vuestras pistolas —ordenó Art mientras desenvainaba la suya— y disparad directamente contra el suelo que pisan!

—Ya es demasiado tarde, capitana, los tenemos demasiado cerca.

—Cubríos.

Art y los suyos se quedaron quietos. Ante ellos, pistolas y brillantes alfanjes poco amistosos iban acercándose poco a poco hacia ellos. Y lo más curioso de todo era su propio mascarón de proa, del cual sobresalía un enorme brazo que parecía que los iba a agarrar de un momento a otro. De pronto, éste se quitó el velo que lo cubría y apareció una amplia sonrisa de dientes tan blancos como perlas.

—¡Sorpresa! —gritó la pequeña Goldie Girl.

—¡Qué bonito encuentro! —exclamaron los veintitrés miembros de la tripulación de la *Enemiga*.

—Hemos estado persiguiéndoos con mucho sigilo y cautela, lo que ha sido bastante inútil, pues en vuestra embarcación no había nadie que la estuviera vigilando, Art Blastside. De hecho, os llevamos siguiendo el rastro desde que partisteis de Mad-Agash Scar. El estimado Hurkon Beare, un viejo amigo, nos informó de vuestro rumbo, aunque para ese entonces ya nos habíamos hecho una ligera idea del camino que habíais tomado. Por todos los timones, nos ha sido realmente sencillo.

—Sencillo después de haber reparado vuestra embarcación —respondió Art.

374

—¿Reparado? Ah, eso. Bueno, eso es una tontería, pues ni vuestras ardientes balas de cañón son lo suficientemente pesadas como para causar daños a un velero de las características de la *Enemiga*. Hurkon, como ya sabréis —añadió Goldie—, adivinó la violenta y peculiar ubicación de esta isla, cuyo secreto siempre ha sido, partiendo de la base de que se cree en ella, no su situación, sino la resolución del código del mapa. Pero también soy de la opinión de que Hurkon teme a este lugar. Bueno, ya es bastante mayor. Sin embargo, fue él quien dijo: «Esa chica de Molly... tiene la suerte de los diecisiete demonios. Se ve a primera vista». También dijo que lo conseguirías, pues vendrías a la isla cuando ésta no estuviera sumergida y resolverías todos sus enigmas y secretos. —Goldie miró a Art mientras sonreía tiernamente y continuó—: Mi extraordinario pa dre tuvo la suerte de tener entre sus manos vuestro mapa, pero eso fue hace muchos años. Sabía con precisión que ése era uno de los verdaderos, y ahora, estoy segura de que está cantando desde su tumba marina. Pero yo me pregunto si incluso él, el maravilloso Golden Goliath, habría tenido la fantástica idea de dejar que tú hicieras todo el trabajo sucio por él, tal y como yo he hecho. Por cierto, Hurkon espera su parte del tesoro, por supuesto, pero bueno, quizá se me olvida entregársela en un momento determinado.

Art no daba crédito a lo que estaba escuchando. Goldie estaba fuera de su alcance y no paraba de merodear de un lado a otro mientras se arreglaba su precioso cabello, que, gracias al viento, se rizaba aún más.

—Pero no te preocupes Art, no te quedarás con las manos vacías. Creo que te recompensaré diciéndote el nombre del señor Traidor, y no me refiero a Hurkon Beare, quien obviamente siempre ha estado de mi lado. Debo reconocer que el señor Traidor ha sido bastante listo, la verdad. Primero me envió una paloma mensajera. Después nadó hasta Own Accord y me envió una gallina mensajera. Tan sólo hizo un movimiento estúpido, justo cuando intentó hundiros a todos vosotros en Port Mouth. Pero, no me preguntéis cómo, sobrevivisteis. Realmente, no hubiera resultado todo tan fácil y simple, pues la tarea de intentar pescar un mapa que pertenecía a alguien que estaba bajo las aguas del océano no era lo que tenía en mente. Os di la oportunidad de que me entregarais el mapa, pero no quisisteis hacerlo. Así que pensé que lo más fácil y cómodo sería dejar que os quedarais con el mapa, que resolvierais el misterio y desenterrarais el tesoro por mí. Pero, volviendo al tema, ese tipo sigue siendo un traidor. Una forma de vida un tanto rastrera, ¿no creéis?

Los hombres de la tripulación de Art se miraron los unos a los otros, perplejos y sorprendidos, además de horrorizados y enfadados. Tan sólo Eerie, Ebad y Art, y obviamente el hombre en cuestión, sabían que entre la tripulación había un traidor.

Con grandes ráfagas de viento, bajo un cielo verde guisante, los rostros de los hombres de Art eran como los de los fantasmas que habitan en las profundidades oceánicas.

—Bien, pequeña Goldie —dijo Art—. Dinos, por favor, quién nos ha traicionado.

—Deberá decíroslo él mismo. Así que, señor, dé un paso hacia delante —contestó Goldie—, ahora estás con nosotros, con mi tripulación.

Nadie se movió.

—Ya veo —dijo Goldie—. Aquí tenemos a un cobarde. Bueno, todos los traidores lo son. Venga hacia aquí, señor Knack. Las pistolas de la *Enemiga* lo cubrirán hasta que llegue aquí.

Black Knack dio un paso hacia delante saliéndose del círculo que rodeaba el cofre. Escapó corriendo hacia las filas de la *Enemiga* y una vez allí se posicionó con una amplia sonrisa y con ambos ojos, sin parche alguno, encendidos por el gran triunfo, y por el miedo.

Los hombres de Art formaron un alboroto tremendo, pero eso no afectó en nada su ánimo. Al menos, ahora estaban más unidos que nunca. ¿Había sospechado Art alguna vez de Black Knack? Quizá. De hecho, había sospechado de la mitad de la tripulación, exceptuando a Ebad y a Eerie. Ahora pensaba que tal vez tenía que haber intentado encontrar al traidor antes, pero bueno, hasta entonces, no se había imaginado hasta dónde iba a llegar el asunto...

Art alzó la mano para así silenciar a sus hombres, y también a sus pensamientos. Entonces, se hizo el silencio.

—Muy bien —dijo Art—. Él fue quien hundió el barco del café. Te envió las palomas, y las gallinas, con mensajes. Y también has dicho que nadó hasta las orillas de Own Accord. Así que después de todo, Black Knack, sí que sabías nadar.

Goldie le dio unas palmaditas en el hombro a Black Knack y le susurró animándolo:

—Venga, contéstale.

Así que Black Knack habló.

—Por supuesto que sé nadar. La verdad es que no me suponía ningún problema tirarme al mar... Además, vosotros habríais sido capaces de pillarme haciendo de las mías si hubierais sabido que podía mantenerme a flote. Me inventé que no sabía cuando hundí el barco. La verdad es que actué bastante bien, bueno, a eso me dedico, soy actor. En cuanto a la otra vez, en Own Accord... bueno, yo te oí, Art, a ti y a tus oficiales de poca monta. Escuché toda la conversación que tuvisteis en tu camarote. Creías que el mapa estaría a salvo en tu camarote, pero olvidaste lo fácil que resulta encontrar algo que está tan al alcance... y escuché cada palabra. Así que antes de que zarpáramos, mientras todos vosotros jugabais a marineritos en la orilla, yo nadé hasta los muelles. En esa época del año las aguas están tibias, cálidas. La verdad es que no tardé mucho en llegar. Soy un buen nadador, y bueno, después no me costó nada encontrar ropajes secos en la embarcación. Ninguno de vosotros os disteis cuenta.

—¡Un fuerte aplauso para nuestro astuto señor Knack! —exclamó Goldie.

La tripulación de la *Inoportuna* no movió ni un dedo, mientras que los hombres de la *Enemiga* estallaron en aplausos y ovaciones. Black Knack parecía más bien desconcertado.

Entonces, Goldie interrumpió:

—Ésta es la cruda realidad, Art. Aquellos en los que has confiado te han traicionado y te han vendido para estar conmigo. Mientras, yo he estado cómodamente sentada y tú retorciéndote los sesos para encontrar el tesoro para mí. Qué bochorno debes sentir, señorita.

Sus ojos brillaban como esmeraldas y, a continuación, desvió la mirada hacia otro lugar, hacia Felix Phoenix. Su rostro reflejaba comprensión y compasión cuando miraba a Felix maniatado. Después, le sonrió con divinidad. «No temas nada —decía esa sonrisa a Felix—, pronto serás mío.»

El viento soplaba con fuerza. *Plunqwette* alzó el vuelo de repente y recorrió las cabezas de todos los hombres, quienes seguían rodeando el cofre, incluso *Muck* lo protegía como podía.

—Se acerca una tormenta, lo presiento. Así que lo mejor es que arreglemos aquí nuestras cuentas y nos larguemos lo antes posible —propuso Goldie.

La pequeña Goldie Girl estaba sujetando una pistola con su mano derecha. Era de madera, del color de las castañas, y tenía incrustado un artístico objeto de metal, y estaba apuntando directamente hacia Art.

Art permanecía impasible mientras miraba fríamente a Goldie. Art intentaba descifrar la mirada de Goldie, y así fue cómo adivinó que esa pistola no estaba destinada para ella. Justo en ese instante, Goldie cambió su objetivo, alzó unos centímetros la pistola y apuntó directamente hacia el corazón de Black Knack.

—Aunque es cierto que resultan útiles, no me gustan los traidores, señor Black Knack.

Black Knack retrocedió un poco y susurró:

—Tu propio padre ya contrató mis servicios años atrás, pequeña Goldie... Me dijo que, si conseguía el mapa, me recompensaría y muy bien. Siempre he hecho todo lo que los dos habéis querido... tanto él como tú me prometisteis una parte del tesoro.

—Pues aquí la tienes.

Black Knack se dio la vuelta dando la espalda a Goldie y a la pistola que le causaría la muerte. Echó a correr sacudido por las fuertes ráfagas de viento, que a la vez lo empujaban haciéndolo correr a más velocidad, como si fuera un navío que surca los mares gracias al soplo del viento.

Así que Black corría a más no poder por el acantilado, tropezándose una y otra vez, golpeándose la cabeza, volviéndose a levantar y emprendiendo otra vez su camino.

Entonces, Goldie disparó.

Un destello de luz, eso fue todo. El sonido fue casi imperceptible, como el movimiento de las ramillas más finas de los arbustos. Parecía como si Black Knack saltara hacia delante... y eso era todo... saltos hacia delante...

El último salto que lograron contemplar desde la distancia lo condujo directamente hacia la escalera de Diez Kilómetros, así que la última imagen que tuvieron de su compañero fue deslizándose escalera abajo. Eso fue todo.

Black Knack se había ido.

Goldie limpió la boquilla de su pistola y después sopló sobre ella —como si tuviera que quitarle el polvo—, mientras sonreía tiernamente al arma.

—Lo ha matado —dijo Whuskery mientras rompía a llorar.

—Cálmate, amigo —le consoló Dirk.

—Una vez lo vi en el papel de Hamlet. Sin duda, nadie interpretaba ese papel mejor que él —recordó Peter.

—Le ha disparado en la maldita espalda —protestó Cuthbert.

—No era mucha cosa, pero seguía siendo un hombre —dijo Eerie.

—¿Está muerto? —murmuró Walter.

—No te quepa duda —contestó Honest.

—Art, no... —gritó Ebad.

Pero ya era tarde para intentar frenarla, pues Art ya se había abalanzado sobre el señor Beast al verlo desempuñar su alfanje y su espada. Pero Art fue mucho más rápida que él, pues cuando éste se quiso dar cuenta, la joven ya había azotado un puñetazo directamente a su nariz y él se había desplomado.

Una fracción de segundo más tarde, Art le había arrebatado la pistola a Goldie con su espada, lanzándola hacia el aire hasta que finalmente aterrizó sobre la hierba.

—En guardia —dijo Art—, pequeña sirenita.

Goldie tenía la cara pálida, y su mirada gris ahora resultaba impenetrable. Ésta contemplaba la situación impávida, dio un paso hacia delante, tal y como Black Knack había hecho minutos antes, y preguntó:

—¿Por qué... señorita Blastside?

—En guardia, señorita. Empuña tu espada y acércate. Ha llegado el momento de que aprendas a luchar.

Goldie echó una mirada amenazadora a su tripulación. Únicamente la bestia del señor Beast había osado intervenir y, obviamente, le había salido el tiro por la culata. Ahora Art estaba demasiado cerca de ellos, y no estaban dispuestos a arriesgar sus vidas, ni la de su capitana. Así que la tripulación de la *Enemiga* permaneció en pie con los ojos brillantes y hambrientos, como si fueran hienas.

—Está bien, déjame que me prepare —contestó Goldie.

Entonces, Goldie hizo el ademán de quitarse el abrigo que llevaba puesto y de pronto, en vez de dejar entrever en su cintura un alfanje, una pequeña navaja salió volando directamente hacia la garganta de Art. Art esquivó la navaja con el filo de su espada haciéndola caer sobre la hierba.

—Dios mío, por el antojo de la ballena. Ya veo que debería haberte matado en cuanto pude, hace ya tiempo —dijo Goldie, arrepentida.

A continuación, desempuñó el deslumbrante alfanje que llevaba colgado de su cintura.

381

Ambas tripulaciones dieron un paso atrás —la de Art arrastrando el cofre—, dejando así suficiente espacio para la pelea que se avecinaba. Y así fue; instantes después, ambas contrincantes ya habían ocupado el espacio que les estaba destinado.

Nadie se atrevía a abrir la boca, dejando así toda la concentración de la batalla en manos de las dos mujeres.

Goldie parecía ser más hábil, como si estuviera más preparada para los ataques que podía recibir de Art.

Felix, que permanecía entre la tripulación de la *Inoportuna Forastera*, seguía maniatado y con retortijones en el estómago mientras observaba el espectáculo. Goldie era una luchadora nata, eso resultaba evidente. Además, había asesinado a Black Knack, y la verdad es que no parecía estar muy arrepentida o que sintiera remordimiento alguno. Pero, ¿rompería Art su juramento? ¿El juramento de su madre? ¿Estaba Art preparada para matar?

Pero a Art la idea ni tan siquiera se le pasaba por la cabeza. Sentía horror, repugnancia, indignación, ira, rabia..., pero no lo quería demostrar. Era un viejo truco del teatro. Apártate y deja que la otra persona ataque. Obviamente, los actos de la otra persona también te implican a ti.

Art no tenía la intención de luchar simplemente para desarmar a su contraria. No, no era lo que buscaba. Tenía otro objetivo en mente.

Goldie manejaba sorprendentemente bien el deslumbrante alfanje, a pesar de que Art era capaz de evitar cada uno de sus ataques. Así pues, su método empezaba a mostrar sus frutos con elegancia. De repente, Art se abrió paso y con su espada empezó a cortar la hierba que Goldie pisaba, mientras ésta no podía hacer otra cosa que retroceder el paso.

Ya habían transcurrido cinco minutos y, sin embargo, no había pasado aún nada que decidiera la batalla.

Las combatientes seguían caminando y acostumbrándose al espacio que les pertenecía, y los dos grupos de hombres, a pesar de que mantenían las distancias, seguían alejándose más y más del lugar de batalla.

Cada vez que Goldie intentaba asestar un golpe a Art, ésta dejaba escapar unos gritos de fastidio y despecho, o quizá eran de frustración, al ver que no lograba su objetivo. Pero a medida que avanzaba el tiempo, los gritos iban perdiendo el ritmo alegre que los caracterizaba. Art, que había logrado rodear a su contrincante gracias a unos movimientos de guadaña con su espada, finalmente había conseguido llegar hasta Goldie. Así que ambas estaban al alcance de la otra cuando, de pronto, el extremo del alfanje de Goldie se clavó en el hombro izquierdo de Art provocando así que el abrigo de Art se tiñera de un color escarlata.

383

Art se mantenía impasible, como si no hubiera ocurrido nada. Bien podía ser porque la herida era superficial, o bien porque fuera de una profundidad inexplicable.

Pero Goldie, que se sentía satisfecha y orgullosa de su hazaña, se descuidó un momento mientras alardeaba y presumía de su logro cuando, de pronto, Art se abalanzó sobre ella y la empujó por el costado derecho. En ese instante, ambas tripulaciones dejaron escapar un grito de asombro y sorpresa, a pesar de que tan sólo fue el tejido del abrigo el que sufrió un pequeño desgarro. Goldie maldijo a Art y rápidamente se arrancó toda la manga del abrigo y la arrojó directamente al rostro de su contrincante, pero ésta fue más veloz y antes de que llegara a rozarla lo esquivó y volvió a embestirla, y esta vez el golpe de la espada pirata de Art se dirigió a la cintura de Goldie.

Goldie se tambaleaba, hacía los mil y un malabarismos para mantenerse en pie, pero antes de que pudiera recuperarse, Art volvió a empuñar su espada y golpeó directamente hacia las piernas de Goldie, en concreto en la parte trasera de las rodillas.

Con un alarido, Goldie cayó al suelo. Estaba sentada sobre sus rodillas, sobre la hierba del acantilado, cuando Art se acercó a ella apuntándola con su espada.

384

Realmente, había sido un golpe maestro. Walter y Peter, y muchos otros, al observar la situación, pensaron que Art tenía la intención de cortarle el cuello, pues vieron alguna cosa caerse al suelo... pero no era su cabeza, sino una enorme cascada de largos rizos negros.

Mientras, Goldie gateaba por su alrededor buscando algo que pudiera ayudarla a combatir con su enemiga. En pocos segundos, encontró otra pequeña navaja escondida entre algunos de sus ropajes que minutos antes se había arrancado, y lo lanzó directamente hacia los ojos de Art. Esta vez, Art no fue lo suficientemente rápida como para poder evitar el golpe, y la navaja le rasgó ligeramente la mejilla derecha.

Aun así, y a vista de todos los espectadores, a Goldie

le sangraba la sien por donde la espada de Art había pasado al cortar el cabello negro de Goldie.

Goldie dio unos cuantos pasos hacia atrás mientras lanzaba temerosos y groseros insultos a Art. En cambio, Art se aproximaba a ella con cautela y tranquilidad, hasta que al fin Goldie puso punto y final a su grosería para poder defenderse.

«Art no está luchando con la intención de matarla», pensaba Felix, que sentía mareos y náuseas, ¿quizá por la repugnancia que le producía ver tal espectáculo?, ¿o quizá por miedo?

Las espadas chocaban entre sí, provocando un sonido agudo y metálico continuo.

Sorprendentemente, el viento se había apaciguado y ya no corría ni un soplo de aire fresco. Por encima de todos ellos, una atmósfera verde y sombría los rodeaba, como si fuera el telón de fondo de una obra de teatro.

De repente, la espada de Goldie rasgó el antebrazo izquierdo de Art, y ésta, en respuesta, le asestó un golpe con su espada que llegó a alcanzar y herir el hombro derecho de Goldie. El rasguño no fue muy profundo, pero lo suficiente como para que el tejido de la camiseta de Goldie se tiñera ligeramente de rojo intenso.

La batalla estaba muy igualada, pues ambas contrincantes tenían las fuerzas para seguir luchando a pesar de tener bastantes heridas superficiales y algo molestas para seguir el combate. Los ropajes de las dos capitanas estaban cubiertos por pequeñas manchas color rojo en la parte de los brazos, del tronco, e incluso en sus rostros, pues Art tenía una herida en la mejilla derecha y Goldie en la sien izquierda...

Pero cualquiera con dos dedos de frente podía darse cuenta de que Goldie estaba allanando el camino a Art, pues ésta, antes del ataque de la aparentemente imparable espada de Art, ya estaba cansada y jadeando.

De repente, la espada de Art volvió a hacer otro de sus magistrales movimientos y otra fuente de rizos negros salió volando por los aires hasta aterrizar en el suelo. Antes de que Goldie pudiera reaccionar, Art le atestó otro golpe maestro cortándole más cabello de su preciosa melena negra e instantes después todos y cada uno de los botones con piedras preciosas incrustadas que adornaban su abrigo de seda le fueron arrancados sin piedad.

Goldie soltó unas carcajadas, pero en el fondo no podía creerse lo que le estaba ocurriendo. Ella era la felina, ella era la que jugueteaba a su antojo con sus adversarios... y no al contrario.

De repente, Goldie exclamó:

—¡Así que lo amabas! ¡A Black Knack! ¡Todo esto... lo has hecho por él!

Art contestó, pero con un tono de voz tan suave que nadie fue capaz de escuchar lo que dijo.

—Formaba parte de mi tripulación.

Goldie volvió a gritar, pero esta vez no vocalizó ni una palabra. Se dio la vuelta y lanzó su alfanje horizontalmente, mientras Art daba un salto hacia atrás para así poder esquivarlo. Pero no lo logró, pues la brillante punta de acero se clavó en su cintura.

Pero Art no emitió ni un quejido. Durante un segundo se desplomó y se cayó al suelo a la vez que se colocaba la mano sobre la herida, por donde no paraba de manar sangre. Instantes después, retiró la mano de la herida sin ni siquiera echarle un rápido vistazo.

Segundos después, se levantó y corrió velozmente hacia Goldie.

Si antes los movimientos de Art eran rápidos, ahora eran tan veloces y ágiles que resultaba imposible contemplar lo que intentaba hacer. Definitivamente, eran tan ligeros y ágiles que hasta que no se detenía, no se podía estar seguro de lo que había hecho.

Ahora, su espada se movía como un molino de viento en una noche de ventisca. O eso parecía. Daba la sensación, a juzgar por la rapidez con la que la usaba, que no era una espada, sino cuatro unidas por una única empuñadura.

387

Así que de ese remolino de espadas no paraban de salir disparados pedazos de cabello negro y trozos de seda verde con bordados dorados.

Mientras, Goldie no paraba de gritar, pero esta vez no eran gritos groseros, sino gritos temerosos.

Goldie intentaba evitar los constantes ataques de Art, pero no lograba conseguirlo, hasta que, de repente, Art le arrebató su arma.

Desarmada, como antes lo había estado Art Blastside, Goldie se puso de cuclillas sobre la hierba.

Art estaba de pie junto a ella, con un ritmo respiratorio tan rápido como sus anteriores movimientos y con una mirada y una expresión gélidas.

—Recógela.

Goldie emitió un suave quejido.

—Recógela, pequeña Goldie Girl. Recoge tu elegante espada. Aún no hemos terminado.

Entonces, la pequeña Goldie giró el rostro, pálido y ensangrentado y con los ojos húmedos, enmarcado por un desordenado e irregular cabello negro y se dirigió hacia la tripulación de la *Enemiga*.

—Malditos cerdos maleantes... venid aquí y ayudadme a acabar con esta zorra.

Art ni siquiera se molestó en echar un vistazo a los piratas de Goldie. Instantáneamente, la tripulación de la *Inoportuna Forastera* estalló, con Ebad en la cabeza, para defender a su capitana... pero... sorprendentemente... ningún miembro de la tripulación de Goldie se había movido.

Nadie de la tripulación de la *Enemiga* había movido un solo dedo.

Todos miraban a su capitana, arrodillada y vestida con los restos de sus ropajes y de su maravilloso cabello, abatida y vencida. Pero ninguno hizo nada.

—¡Os retorceré el pescuezo en cuanto os pille! —gritaba Goldie a sus hombres—. ¡Os arrepentiréis durante el resto de vuestras vidas!

De repente, alcanzó su alfanje, se levantó y se abalanzó hacia Art. Y todo esto, en un único movimiento.

Pero Art se hizo a un lado esquivando así a su contrincante, como si se tratara de un divertido baile, y le asestó un puñetazo entre la muñeca derecha de Goldie y el codo.

Con el brazo entumecido por el golpe, Goldie dejó escapar su espada.

—Recógela.

—¿Y cómo quieres que lo haga, bruja? —En ese momento Goldie rompió a llorar.

Lloriqueaba como una niña de cinco años, mientras se sorbía los mocos.

Art hizo un movimiento rápido con su espada, y cortó el único rizo negro que quedaba en la cabellera de Goldie. Un segundo después, ésta volvió a gritar como una loca.

—Lo siento mucho —dijo Art—. Recoge tu espada y continuemos.

Goldie se restregó su mano derecha, que aún tenía entumecida, y de debajo de la manga se sacó otra navaja y se la arrojó directamente a Art con su mano izquierda. Pero Art esquivó la navaja con la empuñadura de su espada.

Goldie permanecía ahí, medio inclinada, muy poco encantadora, mocosa y lloriqueando.

Art pasó por delante de ella, recogió el alfanje de Goldie y se lo ofreció muy amablemente.

Goldie tiró al suelo el alfanje y Art dijo:

—Oh, cielos.

Una vez más, Art recogió el alfanje y mientras se volvía a poner derecha, Goldie intentó golpearla con su puño izquierdo, pero Art logró evitar el golpe con facilidad. Un segundo después, Art volvió a entregar el alfanje a Goldie.

Después de todo, Goldie intentó agarrarlo y se abalanzó sobre Art.

Pero esta vez, Art golpeó con su espada el alfanje de Goldie con tanta fuerza que lo lanzó hacia el aire haciendo arcos y después aterrizó a unos metros de allí. Goldie, quien había perdido por completo el equilibrio, se tambaleó y cayó sobre el suelo, justo ante los pies de Art.

—Ya basta —se quejó Goldie.

—¿Perdona?

—¡Ya basta! —gritó Goldie—. ¡Quiero seguir con vida! ¡Ya basta! ¡Ya basta! ¡Ya basta!

—Ah —dijo Art mientras miraba hacia abajo—, seguir con vida. Creo que tu padre, Goliath, jamás permitía que sus enemigos sobrevivieran.

Afligida, Goldie miraba fijamente el rostro de Art, pálido y ensangrentado, con unos ojos tan negros y gélidos que parecían los de una estatua.

En un horroroso silencio, ambas tripulaciones observaban cómo la espada plateada de Art hacía una especie de zigzag en el rostro de la pequeña Goldie Girl.

Instantes después, Art se enderezó y todos escucharon a Goldie sollozar:

—Pero, ¿qué has hecho?

—Es un pequeño recuerdo. Para que nunca te olvides de mí. Considérate afortunada, señorita, pues portas la marca de Pirática.

Goldie se llevó la mano a la mejilla derecha, justo al lado del labio superior, y volvió a gritar.

—¡Esto me dejará una cicatriz enorme! ¡Me ha dibujado dos huesos cruzados en la mejilla! ¡En mi preciosa mejilla! ¡Matadla, ratas malolientes!

Uno por uno, cada miembro de la tripulación de Goldie escupió en el suelo. Entonces, el señor Beast, con la nariz bien roja, habló, pero no se dirigía a Goldie, su capitana, sino a Art.

—Capitana Pirática, has vencido. Ya no está a prueba de balas, así que ahora carga consigo el peso de la mala suerte. Su padre yace en su tumba, en las profundidades marinas. Llévanos contigo, capitana. Ahora nos debemos a ti.

Y entonces, toda la tripulación de la *Enemiga* gritó a todo pulmón:

—¡Sí! ¡Leales hasta el fin!

Art alzó su cabeza y empezó a carcajearse con temeridad.

Fue en ese preciso instante cuando el mar y el cielo se unieron.

Un enorme estruendo hizo que todos giraran la cabeza, y la mirada, hacia arriba.

Ahora, cerca del borde del acantilado, podían ver perfectamente cómo se iba acercando una enorme ola.

Era como un segundo océano que surcaba sobre una extensa y rizada ola. No era ni azul ni ámbar, sino del color de la melaza oscura, y parecía que en lo más alto se zambulleran caballos blancos en la espuma. Incluso daba la sensación de que la ola rugiera a medida que se iba acercando.

A sus espaldas, sobre el acantilado, la multitud de loros no paraba de graznar y *Plunqwette*, quien ahora estaba posada sobre el hombro de Ebad, tan sólo emitió un gemido un tanto salvaje.

—¿Cuánto debe medir esa ola?

—Yo creo que al menos más de un kilómetro...

—Yo diría que tiene la misma altura que ese acantilado... Creo que vuelven las inundaciones.

Unidos por la inquietud y la preocupación, los hombres de ambas tripulaciones permanecían perplejos mientras observaban lo que se les acercaba. Art también estaba de pie, observando con cautela el creciente océano. Tan sólo Goldie permanecía sentada a lo lejos, sobre la hierba, sujetando un pañuelo para intentar curarse la herida y de espaldas a todo el espectáculo.

Ahora la ola empezaba a plegarse. Una vez rompió, las aguas se extendieron por toda la superficie del océano, destrozando así todo lo que encontraba a su paso. Segundos más tarde, la espuma se apresuraba hacia ellos.

En la orilla de la playa, los botes ya flotaban sobre las nuevas aguas, y empezaban a romperse en mil pedazos. Al contemplar mar adentro, ninguna de las dos embarcaciones estaba a la vista.

Por encima de sus cabezas, unos deslumbrantes y tormentosos truenos caían desde el cielo, que ahora había cobrado un color extraño, como si estuviera anocheciendo.

—Retroceded —dijo Art—, y estiraos sobre el suelo. ¡Todos!

—Sí —continuó Ebad—, golpeará directamente contra el acantilado, y seguramente arrastrará consigo muchas cosas...

La roca del acantilado parecía emitir una especie de zumbidos, como un canturreo agudo. Arrastrando el cofre que contenía el tesoro que les había conducido a todo esto, los hombres de la tripulación de Art producían un ruido sordo al empujarlo hacia los árboles más cercanos, donde cientos de loros ya se habían agrupado sin emitir sonido alguno, como un enorme fardo de plumas.

El agua golpeó la roca provocando un ruido un tanto metálico. La espuma estalló como magníficos fuegos artificiales de color blanco en el cielo. Después, cayó sobre ellos como aguanieve salada. Esto ocurrió tres veces más, a pesar de que la segunda y la tercera no fueron tan violentas como la primera.

Hubo unas cuantas sacudidas más, que golpearon en el acantilado, pero en pocos minutos se dejó de ver o sentir la explosión de la espuma. Las olas de la marea empezaban a desvanecerse.

—Esta isla está maldita —dijo Goldie, lloriqueando sin que nadie le hiciera el menor caso.

Largos hilos de agua salada recorrían la hierba.

Art vio a Felix, aún con las manos atadas, acurrucado entre los árboles situados detrás de ella. A pesar de que el terreno estaba mojado, el océano se había retraído.

Los loros, mojados, se sacudían el agua de las plumas. La cima del acantilado se había mantenido por encima del nivel del mar, presumiblemente como siempre. Pero a unos metros debajo del acantilado, cuando se asomaron por la escarpada roca, observaron que el agua seguía corriendo. Oscura como el cielo, cubría todo lo que se encontraba a su paso, la playa, el prado, el bosque, la entrada-salida de la escalera de Diez Kilómetros. Ni siquiera los árboles más altos eran visibles.

—Black yace ahí abajo.

393

—Y nuestros botes.

—Y la embarcación. Seguramente la *Inoportuna* yace en lo más profundo de estas aguas.

Ahora, lo único que se mantenía por encima de la marea era la arbolada colina, sobrevolada por un gran número de loros. La colina se había convertido, al igual que el acantilado, tan sólo en un islote más de los Mares Ámbares.

—Estamos perdidos —dijo Eerie—. Sin embarcación y abandonados en esta roca. Nos moriremos de hambre y de pena.

—¡No, mirad, camaradas! —exclamó el señor Beast—. ¡Allí hay un barco! Pero... por los berrinches felinos... si es... ¡nuestra embarcación! ¡y la vuestra!, ¿no?

Ebad cogió el catalejo y miró a través del crecido y oscuro océano en silencio. Y, así, entregó el catalejo a Art.

No eran dos embarcaciones, sino cuatro. Art lo veía claramente a través del cristal del catalejo y a pesar de todos los kilómetros que los separaban de aquellos navíos y de la agitación de las aguas del océano. Sí, podía observar cómo se dirigían hacia la isla. Incluso, a través del catalejo, pudo contemplar las banderas que enarbolaban.

—¿Es la vieja *Inoportuna Forastera*, capitana? ¿Se ha salvado?

—Me temo que no, señor Cuthbert. Una embarcación ondea una bandera que lleva dibujado un elefante sujetando una taza de café, y otras tres ondean los colores de la Marina de la República de Inglaterra.

Un gemido de sufrimiento brotó de todos ellos, de todos excepto de cuatro: Art, Ebad, Felix y Goldie. El señor Beast fue el que dio el último discurso:

—Al fin nos han cogido. Estamos perdidos. Creedme, hay una soga esperándonos a todos y cada uno de nosotros.

Capítulo III

1. Caminando sobre tablones

A Felix le dio la impresión de que el capitán de la embarcación perteneciente al Sistema de la Reserva Federal, llamada *Sin par*, era más amable y civilizado que los de los demás navíos. Cada noche Felix cenaba con él y sus oficiales, quienes iban vestidos con un traje color azul marino, adornado con botones de metal y medallas de oro, mientras que Felix llevaba ropajes de caballero que le habían entregado y que tenían guardados, según ellos, para sus huéspedes.

Así pues, Felix volvía a ser un invitado que disfrutaba de ciertos favoritismos, y de esta manera todo iba bien encaminado para llevar a cabo su plan. Y ese plan no era más que un plan que había imaginado cuando era un crío en la casa de caridad, después de que su padre de cabello canoso muriera. Sí, su plan iba bien encaminado, pues las tripulaciones de dos veleros piratas eran llevadas ante la justicia de la Libre Inglaterra, y una de ellas era la tripulación de la *Enemiga*, una copia exacta de la embarcación de Goliath. Y fue la flota de

Goliath la que, hacía muchos años, había destrozado la embarcación del padre de Felix, la *Viajera*, y con ella su riqueza, su felicidad y su propia vida.

Felix jamás había confiado a nadie ese detalle de la historia, la implicación de Goliath, ni a Art ni a ninguno de sus hombres. Ni Art ni su tripulación sabían que Goliath era el pirata que más odiaba Felix. O que la hija de Goliath, Goldie, era la única persona que Felix deseaba que descansara junto a la tumba de su padre. Cuando Felix le dijo a Art que se habría ido con Goldie porque ella era lo que él había estado esperando, sin saberlo, durante toda su vida, no se refería a un sentimiento amoroso, sino a un sentimiento de venganza. No amaba a Goldie, que era lo que Art había supuesto al escuchar sus palabras. Lo que quería era ayudar a que ésta estuviera entre rejas.

Se preguntaba si Art se habría dado cuenta de esto. También se preguntaba si de hecho deseaba que colgaran a Goldie en los muelles de Execution. Era completamente innecesario preguntarse si le deseaba el mismo destino a Art y a su tripulación de actores. Obviamente, no.

No está mal soñar con una venganza, comprometerte por ella y tenerla la mayoría del tiempo en tu cabeza, pero esto puede resultar un sueño imposible si te adentras en el mar, cosa que, en un principio, resulta algo poco probable. A pesar de que no quería reconocerlo, Felix sabía que había cambiado. Nunca le habían desagradado los piratas de Art, aunque había hecho esfuerzos por odiarlos. Siempre se había sentido como un traidor, tan indeseable como Black Knack o Hurkon

Beare, pues Felix había, en cierta manera, traicionado a sus amigos de la *Inoportuna*. Y no sólo eso, sino que por haberles cogido cierto aprecio, también había traicionado la memoria de su padre.

Sin embargo, al principio, casi lo encarcelan junto a los demás.

Y eso por culpa del regordete patrocinador del café y del capitán Bolt, quienes habían saltado desde su ridículo barco, con su ridícula bandera de un elefante sujetando una taza de café con su trompa, y habían ido a por ellos con la ayuda de los remos de los botes navales.

—¡Aquí tenemos a otro! ¡Es el célebre bandido, el caballero Jack Reloj de Cuckoo...!

Pero, entonces, los oficiales navales empezaron a reírse.

—No seas ridículo. Todo el mundo sabe que el caballero Jack es, en realidad, una mujer, una rubia que llaman Dolly Muslin.

—¿Otra mujer? —exclamó con indignación el capitán Bolt—. ¿Es que acaso ningún crimen se ha cometido en manos de un hombre?

—Hablando de manos, este jovenzuelo tiene las manos atadas —dijo uno de los hombres mientras se apresuraba en desatar a Felix.

Felix recordaba perfectamente cómo en ese momento Art, quien también estaba maniatada con una cuerda muy robusta, había dado un paso hacia delante y había dicho:

—Él no es uno de los nuestros. Era nuestra inocente víctima. Lo cogí para luego poder exigir un buen rescate, caballeros. Podéis llevároslo con mi permiso. Por cierto, le ha estado doliendo la oreja durante todo el viaje.

Incluso al final, Art continuaba teniendo estilo y siendo generosa. Pero el final aún no había llegado.

Felix se preguntaba una y otra vez cómo podría salvarlos de los galeones, pero no encontraba la manera. No podía hacer nada, absolutamente nada. Lo que era, indudablemente, lo que debería desear, ¿no?

Todas las embarcaciones se mantenían muy cerca las unas de las otras en el momento de atravesar el cabo de Buena Esperanza. Felix podía ver muchas veces a dos o tres de ellas surcando cerca de la embarcación en la que él iba a bordo. Pero había un total de seis embarcaciones, cosa que fue una gran sorpresa para todos ellos cuando los llevaron a bordo. Ni la *Inoportuna Forastera* ni la oscura *Enemiga* se habían hundido. Aparentemente, gracias a las aguas revueltas por las mareas de la isla, la Marina había encontrado a ambas embarcaciones a la deriva, con el ancla y las cadenas rotas, así que las cogieron para remolcarlas hasta la República. Tripuladas ahora por marineros legítimos, también iban rumbo a Inglaterra, aunque el capitán Bolt se había opuesto en algún momento, pues tanto la *Inoportuna* como la SRF *Elefante* le habían pertenecido en otro tiempo.

—Ese asunto se resolverá en la Corte —le habían contestado algunos oficiales.

El nuevo barco cafetero también rondaba por allí, aunque se mantenía un tanto atrás porque no era capaz de navegar con tanta velocidad como las demás.

A veces, los veleros llegaban a acercarse mucho, y

entonces Felix podía avistar a los prisioneros, quienes hacían un poco de ejercicio sobre las cubiertas. Obviamente, la Marina quería mantener a todos los piratas saludables y en forma para el juicio final que se celebraría en Inglaterra.

Cada tripulación estaba en una embarcación diferente de la Marina. Felix ya se había dado cuenta de que Goldie había hecho muy buenas migas con el capitán de la embarcación donde iba a bordo. No parecía que estuviera atada, y caminaba arriba y abajo por la cubierta, cogida del brazo de un oficial, mientras le reía las gracias a éste. Esa preciosa y melodiosa risa parecía resonar sobre las aguas. Sus hombres, mientras, hacían ejercicio, y no parecían estar ni tan felices ni atractivos con grilletes.

Felix también lograba ver a los actores-piratas, quienes también estaban maniatados, pero con cuerdas, no con hierros. Caminaban por las tablas de la cubierta de la embarcación de combate de la Marina y parecían abatidos, miserables. De vez en cuando, ofrecían alguna que otra actuación dramática, algunos pedazos de las obras de Shakespur, y entonces emergían los aplausos de las mismas olas.

Incesantemente, Felix también veía a *Muck* y a *Plunqwette*. *Muck* se había convertido en la mascota de la embarcación de la Marina, y *Plunqwette* se sentaba sobre las jarcias, como si fuera otra bandera de colores.

La Marina también se había quedado con las gallinas ponedoras de la *Inoportuna Forastera*.

Muy pocas veces, lograba avistar a Art.

Parecía que aún seguía maniatada, aunque parecía

sentirse bastante libre y caminaba de una forma amenazante sobre las tablas de cubierta, con la cabeza altiva, sonriendo y saludando a su tripulación y a los oficiales de la Marina, como si fueran la realeza, e intercambiando bromas. Parecía que sus chistes les hacían reír mucho.

A Felix le dolía el corazón.

Le dolía tanto que no lograba conciliar el sueño, ni comer los exquisitos manjares que le servían para cenar, así que los oficiales empezaron a preocuparse y le llevaban los más delicados manjares que tenían en las reservas.

Le dolía el corazón, al igual que en su momento le dolió a su padre. A pesar de que no era de la misma manera.

402

Realmente, no la trataban para nada mal. El capitán de la destructora SRF a la que llamaban *Haremos lo imposible*, al fin se dirigió a Art.

—Bien, señorita. Como eres una mujer, no te encarcelaré junto con tus hombres. Podrás disfrutar de un camarote separado bajo el castillo de proa y, aunque te cerraremos con llave, una vez dentro no estarás maniatada.

Art le agradeció el detalle con gentileza. Tal y como Molly lo hubiera hecho en la obra. Entonces dijo:

—Estoy de acuerdo. A cambio, le pido que trate a mis ocho hombres con amabilidad y cortesía.

—Pero, señorita, ¡si son piratas! ¡Sois una tripulación pirata! Toda Inglaterra ya se ha hecho eco de vuestros robos y saqueos por los Siete Mares.

—Una tripulación pirata que no ha hecho daño a nadie, que no le ha quitado la vida a nadie y que no ha hundido un solo barco.

El capitán parpadeó. No era muy joven y su rostro desgastado y erosionado no resultaba muy atractivo y en ningún momento, ni por asomo, le recordó a Art a su odioso padre.

—Ajá... —dijo.

—Señor, también quiero recordarle que tanto yo como mi tripulación somos actores —agregó Art incluyendo también a Glad Cuthbert—, y que nuestros nombres son famosos gracias a una popular obra de teatro. Mi madre, señor, era Molly Faith y...

Antes de que pudiera continuar con su explicación, se dio cuenta de que no tenía la necesidad de proseguir.

—¡Por las medias de seda de los delfines! ¿Tu madre era... Molly Faith?

—Sí, capitán. Pirática.

—Ah, Pirática —suspiró el capitán con entusiasmo—. Vi esa obra unas cuantas veces, de hecho tengo un cartel en mi casa de Inglaterra firmado por la propia mano de Molly Faith... tu madre, era un encanto de persona, y una actriz excelente.

—Muchas gracias. Mi madre, señor, era una mujer excelente. Pero si ha visto esa obra y los papeles que se desempeñaban, entonces nos comprenderá a todos, a mí y a mi tripulación.

El capitán se levantó y le dio la mano a Art.

—Creo que sí. Y también veo a Molly Faith en ti, capitana Blastside. Así pues, no tengo otra opción que guardar todas tus armas y maniatarte cuando camines

403

por la cubierta de la embarcación. Y esto también incumbe a tu tripulación. Pero no os preocupéis, dejaremos las cuerdas bastante flojas para que así os podáis mover con más facilidad. En cuanto al espacio, tus hombres se pueden instalar en los camastros de la cubierta inferior. Cenaremos en la cubierta principal, vosotros y nosotros. Si a mis oficiales no les importa, podréis disfrutar del espectáculo de los pavos reales. Quizá... —miró a Art con una mirada llena de recuerdos y continuó— tú y tus compañeros podríais interpretar algún trozo de alguna obra, para nosotros... El camino a casa es muy largo.

Art sonrió y contestó:

—Estoy segura de que no habrá problema, capitán. Aunque, la verdad, para nosotros, cuanto más largo sea el camino a casa, mejor.

Después de pronunciar estas últimas palabras, en un tono de lo más tétrico, tal y como Molly hubiera hecho, Art, quien ahora era Pirática, pensaba en sus queridos compañeros.

Sin duda, ni ella ni su tripulación tenían ninguna prisa por llegar a Inglaterra, pues allí serían juzgados y después colgados.

Art reflexionaba sobre lo que acababa de pensar, y se lo quitó inmediatamente de la cabeza. No. Se negaba a aceptar que ella y sus hombres morirían en la soga. Ya había perdido a dos de sus hombres. Black Knack, un imbécil podrido por dentro, pero igualmente jamás le habría deseado la muerte. La idea del cuerpo de Black Knack estirado sobre el suelo de una isla inundada le irritaba, y muy en el fondo, le dolía. Hurkon, obviamente, era el otro que se había perdido. Hurkon también había sido un traidor, y además por doble partida, y desde hacía unos pocos días, para su sorpresa, había aprendido mucho sobre él.

Cenaron sobre la cubierta. Los hombres de Art estaban en el castillo de proa, practicando algunos discursos para así animar a la tripulación de la embarcación destructora. Ninguno de los actores parecía estar feliz, sino que se sentían indignados, pero animaban en el momento de las comidas o mientras ensayaban. Incluso Ebad bromeaba y se pavoneaba, cosa que no hacía desde hacía mucho tiempo. No tenían ningún momento de intimidad para hablar entre ellos, pues siempre estaban rodeados por los demás, ya fuera por un vigilante, o un gran público que quería ver sus actuaciones.

Art se sentaba junto al capitán, y evitaba cualquier conversación en la que se mencionara a su madre.

Y cada vez que la charla se centraba en los actos de piratería que Art había realizado por los Siete Mares, ella se lo explicaba con todo detalle. No tenía nada que esconder, y el capitán asentía con la cabeza. Entonces, él le preguntaba:

—Pero, ¿por qué lo hiciste? ¿Por qué no te quedaste en un simple escenario?

A lo que Art tan sólo podía contestar:

—El mundo es en sí mismo un escenario, señor, y todos los hombres y mujeres que habitan en él son meros actores.

A babor, Art contemplaba una figura blanca, como un cisne, la *Inoportuna Forastera* timoneada por otras manos y navegando hacia Inglaterra, aunque ya no bajo una bandera rosa y negra.

El capitán siempre hacía una reverencia cuando Art se le acercaba, y siempre le dejaba tiempo de más para que pudiera contemplar el hermoso paisaje.

Al final, Art le preguntó:

—¿Quién le dijo dónde podía encontrarnos, o dónde podía encontrar la Isla del Tesoro?

Tal y como Art esperaba, el capitán le contestó:

—El villano de Hurkon Beare, que reina sobre la isla de Mad-Agash Scar y que se hace llamar Gobernador. Había señalado bastante bien la zona donde se encontraba la isla, supongo que ya lo sabes. Se parecía demasiado a una babosa, a un cobarde, como para ir él mismo a buscarla, así que permitió a los demás hacer su trabajo. Primero a vosotros, y después a Goldie Girl. Pero en cuanto lleguemos a Inglaterra, ya me encargaré yo mismo de que la justicia le haga una pequeña visita, aunque la verdad es que él es quien nos pone al día de todas las noticias que vienen del océano, así que nos resulta útil. Aquella crecida de la marea fue para nosotros como una luz, como un faro, y nos permitió encontraros.

—Así que Hurkon juega a dos bandas, en la pirata, y en la de la justicia.

—Sí. Y es por eso que todos los gobernadores de Inglaterra y de Amer Rica le permiten seguir con vida. Conoce casi todos los secretos que surcan los Siete Mares, así que les resulta muy útil, y además, le pagan más que bien. Si dependiera de mí, me llevaría a una flota entera y lo sacaría de su isla por el pescuezo. Pero las cosas no funcionan así...

Entonces, el capitán Bolt le contó la inesperada noticia.

—Art, ¿sabías que Beare había navegado junto al mismísimo Golden Goliath, el peor de los piratas y de los asesinos de los Siete Mares?

Art no podía creérselo.

—¿Con él? ¿Se refiere al tiempo en que Goliath era prisionero?

—No, la verdad es que eran bastante buenos amigos. El hecho de encontrar un mapa del tesoro, uno verdadero, con pistas verdaderas, aunque no sirvió para crear un vínculo impenetrable, sí que los acercó.

—Señor, me está intentando decir que incluso cuando Hurkon era miembro de la tropa de Molly...

—Según mis informaciones, incluso antes de eso ya era amigo de Goliath.

407

Art no dijo nada más. La sangre que corría por sus venas de repente se había congelado. Algo terrible merodeaba por sus pensamientos... pero no lograba perfilarlo, definirlo.

Entonces, el capitán añadió:

—Y eso tan sólo es la punta del iceberg. Pero bueno, al fin y al cabo, jamás encontraron el tesoro. Y ahora que lo habéis encontrado vosotros... se ha desvanecido, pues el cofre que teníais estaba completamente vacío. Al principio pensé que quizá lo habríais escondido, pero luego pensé: ¿dónde? No había ninguna otra parte del acantilado por donde se hubiera podido cavar, y ninguno de tus hombres llevaba joyas o monedas en los bolsillos. Así que supongo que alguien se os habrá adelantado, alguien que también tenía en sus manos un mapa verdadero y el ingenio como para resolver el enigma.

—Tiene toda la razón, capitán. No fue un buen golpe.

El tesoro...

Oh, el tesoro...

Art se estremecía al recordar cómo las tripulaciones de ambas embarcaciones, la *Enemiga* y la *Inoportuna*, daban saltos de alegría y hacían nuevas promesas.

Pero eso fue cuando aún estaban sobre la isla, contemplando cómo los tres navíos de la Marina se acercaban sutilmente hacia ellos mientras aún tenían el cofre en sus manos, a rebosar de más de cien mapas que significaban, nada más y nada menos, que la llave maestra al tesoro más colosal, quizá, que se encontraba sobre la faz de la tierra. Para ese entonces, todos sabían qué contenía el cofre.

Únicamente Felix y Goldie no se habían apuntado al enorme alboroto que formó el resto. Ella miraba hacia el suelo, y él, hacia el lado contrario.

—Aún tenemos tiempo —dijo Cuthbert finalmente—. Seguramente todavía tardarán una hora en llegar hasta aquí, después tendrán que remar, y las aguas no son tan profundas como para que lleguen tan fácilmente. Creo que podemos volver a enterrar el cofre.

Y Art contestó:

—No, señor Cuthbert. Si han sabido llegar hasta aquí, es porque saben lo que nos ha conducido hasta esta isla. Lo primero que harán será meternos entre rejas y, acto seguido, rastrearán toda la superficie de la isla en busca de alguna señal.

—Entonces... ¿nos rendimos...? ¿nos entregamos a la justicia?

De repente, treinta y un rostros horrorizados se giraron hacia Art. Incluso el de Ebad, que a pesar de no estar horrorizado, estaba muy enfadado. Sus actores, que definitivamente se habían convertido en piratas, y la tripulación de Goldie ahora estaban junto a Art. Art pensaba: «Parecen críos después de haber hecho una travesura delante de su madre». Seguramente, así es como hubieran mirado a Molly.

—Esto es lo que vamos a hacer —empezó Art a explicar—. El papel de los mapas está encerado, así que doblaremos cada mapa para crear barquitos de papel, y después los arrojaremos al mar.

La respuesta fue un tremendo alboroto.

Art esperó a que pasara el ruido.

—Escuchadme. Si escondemos los mapas aquí, los encontrarán. Si los escondemos sobre nosotros, en nuestros bolsillos, también los encontrarán. Pero mirad el océano. Hay un montón de objetos flotando que la marea ha arrastrado, palitos, algas, hojas, medusas... Para cuando lleguen las embarcaciones, estos pequeños barcos de papel ya se habrán alejado lo suficiente como para pasar desapercibidos sobre el agua. Y al igual que nosotros, la Marina no viene a la isla en busca de papel.

—Pero, capitana Pirática —interrumpió el señor Tattoo de la *Enemiga*, con mucho respeto—, si arrojamos los barquitos al mar, jamás los recuperaremos, y serán otros quienes los encuentren.

—Qué más da —gruñó el señor Beast—, jamás volveremos aquí, así que hagámoslo y punto. Nosotros no tendremos los mapas, pero ellos tampoco conseguirán poner sus garras sobre nuestro tesoro.

Todo el mundo bajó la cabeza, asintiendo.

Entonces, Ebad dijo, en un tono de voz muy calmado:

—Hagamos lo que nuestra capitana ordena.

Así que se sentaron formando un corro justo en lo alto de la cima del acantilado, como niños en una lección del colegio, haciendo cientos de barquitos de papel con los mapas del cofre.

La tripulación de Art, que ya había hecho este tipo de barcos con el papel de los carteles en Grinwich, el día de Nochebuena, en memoria de un festival de la Indie, enseñaba a los hombres de la *Enemiga* cómo hacerlo, aunque, sinceramente, los barquitos de la tripulación de la *Enemiga* no estaban muy logrados.

Una vez el barquito de papel ya había cogido la forma deseada, lo arrojaban al mar. Al principio de uno en uno, después de dos en dos, y más tarde de veinte en veinte.

Y los pobres barquitos se iban alejando poco a poco, a veces dando vueltas sobre sí mismos, otras acompañados con la brisa marina, y otras sin rumbo alguno, mientras sus creadores se lamentaban.

Muy pronto, tal y como Art ya había dicho, los barquitos de papel parecían ser simplemente escombros flotando sobre el mar, como si fueran flores mojadas de cera.

Justo cuando los navíos de la Marina ya estaban

muy cerca, con los cañones cargados, y los botes de las embarcaciones con los marineros apuntándolos con sus pistolas —algunos incluso pasaban junto a los últimos mapas doblados, sin darse cuenta—, no les quedaba ni un solo mapa por doblar.

Al recordarlo, Art caminaba de un lado a otro de la cubierta principal de la SRF *Haremos lo imposible*, mientras hacía el ejercicio diario. Qué limpias estaban las tablas por las que pisaba, y qué deslumbrantes cuando el sol de Africay brillaba sobre ellas.

Si miraba a estribor, vería a Felix apoyado en la barandilla de la SRF *Sin par* contemplando fijamente la SRF *Haremos lo imposible*, pero ¿la miraría a ella? Quizá. O quizá tan sólo se regodeaba de su captura. Seguramente ahora la justicia ya no necesitaría sus dibujos, aunque los podría utilizar contra ellos a su favor, si quería.

Ella jamás lo miraba.

Sentía que jamás debía volver a mirarlo a los ojos, pues si lo hacía, se desmoronaría, y no quería que eso ocurriera.

En la cubierta de la tercera embarcación de la Marina, la SRF *Devastación Total*, la pequeña Goldie Girl estaba sentada bajo un toldo junto al capitán del navío.

Le habían permitido que se cortara el cabello, y la verdad es que había hecho un trabajo estupendo. Ahora lo tenía más corto, pero el estilo la favorecía mucho, y cuando lo llevaba recién lavado, le brillaba más de lo normal y se le rizaba mucho más. Parecía que llevara una aureola negra. Le habían encontrado ropajes de señorita, pues parecía ser que los había pedido insistentemente, pero su perfecto rostro ahora se veía un tanto desmejorado por la cruz que Art Blastside le había dibujado, aunque parecía que estuviera cicatrizando bastante bien. Tan sólo le dejaría una pequeña cicatriz en la mejilla, pero la cicatriz que le dejaría en la memoria sería mucho más profunda.

—Oh, capitán —arrullaba Goldie—, jamás dejaré de agradecerle a Dios el haberme rescatado de esa gentuza.

El capitán no parecía estar muy convencido de sus palabras, pero creía muchas de las cosas que ella le contaba. La verdad es que no se acababa de creer que Goldie fuera una villana, seguramente tenía razón cuando decía que su malvado padre y su malvada tripulación la habían obligado a ejercer la piratería.

—¿Cómo cree que una jovencita tan frágil y débil como yo ha podido resistirlo? Yo aún me hago cruces, capitán. Todas esas horribles acciones... seguramente un día u otro me habría desvanecido por el miedo y el dolor.

Naturalmente, había dejado a su malvada tripulación pudriéndose en las bodegas, atados con cadenas, y cuando ésta aparecía en la cubierta, Goldie desaparecía cogida del brazo del capitán.

Jamás mencionó a Felix ni a Art directamente, pero sí que había contado al capitán de la SRF *Devastación Total* el destino de los mapas encontrados en el cofre, pero él nunca se lo reveló a ninguno de sus oficiales.

Goldie había añadido:

—Pero debo decir que no todo está perdido, aún. Mire, la playa estaba completamente cubierta por gemas y monedas, que obviamente nosotros... digo... la horrible tripulación de mi padre recogió y que usted, mi galante capitán, después se encargó de arrebatárnoslas... digo, arrebatárselas, tal y como es su deber. Pero ¿sabe qué? Me hizo reflexionar. Las joyas seguramente se han hundido con la isla, pero cuando baje la marea, seguramente volverán a salir a la superficie, con lo cual, ¿por qué no puede ocurrir lo mismo con todos esos mapas?

—Art, debemos hablar. Solos, tú y yo.

—Sí, Ebad. Pero aquí no tenemos ocasión de hacerlo.

—Debo hablar contigo antes de que me cuelguen en Inglaterra...

—No nos colgarán a nadie, señor Vooms.

—Creo que es probable que me cuelguen, cielo... y no te he contado todo lo que sé. No quiero morirme sin contártelo.

—Pero, Ebad, mira a tu alrededor, hay tres oficiales de la Marina y seis marineros. Quieren vernos ensayar, o simplemente asegurarse de que no nos estamos contando secretos.

—Maldita sea.

—Y siempre estamos separados, excepto cuando subimos a cubierta.

Los hombres de la Marina estaban justo detrás de ellos, y entonces Ebad subiendo el tono de voz dijo:

—Y el viaje real sobre el velero, cuyos pasajeros no son la realeza, sino los bandidos más feroces y temidos de los Siete Mares. Así que aquí y ahora deberéis escuchar mi juramento. Prestad atención... —Entonces sus ojos negros brillaron como espadas mientras los observadores permanecían paralizados y encantados con la interpretación—. Presta atención, Pirática. Pues estando esta noche, bajo el cielo y la luna llena, solos tú y yo, te revelaré la verdad de tus orígenes.

Art encogió los ojos. Durante un instante, no pudo pensar en nada, hasta que de pronto, dijo:

—Por encima de mi alma, señor, le concederé su deseo.

Y entonces, los caballeros de la Marina empezaron a aplaudir con gran entusiasmo.

414

2. En el mismo bote

Art estaba apoyada sobre la barandilla de *Haremos lo Imposible*, esperando a Ebadiah Vooms, bajo el oscuro cielo de medianoche.

A Art le había resultado bastante sencillo. Únicamente, había pedido al capitán que le dejara subir a cubierta para poder tomar un poco de aire fresco nocturno. El capitán le concedió dos horas. Su petición también incluía estar completamente sola para así poder meditar sobre su destino, y el capitán también se lo concedió. Parecía algo romántico, este capitán. Qué suerte.

Plunqwette se había acercado hasta la barandilla

donde estaba Art para así hacerle un poco de compañía, cosa que no solía hacer cuando los hombres de la Marina merodeaban a su alrededor. *Muck* se hallaba junto a los oficiales en el salón. Ellos jugaban a las cartas y el perro, sentado con el hueso de loro en la boca, los ayudaba ladrando cuando uno de ellos tenía la puntuación más alta.

—Chucho desleal —había declarado Eerie.

—No puedes culpar al perro —Whuskery contestó—, ahora no le servimos de nada.

Art se preguntaba de qué modo Ebad lograría escapar de la cárcel de la cubierta inferior, pero en cierta manera intuía que lo conseguiría. Y así fue.

De repente, como un sigiloso felino —como ella, o como Molly—, Ebad apareció junto a ella y le contó, rápidamente, cómo había logrado salir de ahí.

415

—Allí abajo no nos tienen maniatados. Y *Muck* me trajo la llave de la puerta.

—*¡Muck!*

—Husmeó debajo de la puerta y fue empujando la llave hasta que la tuve entre mis manos. Es un viejo truco que le enseñamos. A veces, los actores en paro necesitamos planes como éste. *Muck*, el mejor perro de toda Inglaterra. Verdaderamente, el perro más limpio.

—Así que *Muck* también juega a dos bandas.

Embriagada por la fascinación de aquella historia, Art escuchó el ladrido de *Muck* en el salón.

Ebad le desató las cuerdas que tenía en las muñecas y después se las entregó.

Ninguno mencionó la oportunidad de la que ahora gozaban para poder escapar —con las muñecas sin atar, con la puerta de la cárcel abierta—, porque en realidad era un peligro demasiado arriesgado. Por encima de ellos, había dos vigilantes que tenían puesta la mirada en el océano, así que cualquiera que decidiera tirarse al mar seguramente recibiría un balazo directo. Además, sin tener en cuenta que iban armados, no toda la tripulación de Art podría conseguirlo, pues contaban con nadadores poco expertos, e incluso con algunos que no sabían nadar, y la costa estaba demasiado lejos. Art ya había considerado la idea de hacerse o no con esa embarcación, y llegó a la conclusión de que no lo conseguiría. Estaban completamente desarmados, y además no tenían al alcance ningún tipo de armas. La tripulación de la Marina contaba con más de sesenta hombres, y además, aunque consiguiera hacerse con la embarcación, las otras dos no tardarían mucho en rodearla. Así que las probabilidades no eran muchas. Intentaba no pensar en lo frustrante que resultaba esta libertad provisional y quería proponerle a Ebad que se salvara tirándose al océano. Pero le daba la sensación de que igualmente él jamás la abandonaría, al igual que ella jamás abandonaría a su tripulación.

—Si nos quedamos aquí, nos verán —dijo Ebad—. Podemos subirnos a uno de los botes de allí arriba. Es menos probable que busquen por ahí. De todos modos, como saben que andas por aquí, si te llaman, tú puedes contestar y yo agacharé la cabeza y así no me verán.

Así pues, a oscuras, subieron hasta uno de los botes. Para mantener el secreto a salvo de cualquiera, incluso desterraron a *Plunqwette* al mástil principal. Bajo la luz de las estrellas, Art contemplaba el rostro de Ebad, un rostro de un antiguo esclavo y de un descendiente real.

—Te lo confesaré, Arty. Seré rápido. ¿Aún crees recordar ser una niña y estar sobre un barco en el mar? Me refiero a un mar real, no a la maquinaria de un escenario.

—Sí, a pesar de todo lo que me habéis dicho. A pesar de que la pólvora me golpeó y me dejó sin memoria durante seis años, recuerdo el mar.

—Y estás en lo cierto, Art. Por todos los velámenes, es un hecho.

Art cambió el ritmo de su respiración. Ésa fue toda su respuesta.

Ebad continuó:

—Molly era una actriz. Eso es verdad. Ese hombre, tu padre, Fitz-Willoughby Weatherhouse, desde el primer momento en que la vio, la intentó cortejar, y en cierta manera, ella cayó en sus redes y tiempo después contrajo matrimonio con él. Convivió con él durante un año y durante ese tiempo naciste tú, Art. Molly siempre nos decía que no te parecías nada a tu padre, que no parecías una Weatherhouse. Además, nos contaba que sólo le pertenecías a ella, así que después de un año, te cogió y lo abandonó.

—Ese hecho es uno de los que más me enorgullece.

—Pero, Art, ¿sabes qué pasó después de eso? Ella jamás volvió a subirse a un escenario, pues tenía miedo de que Fitz la persiguiera y le causara más problemas. Estaba afincada en Lundres, pero quería dirigirse hacia la costa. Quería subirse a un barco cuyo destino no fuera Inglaterra. Fue precisamente en Lundres donde yo la

417

conocí. Tan sólo puedo contártelo diciéndote la verdad, Art. Ella y yo, con tan sólo una mirada (y cito a tu madre, a pesar de que para mí fue exactamente la misma sensación), con tan sólo una mirada ya nos entregamos el uno al otro. A veces, el amor es así de sencillo.

—¿Tú y Molly?

—Sí, sí. ¿Te molesta?

—Por supuesto que no. Continúa, por favor.

—Cogimos un barco que descendía por el río, hacia la costa. Llegamos al puerto de Battering Ram y allí nos subimos a bordo de otro barco que nos llevaría directamente a Francia. Una vez llegamos allí, encontramos unos billetes que nos conducían hasta las Amer Ricas. Nos destinaron a un lugar a los pies del continente sureño, un lugar que tenía nombre español y que significaba «paraíso valiente». Pero era un pueblo muy tormentoso, pues siempre había estado en guerra, aunque decían que allí podías hacer fortuna. No sé si fue ella o fui yo quien lo creyó, ya no me acuerdo. Pero su nombre nos daba confianza, hacía relativamente poco tiempo que estábamos juntos y buscábamos un sitio lejano donde dirigirnos.

—¿Valparaíso? ¿Era ése su nombre?

—Sí.

Art recordaba el movimiento de las aguas tormentosas y las aguas en calma. Recordaba los pequeños botes del barco navegando sobre las estáticas calmas ecuatoriales, y las luminosas estrellas de ópalo de la Cruz del Sur. A medida que iba recordando todo esto, se lo iba contando a Ebad.

—Art, lo viste todo con tus propios ojos. Eras tan

sólo un bebé... luego fuiste creciendo, pero seguías siendo una niña... pero al fin y al cabo, lo viviste, con ella, conmigo. Fue entonces cuando Molly empezó a enseñarte las diversas lenguas, y cuando te enseñó a nadar, al igual que yo le enseñé a ella en la bahía de España. Y te contaba todo lo que ocurría sobre la embarcación, incluso cuando estábamos en medio de una tormenta, Dios mío, Art, tu madre caminaba por la cubierta principal contigo en brazos sin miedo alguno. Incluso te alzaba para que pudieras ver cómo los rayos iluminaban el cielo, para que pudieras sentir el soplo del viento, para que contemplaras cómo ardían las jarcias y cómo las olas trotaban sobre las aguas...

—Lo recuerdo todo, Ebad. Lo recuerdo.

—Ella te decía...

—Ella me decía: «¡Mira qué espectáculo! ¡Mira qué maravilla! Jamás temas al mar, es el mejor amigo que las personas como nosotras podamos tener. Mejor que cualquier tierra firme, por muy hermosa que parezca. Y aunque naufraguemos y nos hundamos en las profundidades del mar, tampoco a eso debes temerle, pues aquellos que el mar retiene consigo duermen entre sirenas y perlas en reinos sumergidos». Sé que también lo había dicho varias veces en la obra, pues formaba parte del guión, pero la primera vez que lo escuché fue en ese barco, en medio de una tormenta.

Ebad intervino y dijo:

—Ese barco le encantaba. Recuerdo cómo trepaba por las jarcias de la embarcación, contigo atada a la espalda. Yo tenía el corazón en un puño, créeme. Pero tú no parabas de reír y cantar. Y ella... bueno, ella no le te-

mía a nada ni a nadie. No temía ni por ti, ni por mí, ni
por ella. Tampoco le temía al mar, y la verdad es que el
mar jamás le hizo daño. Fue la tierra firme, el escenario, quien le hizo daño.

—Pero, ¿por qué volvisteis otra vez a Inglaterra?
¿Qué pasó?

Entonces Ebad explicó, como otro ya le había dicho
antes:

—¿No lo adivinas? Piratas.

Y entonces, muy despacio, Art preguntó:

—Entonces, ¿los piratas abordaron vuestra embarcación?

—Fue el mismísimo Golden Goliath. Sí, Art. Si Felix te ha contado su historia, seguramente ahora te resultará familiar, pues es muy parecida a la nuestra, en
cierta manera. Las tres embarcaciones que atacaron el
velero de su padre lo saquearon y después de no encontrar lo que realmente creían que llevaba a bordo
giraron hacia el suroeste y nos encontraron a nosotros.
Digamos que por esas aguas no surcaban muchas embarcaciones provenientes de Inglaterra o de las Amer
Ricas que llevaran a bordo el mapa de la Isla del Tesoro, y nosotros llevábamos uno. Tan sólo pasaron unos
pocos meses entre el hundimiento de la *Viajera* y el
ataque a nuestro barco. Pero el resultado no fue el mismo. Nuestra embarcación contaba con veinte balas de
cañón, así que viramos la embarcación de forma que los
cañones apuntaban directamente a Goliath. Como ya
habrás comprobado en su hija, Goldie, a ese tipo de
chusma esto no le hace mucha gracia. Entonces se desató una larga batalla sobre nuestra cubierta, y todos

acabaron huyendo. Nosotros nos alejamos, siguiendo nuestro camino, y cuando nos dimos cuenta, los cañones de la *Enemiga* habían agujereado nuestro barco. A duras penas llegamos a un puerto bastante alejado de Valparaíso. Una cosa más. El capitán de nuestra embarcación murió en la batalla, junto a siete miembros de su tripulación. Era un buen hombre y Molly y yo le caíamos bastante bien. Era un hombre negro de Puerto Libertad, aunque jamás había ejercido como esclavo. A ti y a tu madre os pasó una bala de cañón casi rozándoos la parte derecha de vuestras cabezas, pero el resultado tan sólo fue esa pequeña marca en tu cabello. Ni tú ni ella resultasteis heridas. Fue allí donde esa mecha de tu cabellera se originó, luchando con el mismísimo Goliath. Y por primera vez, Molly se sintió desconcertada.

Y, entonces, Art dijo:

—A partir de ese momento, ambos perdisteis la confianza en vosotros mismos, ¿verdad?

—La verdad es que fue un golpe muy duro. En ese entonces, Molly y yo éramos muy jóvenes. Cuando eres joven crees que nada ni nadie te puede parar los pies. Pero Goliath nos mostró cómo, en un santiamén, podía eliminarnos de la faz de la tierra, como lo hizo con nuestro capitán, y lo fácil que era morir. Y entonces, cuando al final llegamos a ese puerto perdido en medio de la nada, Molly empezó a extrañar Inglaterra. Se me ha olvidado comentarte que con nosotros viajaba otro hombre, Hurkon Beare. Subió a bordo de la embarcación de nuestro capitán muerto en las Azules Indies. Una vez vi cómo intentaba enamorar a Molly, pero ella sólo me quería a mí de ese modo. Intentaba que ella se interesara por él, pero después pareció entender que sus intentos eran en vano. Siempre me pregunté, años más tarde, si me perseguía a mí, o a ella. La verdad es que su futuro no estaba muy claro en Inglaterra. Además, también estaba el mapa.

—El mapa del tesoro.

—Art, el capitán de la embarcación de Amer Rica tenía en su poder un mapa. Ese mapa era el mismo que te entregué en Grinwich, con los bordes quemados... todo fue por culpa de ese mapa. El capitán nos dijo que se lo compró a un viejo comerciante en la Costa de Marfil. Dijo que lo compró por cumplir con el viejo, no porque pensara que realmente valiera algo, así que se quedó con el mapa y con el loro del viejo.

—¿*Plunqwette*?

—Exacto. El viejo juraba y perjuraba que el mapa era uno de los verdaderos. La isla dibujada se situaba en alguna parte del sur de Africay, decía, donde los dos océanos se convierten en uno solo. Y el pájaro de vez en cuando soltaba algunas palabras que parecían un conjunto de pistas. A Molly le gustaba el loro, solía repetir las pistas a *Plunqwette* y otras cosas, así que pronto *Plunqwette* empezó a repetir todo lo que se le decía, incluso las pistas, pero con la voz de Molly, no con la del comerciante. Y ésa es la razón por la que a veces creemos escuchar la voz de Molly en ese loro. Pero esa noche, el capitán nos contó que el mapa y el loro eran la herencia que nos dejaría a nosotros, si es que algo le pasaba durante la travesía. A veces, decía que algún día intentaría encontrar la isla, averiguar si verdaderamente existía. Quizá conocía su destino,

pues murió cuatro semanas después a manos de Goliath.

—Así que os quedasteis con el mapa... y con *Plunqwette*.

—Hurkon, fue Hurkon quien insistió en coger el
mapa, y *Plunqwette* ya era de Molly, por así decirlo. Y
entonces, cuando estábamos en el puerto, Hurkon sugirió que nos dirigiéramos hacia el este e intentáramos
encontrar esa Isla del Tesoro...

—Espera —interrumpió Art—, tengo entendido
que Hurkon pertenecía a la tripulación de Golden Goliath.

—Yo también lo he escuchado por aquí últimamen-
te. Pero yo creo que Hurkon se subió a bordo de ese
barco en las Amer Ricas para comprobar si el capitán
tenía un mapa, y si ese mapa era uno de los reales... y si
Hurkon estaba en el bando de Goliath en ese entonces,
quizá le informó de lo que ocurría. Obviamente, al en-
terarse, Goliath intentó encontrarnos, pero no logró
hacerse con el mapa, ni con el loro, y Molly y yo teníamos el mapa, así que a Hurkon le interesaba mantenerse cerca de nosotros. Ahora que lo pienso, durante
esos días se pegó a nosotros como una lapa. Y una vez
llegamos a Inglaterra, fue él quien sugirió que deberíamos, los tres, mantener en secreto todo lo que habíamos vivido hasta entonces.

—Quería el mapa para entregárselo a Goliath, o
quizá para sí mismo.

—Y también quería a Molly. Y a mí, muerto.

—Ebad —vaciló Art—, por favor, continúa.

—El señor Beare era un actor venido de Canadia

423

—prosiguió Ebad—. En ese entonces, Molly me enseñaba algunos trucos para ejercer de actor. Recuerdo cómo me decía: «Tienes una voz perfecta, tan sólo necesitas limar algunas asperezas. Y yo puedo enseñarte cómo hacerlo». Y así lo hizo. Nos sentábamos los tres, junto a Hurkon, y decíamos qué deseábamos que le ocurriera a Goliath, mientras Molly y yo nos acordábamos de nuestro capitán y su fallecimiento. Me acuerdo que Molly siempre decía que si alguna vez ella capitaneaba un barco, perseguiría a Goliath por los Siete Mares, así que a partir de allí, surgió la idea para la obra. Al final, encontramos un velero que nos trajo hasta las costas inglesas. Viajamos durante más de un año por todos los océanos, desde el cabo situado más cerca del Polo Sur hasta la península más cercana al Polo Norte. Molly decía que una vez llegáramos a casa, nadie continuaría buscándome. Y de hecho, cuando llegamos, nadie me buscaba. Y la verdad es que la joya de tu padre jamás nos molestó, así que al llegar, buscó a todos los actores que conocía y formó su propia compañía de teatro. El resto de la historia ya la conoces.

—Hurkon os abandonó después del accidente con el cañón. Después de que Molly muriera —dijo Art.

—Justo después. Perdió la cabeza por completo. De hecho, todos la perdimos. Fue entonces cuando Weatherhouse finalmente apareció. Ahora me avergüenzo al pensar que le dejé que te llevara consigo, a pesar de que la justicia estaba de mi lado. Se suponía que yo debía actuar como padre, Art. Y yo debía haberme quedado contigo, no él.

—Estoy de acuerdo con eso, señor Vooms. Y hubiera estado muy orgullosa de que tú hubieras sido mi padre, pero hay otra cosa...

—Lo sé, Art. Lo sé. Yo también tengo la mosca detrás de la oreja desde hace mucho tiempo...

Durante unos instantes permanecieron sentados en silencio. Ninguno musitó palabra sobre lo que pensaban, a pesar de que el pensamiento era el mismo, y éste era el siguiente: ¿Se había propuesto alguna vez Hurkon destruir el escenario, matando así a Ebad para luego poder hacerse con el mapa? ¿Habría encendido la pólvora que hizo estallar el cañón del escenario llamado *Duquesa*? ¿Habría sido un accidente, o un asesinato?

Si realmente su plan seguía estas directrices, no le había salido bien. Molly era la que había muerto, no Ebad. Y el mapa, que continuaba oculto por el sospechoso Ebad, Hurkon jamás lo encontró.

—Recuerdo —dijo Art— a Hurkon y a mi madre... a ambos... sobre la embarcación cuando la *Enemiga* y Goliath se acercaban a ellos. Y también recuerdo a la tripulación que aparecía en la obra. Siento que mis recuerdos están mezclados. Pero ahora, Ebad, cuando sueño, siempre te veo a ti junto a Molly. Ella, tú y yo. Y aunque no lo recuerde muy bien, también sueño con vosotros dos juntos.

—De camino a Valparaíso.

Sobre sus cabezas, *Plunqwette* susurraba:

—¡Piezas de mocho!

Muck, aún con el hueso de loro en el hocico, correteaba por toda la cubierta y no paraba de ladrar. Había

425

salido del salón donde todos cenaban para ¿avisarlos?

Ebad sacó los pies del bote para así poder saltar a la cubierta y deslizarse hacia la cubierta inferior.

—Tenemos que volver a hablar —dijo Art.

—Quizá no lo logremos, en este mundo. Pero te veré en el otro, Art Blastside, joven Pirática. Y allí, también me reencontraré con tu madre.

Cuando los oficiales de la Marina llegaron a la cubierta, ya hacía unos minutos que Ebad se había ido. Art les deseó las buenas noches, desde el mástil principal, donde ahora permanecía en pie, y con las manos otra vez atadas.

Pero en su mente bailaban miles de recuerdos. Recuerdos sobre personas que Ebad había perdido, y ella también. Él había perdido al amor de su vida. Y ella también. Dos veces. Primero a su madre, y después... Bueno, su segundo amor todavía no lo había conquistado. En la embarcación que navegaba a su lado, Felix Phoenix estaría durmiendo plácidamente pensando que los días de Art y su tripulación estaban contados. Pero, ¿lo estaban realmente? ¿Cuánto faltaba para llegar a Inglaterra y para que los colgaran de la soga?

3. Ensayo y error

La muerte.

En el banquillo de los acusados, la jovencita permanecía con la cabeza altiva, con su cascada de cabello anaranjado cayéndole por la espalda y vestida con ropajes masculinos. Le habían permitido dejárselos puestos, para así mostrar en el juicio, al jurado y al público, que había sabido arreglárselas, pero no lo suficiente.

También habían pedido a la jovencita, conocida principalmente por el nombre de Pirática, que, puesto que había sido una magnífica actriz, contestara las preguntas con menos de diez palabras, para así evitar que diera cualquier tipo de discurso.

Cuando entró en la sala, el público empezó a aplaudir, lo que provocó que el jurado, con pelucas empolvadas y togas demasiado adornadas, empezara a amonestar —¿quizá por celos?— a los oficiales de la corte.

—¡Detened ese ruido! ¡Haced que se callen, aunque tenga que ser a base de golpes!

De repente, toda la sala se calmó.

El juicio no fue muy largo.

Mucha gente hablaba sobre las horrorosas vejaciones que el patrocinador del café y el capitán Bolt habían sufrido y cuán desalmada y malvada era la joven. También se comentaba que si un hombre pirata resultaba ser un tipo demoníaco, una mujer pirata debía de ser el mismísimo demonio.

Un capitán de una embarcación de la Marina, concretamente el de la SRF *Haremos lo Imposible*, intentó en reiteradas ocasiones explicar que Pirática se había comportado realmente bien durante el largo viaje de regreso a casa. La consideraba una joven inteligente, honorable e incluso encantadora, al igual que toda su tripulación. Pero todo el mundo sabía que la tripulación de Pirática ya había sido juzgada y sentenciada por este mismo jurado. Rápidamente, desestimaron las palabras del capitán.

Por robo a mano armada y por piratería, tan sólo existía una pena posible, según la ley. Finalmente, el juez se colocó un birrete negro sobre su cabeza para anunciar su resolución.

Cuando se dijo la última palabra, Pirática se giró hacia el juez, quien vestía de negro, y lo miró fijamente con sus ojos grises y ardientes.

A pesar de que ya había dictado sentencia, éste decidió, al parecer, concederle un último comentario.

—Te mereces la muerte, jovencita. Te lo has ganado a pulso. Eres una vergüenza para tu país y para tu especie.

Art contestó con nueve palabras, con claridad y respeto.

—Y usted, señor, es una vergüenza para este mundo.

A pesar de las porras de los oficiales del tribunal, la multitud se levantó y comenzó a aclamarla y a aplaudir mientras se la llevaban.

Con el metálico ruido de las llaves, cerraron la puerta de la celda. El rostro del carcelero apareció entre las rejas.

—Oh, señorita Pirática, ¿me permitiría, humildemente, entrar?

—Claro.

El carcelero entró tan rápido como pudo, encogiendo los hombros como si tuviera miedo de avanzar más por si acaso la pirata o su loro se abalanzaban sobre él.

Art lo miraba fijamente y con frialdad.

—¿Qué quiere?

Plunqwette, quien estaba recostada sobre una silla destartalada, emitió un sonido extraño, como si imitara a una gallina.

—Me preguntaba, con toda humildad, qué desearía la señorita para cenar.

—Dame lo que acostumbráis a dar. Supongo que pan rancio y media rata al horno.

—¡Oh! —contestó el carcelero—. Menudo ingenio.

Art apartó la vista, y *Plunqwette* la imitó cerrando los ojos y las alas, como si estuviera durmiendo. En cambio, Art miraba alrededor suyo, a través del estrecho espacio restante entre las barras de su solitaria celda.

Ya era invierno en Inglaterra, una vez más. A Art le daba la sensación de que el invierno inglés nunca pasaba, sino que era una estación perpetua, pues justo comenzaba antes de que se fuera y se supone que se desvaneció cuando ella estaba en el océano. Había nevado, pero ahora todo estaba hecho un desastre, pues el hielo comenzaba a derretirse. A través de la barrada ventana, Art podía contemplar el río Tamsis fluyendo entre lodo y nubes. Parecía que allí afuera, el río se sintiera aburrido, aburrido de la ciudad de Lundres y de sus afueras, demasiado aburrido como para fluir con más rapidez. Entre todos los guijarros de la playa situada bajo la cárcel de Oldengate, que cobraban un color sombrío junto a las piedras con nieve a medio derretir por encima, lo más famoso era el muelle de Execution. Y, cómo no, ese lugar especial que guardaban para los de la especie de Art, un lugar al que llamaban Lockscald Tree.

Art tan sólo lograba ver una viga altísima, y ya era suficiente, pues había podido contemplar cómo construían el patíbulo.

Así pues, ¿ya se habría convencido? A veces pensaba que sí. Aunque lo veía muy lejos, a kilómetros luz, como cuando vio por primera vez las embarcaciones de la Marina.

No les habían permitido quedarse con ningún tipo de moneda, aunque el romántico capitán de *Haremos lo Imposible* —el hombre que había narrado todas las virtudes de Art durante el juicio— le había entregado algo de oro para poder sobornar a los carceleros, pues era el único modo de conseguir comida decente o cualquier otro tipo de comodidades. Sin embargo, la policía lundinense se mostraba muy severa con Art en ese tema.

Así pues, no pudo sobornar a mucha gente, lo que era una pena, pues ya había ideado un pequeño plan...

El carcelero que tenía en la puerta, que ni entraba ni salía, no paraba de resoplar y arrastrar los pies cada vez que caminaba. De pronto, dijo:

—Todos los periódicos hablan de ti. Te traeré unos cuantos para que los leas, si quieres, claro. Hablan de ti y de tu tripulación, y por cierto, ellos los leen cada día, te lo aseguro. «Los actores intrépidos», así es como os llaman, o «Los héroes del mar», o «Robina Hood y sus alegres camaradas». Incluso el *Lundon Tymes* tiene vuestro nombre en su Acrónimo. Y bueno, la lista es interminable. «La dignidad de Pirática y su espíritu luchador y valiente»... Bueno, el periodista estaba entre el público el día del juicio. Elogia a tu tripulación y todo lo que habéis hecho. Dice que sois piratas nobles, los primeros que os mostráis así de toda vuestra especie.

—¿Por qué me cuentas todo esto?

—Oh... ah... Bueno... pues... resulta que... —Ahora parecía dudar y vacilaba mucho—. Es por... por nuestro libro.

En el exterior, un enorme velero se alzaba hasta conseguir llegar a la vista de Art, mientras surcaba por el río. Era un velero fuerte, con unos mástiles que parecían pilares griegos. Intentaban remolcarlo para que así cogiera más velocidad con tres botes, con marineros remando, como en las calmas ecuatoriales... Los cabos eran del color de la plata cuando un rayo de sol los iluminaba, y los ribetes de la cubierta brillaban como el mismísimo oro. Incluso sobre las aguas medio blancas y medio grises se tornaban deslumbrantemente resplandecientes cuando el sol los bañaba.

Art no alcanzaba a leer el nombre de la embarcación, estaba demasiado lejos, como todo lo que ocurría a su alrededor.

Las horcas de debajo parecían estar mucho más cerca.

—Verás. Este libro...

—¿Qué libro? —preguntó con impaciencia al carcelero.

—Sólo me preguntaba si me lo firmarías, supongo que no te dirán nada por escribir. Quizá podrías dejar un pequeño mensaje diciendo cómo lo encontraste, estando aquí...

—¿Qué?

—Señorita, eres una verdadera celebridad —contestó el carcelero—. Ahora eres famosa. Por ejemplo, para tu ejecución... creo que es dentro de tres días... bueno, has conseguido reunir a una de las multitudes más grandes, cientos de personas están reservando su lugar, comprando entradas. ¡Qué digo cientos! ¡Miles de personas! Y todo para verte a ti. Algunos intentan imitar algunos de vuestros hábitos, pero siempre dentro del ámbito legal. Por ejemplo, la última moda en peluquería ahora es llevar el color de tu cabello con esa enorme mecha color calabaza.

Art ni se inmutó, pero el carcelero se dio cuenta de cómo Art estiraba los dedos de la mano para luego plegarlos y formar un puño.

El carcelero desistió, y ahora tan sólo asomaba la nariz por los barrotes de la puerta.

—Hay gente que pagará por ver el libro, ¿lo entiendes? Hay gente muy rica que es capaz de todo. A algunos les gustaría echarte un vistazo, pero un vistazo rápido.

Art respiró profundamente.

—Si querías algo de mí, deberías haber sido más amable conmigo.

—Pero he sido tan amable como he podido... Te he dado todo lo mejor...

—¿Y eso era lo mejor?

—Bueno... —dijo el carcelero metiendo la cabeza, un pie y un brazo entre un par de barrotes de la puerta—. ¿Qué quieres entonces?

Y Art contestó:

—Aquí tengo mucho frío. Preferiría tener una celda con una bonita chimenea, para mí y para mi tripulación. También quiero una comida decente, para mí y para ellos. También quiero que nos entreguéis unas sábanas y mantas como Dios manda, para mí y para cada uno de ellos. Ah, y otra cosa, quiero que les quitéis las cadenas a mis hombres cuando estén cenando; si no, no podrán disfrutar de la cena. Y quiero verlos, una última vez. Una última ocasión para despedirme.

—Pero, bueno, tú quieres muchas cosas. ¡Eso te va a costar algo!

—No pienso pagar nada. Firmaré tu asqueroso libro, ése será el único coste.

—Maldita bruja pirata de tres al cuarto —refunfuñó el carcelero olvidando el miedo que le provocaba Art—. No te mereces ni la corteza de la fruta. Te encadenaremos contra la pared. Créeme que lo propondré, y así no podrás quedarte ahí dándome órdenes sobre chimeneas, comidas, mantas... ¿De dónde crees que lo puedo conseguir, bonita?

—Eso depende de ti.

El carcelero cerró la puerta de un golpe seco y se fue con las llaves. Aun así, Art podía escuchar a ese botijo refunfuñando por el pasillo, gritándose a sí mismo sobre lo poco razonable que ella resultaba, hasta que los otros prisioneros le contestaban, también gritando, y finalmente sonó el timbre de la cárcel.

El severo juez que había sentenciado a Art y a toda su tripulación, como también a la tripulación de la *Enemiga*, a muerte, miraba sorprendido, y todavía de una manera más severa, al último vil pirata que habían traído a estos muelles.

Se trataba de una jovencita de aspecto jovial, con el cabello corto, rizado y negro azabache y con una mirada verde felina; vestía un vestido blanco nuclear que le resaltaba su preciosa figura y su maravillosa piel. Seguramente alguien le había llevado esas cosas a su celda.

Miraba tímidamente al juez mientras dos preciosas lágrimas de cristal se deslizaban desde sus ojos verdes por las mejillas.

—¿Quién es? —preguntó el juez mientras consultaba sus documentos—. ¿La pequeña Goldie Girl? ¿La hija del monstruoso Golden Goliath?

Mientras el juicio de Goldie continuaba, el juez empezó a interrumpir a aquellos que acusaban a Goldie, y a concederle la palabra a ella.

434

Cuando él la miraba, ella temblaba ligeramente justo en el momento en que cruzaban las miradas. Y justo en esa milésima de segundo, el inteligente juez, que se enorgullecía por su habilidad de juzgar, en los ojos de Goldie veía a una jovencita frágil, tierna, en definitiva, un ángel. Y también veía que ella confiaba en él, que ella consideraba que era una persona juiciosa y sabia, y que por esa razón, le contaría la verdad y sólo la verdad.

Entonces, Goldie empezó su discurso:

—Caballeros, señor juez. Mi historia es trágica. Durante toda mi infancia no he sido más que una prisionera de mi cruel padre, Goliath, que me obligó a navegar junto a él y su despiadada tripulación bajo sus órdenes. He tenido que llevar ropa de hombre, cosa que no resultaba muy cómoda para una jovencita como yo, y me obligaban a presenciar todas sus fechorías... Tengo que reconocer que jamás osé hacer nada para impedírselo. He vivido una vida de terror, caballeros —ahora su mirada se dirigía al jurado y proseguía—, durante toda mi infancia. Y ahora me veo obligada a entregar mi vida y no por mis crímenes, pues yo jamás he tomado parte en ninguno. Yo también soy una víctima... díganme, ¿qué puede hacer una pobre niña débil como yo contra la fortaleza y las amenazas de estos hombretones? La verdad es que prefiero la muerte a seguir viviendo así. Ya he sufrido suficiente.

El juez, intentando calmar las voces de los asistentes a la sala, se levantó y dijo:

—Si fueras perdonada, ¿qué desearías con más intensidad?

—Oh, señor... —Goldie levantó su rostro dejando ver su cicatriz de los huesos cruzados, un símbolo de su maltrato, y que ahora sólo era una pequeña cruz, como un delicado beso—. Desde siempre he deseado convertirme en lo que jamás me han permitido ser. Una mujer de los pies a la cabeza. Una mujer verdadera. Oh, pero no sabría ni por dónde empezar, si alguien pudiera ayudarme...

El juez carraspeó y no dijo ni una palabra más.

Diez minutos más tarde, la pequeña Goldie Girl, capitana de la *Enemiga*, era perdonada. De hecho, se la había considerado completamente inocente.

Art escuchó la buena nueva cuando el carcelero volvió a su puesto.

Entonces, ella preguntó:

435

—¿Y qué ha pasado con la tripulación de Goldie?

—En las horcas, junto a la tuya.

—Esta noche las cuerdas tendrán mucho trabajo —dijo Art, como si fuera Molly actuando en la obra.

Entonces, la puerta de su celda se abrió, y frente a ella aparecieron dos fuertes carceleros que hacían guardia y que habían traído varios platos, comida humeante, una botella de vino, una taza de café y una cesta de hierro con carbón ardiendo.

Plunqwette entró volando hacia su celda y se posó sobre un plato lleno de patatas.

—Pájaro mugriento —refunfuñó el carcelero, que además estaba desdentado.

—Le dije que quería una celda con chimenea, carcelero.

—Es imposible. Ésta es una celda especial, reservada para gente de tu calaña, así que te quedarás aquí dentro. —Se hizo a un lado e hizo el intento de adularla, en cierta manera—. Aun así, hemos movido a tu tripulación. Ahora están en una enorme celda, y gozan de una enorme chimenea. Es una de nuestras cuatro mejores celdas. Muy alegre y acogedora.

—¿Cómo quieres que te crea? —En ese momento Art sintió como si le dieran un golpe en el corazón.

—Puedes subir después de tomar tu exquisita cena. Sí, puedes visitar a tu tripulación durante veinte minutos. ¿Qué me dices de eso?

—No está mal.

—Rata desagradecida.

Curiosamente, en ese momento se acordó de cómo los había encontrado aquella mañana en la Taberna del Café, justo en la parte oeste de Lundres. Y allí estaban. Sus piratas.

Estaban sentados sobre unos bancos de madera al lado de la chimenea, donde enormes troncos y cortezas de pino crepitaban. Había un buen fuego, de eso no había duda. Así que el carcelero no le había mentido. Una barra de hierro negro estaba colocada en medio de la chimenea.

Durante un segundo, Art miró a su alrededor en busca de *Muck*. Pero, obviamente, *Muck* no estaba ahí. Seguramente habría salido brincando de la embarcación de la Marina cuando atracaron, y se habría ido corriendo, con la amarillenta cola bien alta, sin importarle otra cosa que sus propios asuntos y con el hueso de loro aún en su hocico.

—No te desanimes —le dijo Dirk a Walter—, *Muck* siempre se ha comportado así, ¿o no? Siempre se ha ido... y luego ha regresado...

—Y creo que, si esta vez regresa, no nos va a encontrar —contestó Walter.

De todas maneras, *Muck* no había vuelto. Ese perro sabía, tal y como Eerie había dicho una vez, en qué lado sus patas encontrarían más comida.

Plunqwette ahora estaba posada sobre el hombro de Art, con la cabeza y el pico agachados. En ese momento el loro estaba seguro de que el grupo de hombres que se hallaba junto al fuego eran sus compañeros de fatigas, así que dejó escapar un graznido penetrante y empezó a sobrevolarlos.

Se levantaron y le dieron las gracias alzando sus tazas de café.

—¡*Plunqwette!*

—Art... ¿eres tú?

—¿Es que te quedas aquí junto a nosotros? ¿Compartiremos juntos nuestros últimos momentos de vida?

—Me temo que no. Es sólo una visita.

Consecuentemente, su entusiasmo disminuyó hasta tal punto que parecía una de las cenizas de la chimenea, aún ardiente pero desvaneciéndose.

Pero, ¿qué se podía esperar? No había ninguna razón para entusiasmarse. En dos o tres días, estarían en Lockscald Tree.

Pero intentaron pasar sus últimos momentos de la mejor manera posible. Se sentaron todos juntos a la luz del fuego, se contaron uno o dos chistes y narraron unas cuantas historias. A Art le dijeron que estaba preciosa, que nadie diría que había estado encerrada en una celda durante todo ese tiempo y ella por su parte les dijo lo mismo.

Después, todos brindaron con sus tazas.

—Señor Vooms —dijo Art—, ¿podemos hablar un minuto, por favor?

Ebad, como siempre, había sido el más silencioso y comedido de todos. Daba la impresión de que siempre estaba esperando alguna cosa. Entonces se levantó y la acompañó hasta la estrecha ventana.

—¿Cómo nos has comprado todo esto? —preguntó.

—El carcelero quiere que le firme su famoso libro. Escucha, nuestro tiempo se agota, sólo me han concedido veinte minutos. Ebad, ninguno de vosotros estáis encadenados.

—Nos han quitado las cadenas para cenar, dijo que nos dejarían sueltos hasta la ronda de las seis.

—Pues entonces mejor que lo hagamos antes de las seis. He pensado que podríais haceros los borrachos cuando me vaya.

Ebad la miró con perspicacia.

—¿Ya lo habías pensado? La chimenea —dijo Art.

—Es posible si hacemos los movimientos adecuados. La chimenea parece ser bastante ancha. Podemos hacernos los borrachos, como tú dices, y cantar a pleno pulmón para así evitar que escuchen el ruido de la barra de hierro cuando la arranquemos, cosa que hará que el espacio sea aún más amplio. Pero, ¿crees que son tan idiotas? ¿Crees que no imaginarán que intentaremos escaparnos por allí?

—Ahí está, Ebad. Parece ser que los idiotas no piensan nunca en las chimeneas. Yo utilicé el mismo truco cuando me escapé de la Academia de Ángeles. Aquella chimenea era lo suficientemente ancha como para que pudiera trepar por ella, pero comparada con ésta era una minucia. Además, seguramente, también habrá pequeños peldaños para los deshollinadores.

—Quizá algunos de esos peldaños conduzcan a otras chimeneas, pero, ¿adónde saldremos?

—Pues a un tejado, ¿dónde si no? Aunque habrá guardias vigilando en el exterior, no esperarán este tipo de molestias. Preocúpate por cómo huir de aquí, permaneced calmados y controlaos. ¿Os han dado sábanas? Bueno, entonces unidlas haciendo un nudo para

439

que podáis bajar por la pared del edificio. Podéis trepar hacia arriba y hacia abajo, en caso de que se avecinen problemas. Además estamos más que acostumbrados a trepar por los mástiles de una embarcación. Creo que es la mejor posibilidad que tenéis si queréis escapar.

—¿Y qué hay de ti?

—Ya me las arreglaré, Ebad. Aún me quedan tres días. Tendré la mente mucho más despejada si no me preocupo por el resto de vosotros.

Ebad le cogió la mano. Finalmente, Art pensó: «Sí, es una despedida».

Entonces *Plunqwette* volvió y se posó sobre las manos de Ebad y Art. El pájaro se balanceaba sobre las entrelazadas manos, permaneciendo entre ellos dos, con una pata en la mano de Art y otra en la de Ebad.

—Dejo a *Plunqwette* con vosotros, Ebad. Ya estaba empezándome a rondar por la cabeza la idea de retorcerle el pescuezo a través de mi ventana. Así es mucho mejor.

Art pasó su mano por la cabeza de *Plunqwette* suavemente, por su cuello y por las plumas de color jade y rubí, los colores que Molly Faith utilizaba para sus vestidos de baile.

—Cuídate mucho, *Plunqwette*, vieja amiga. Y tú, papá, cuídate mucho también.

Ebad sonrió y dijo:

—Eres la hija de Molly. No te olvides de eso jamás.

—Venga, hombre. Sólo me olvidé durante seis años.

Art abrazó a toda su tripulación. A Eerie se le escapaban las lágrimas. Y a Dirk, a Walter, a Whuskery, a

Peter... El rostro de Honest parecía una ovalada lágrima gigante.

—Bueno, bueno. Parad este lloriqueo o apagaréis el fuego de la chimenea —dijo tristemente Glad Cuthbert intentando subir el ánimo.

—El señor Vooms os explicará cómo apagaréis el fuego. Es una idea espléndida, creedme. Buenas noches, caballeros. Os veré en tiempos mejores. Os veré... en algún valiente paraíso.

Cuando Snouty abrió la puerta, Art salió sin musitar palabra. El carcelero gruñó y a continuación cerró la puerta con llave.

—Bueno, ahora me firmarás el libro, ¿no?

—Así es.

—Bueno, también hay una pareja de landsirs y damas a quienes les encantaría echarte un vistazo. Un minuto cada uno, y son cinco. El tiempo es dinero, muchachita. Te encadenaré y todo eso, para hacerlo más real. Eso es lo que ellos esperan, ¿sabes? No deberías decepcionar a tu público, pero bueno, supongo que, siendo actriz, eso lo entenderás.

«Ellos tienen que escapar. Es todo lo que pido. Yo no puedo, pero ellos deben escapar.»

Ahora estaba completamente sola. Había estado durante mucho tiempo sola durante todos esos años en la academia, pero aquella soledad no era comparable a la que ahora sentía.

Pensaba en Felix. No, no, tenía que quitárselo de la cabeza. Así que pensaba en Ebad y en Molly.

Pero luego le venía a la cabeza el soneto de Shakespur que Felix había cantado en el barco cafetero, la canción que Molly le cantaba a Art cuando era pequeña. *¿Quizá puede que seas como un día de estío?... en ti más belleza y más templanza... broncos vientos sacuden los capullos de mayo... y es muy breve ese tiempo concedido al verano... Brilla el ojo del cielo con un fuego excesivo... cuando no se ensombrece su semblante dorado.*

Dos días y dos noches más. Era curioso. Era todo lo que le quedaba, pero parecían ser los más largos de su vida, ¿o los más cortos?

«¿Estaré asimilando que la muerte se acerca? No —pensaba—. No lo creo. Pero parece que el momento se va acercando.»

442

En los titulares del *Tymes*, se leía: «Esta noche, la flamante y célebre tripulación de actores-piratas ha esquivado con astucia las garras de la justicia».

Todo Lundres parecía gritar: «¡Por una chimenea!». Todo Lundres, en concreto los barrios bajos de Lundres, se reía y brindaba por los osados y brillantes piratas, que habían escapado de la cárcel Oldengate, en la República. Cubiertos de hollín, habían logrado salir y correr por diferentes tejados y paredes. Aún no habían conseguido capturar a ninguno de ellos. Héroes. Granujas adorables.

—Pero Pirática todavía está en la cárcel.

—Y era la más astuta e inteligente de todos ellos.

El cielo estaba teñido de un color bermejo. El invierno empezaba a desvanecerse. Pero, ¿qué día era? ¿El primero? ¿El segundo? ¿El tercero?

Ah, era el tercer día.

—Levántate y alégrate —se carcajeó el carcelero, ahora apoyado por unos cuantos guardias armados—. Ha llegado tu gran mañana.

Pero Art ya estaba preparada, con el abrigo puesto, el pelo arreglado y las botas relucientes. No vacilaba. Miró al carcelero y preguntó:

—¿Has leído lo que te he escrito en el libro?

—Sabes perfectamente que no sé leer —dijo Snouty con desdén.

—Entonces, consigue a alguien para que te lo lea.

Unos días más tarde, seguiría su consejo. Y el espacio que lo rodearía resonaría al escuchar sus gritos de furia al oír la descripción que Art había hecho de él, al igual que había hecho cuando se dio cuenta del error que había cometido al dejar a los hombres de Art en una celda con chimenea.

443

Sin embargo, mientras tanto...

—Qué lástima que haga viento —dijo uno de los guardias mientras le quitaba las cadenas que el carcelero le había dejado puestas, cuando la tripulación se escapó.

—Ahí fuera hay una concentración multitudinaria. La más grande que jamás he visto. Sin duda has debido de oír el escándalo que están montando.

—¡Por las estrellas! —añadió el otro—. Esto es lo que siempre he deseado ver, un poco de interés por parte del pueblo. Me parece la mar de tierno.

Las campanas repicaban por toda la ciudad y el viento soplaba por todo el río. Pero ya no había ninguna embarcación surcando sus aguas rumbo a la inmensidad del gran océano.

Lockscald Tree

Lockscald Tree

En el mismo instante en que la señora Orchid, que lucía una enorme peluca empolvada de azul a juego con unos anteojos también azules, entró en el salón de su taberna, unos aplausos y vitoreos emergieron desde el piso de abajo. Sin embargo, no se dirigían a ella.

La taberna se llamaba El último en entrar, El primero en salir, y se asentaba sobre el barro y el lodo de las orillas del río Tamsis. La taberna estaba fijada sobre una plataforma, que a su vez estaba fijada sobre cuatro zancos, de forma que quedaba un poco elevada en comparación al nivel del río. Era una caseta desvencijada de dos plantas, y ella misma parecía un peculiar patíbulo de ejecución. Pero el verdadero patíbulo, sin embargo, era la razón principal por la que habían instalado allí esa taberna. El último en entrar, El primero en salir tenía las mejores vistas, de hecho se consideraba el lugar más selecto para contemplar los muelles de Execution, el Lockscald Tree.

Hasta allí se habían desplazado gentes de todo el mundo, de tierras conocidas y de nombres impronunciables. Pero para la ejecución de la famosa pirata Pirática, todo Lundres y la mitad del país habían querido estar presentes.

Detrás de la señora Orchid, quien tenía bajo un brazo a su gato anaranjado llamado *Estallido*, mientras que con el otro hacía los mil malabarismos para intentar sostener una bandeja con botellas de los vinos más selectos y con los cafés más exquisitos, aparecía otra sala. Ésta tenía una enorme ventana de cristal, que para la ocasión habían estado limpiando durante dos días. Las vistas eran inigualables: las horcas de Lockscald. Y como en todas las ejecuciones, mucha de la gente pudiente había acudido allí pagando una buena suma de dinero para poder contemplar el espectáculo de forma privada. Obviamente, lo verían mucho mejor que todas aquellas personas que se habían aposentado en el fango que rodeaba los muelles de Execution. Había tal aglomeración de espectadores que incluso la orilla del río resultaba completamente invisible. Además, también había gente que se había visto obligada a adentrarse en las aguas del río, pues no quedaba otro lugar mejor. Incluso alguien había llegado a decir que la multitud superaba las trescientas mil personas.

Y todo eso, sólo por una jovencita que había sido pirata...

Ese día, ninguna mujer había acudido a observar el espectáculo desde el mirador de la señora Orchid. Allí, se habían agrupado únicamente cinco hombres que, sorprendentemente, habían pagado en oro.

—Ah, los refrescos —dijo Landsir Snargale, un almirante de la Marina inglesa y uno de los tipos más poderosos de toda Inglaterra.

—¿A esto le llamáis café? ¡Sin duda, esta mercancía no es mía! —exclamó de malas maneras el patrocinador del café, el señor Coffee, que iba vestido con un abrigo de brocado de color café oscuro, casi negro. Pero la señora Orchid tan sólo movió ligeramente la cabeza con indiferencia.

El capitán Bolt sorbió de su taza sin hacer ningún comentario y se dirigió hacia la enorme ventana que daba a las horcas.

Los otros dos hombres eran dos tipos jóvenes, uno de ellos el sobrino del patrocinador del café.

—Qué lástima, se ha levantado viento —le dijo Harry Coffee a su amigo, quien tiempo atrás había sido su compañero de duelo, Perry—. Creo que llegará a levantar un poco las sogas, ¿no crees? Por las cabras trotadoras que pasará. Antes me he acercado hasta la cárcel y me han dejado ver a la reina pirata durante un minuto. Que Dios me perdone, Perry, pero efectivamente desprende horror y miedo.

—Ya lo había oído. Ojalá hubiera podido verla aunque sólo fuera durante un minuto...

—Pero no te creas, que he tenido que pagar su peso en oro. Ese carcelero, qué malparido. Te juro que cavaré una fosa y tiraré a esa rata chupasangre dentro hasta que se pudra.

Landsir Snargale se giró y miró por la ventana. No le acababa de gustar que el día en que una jovencita fuera a perder la vida en la soga brillara con tanta intensidad y que allí se hubiera reunido toda esa muche-

449

dumbre. Por supuesto, esa joven había sido pirata y tenía que pagar las consecuencias. Pero le habían informado que habían dejado en libertad a la otra joven pirata, cosa que no le satisfacía en absoluto. Tenía entendido que la otra era la hija del mismísimo Golden Goliath, y Snargale, como muchos otros, aún sentía cierto rencor hacia Goliath. Pero dejando todo esto aparte, la tripulación de esa tal Pirática había logrado escapar, y, según lo que le habían dicho a Snargale, gracias a trucos y trampas que Art había gastado a los idiotas de la cárcel.

Realmente, no era tan escandaloso.

Snargale había enviado una carta a su padre, George Fitz-Willoughby Weatherhouse, pero él jamás apareció por allí, y ni siquiera tuvo la suficiente educación para responder a la carta.

—Está tan ocupado que ni siquiera tiene tiempo de ver cómo cuelgan a su propia hija —remarcó Snargale más para sí mismo que para el capitán Bolt, que permanecía con un rostro sombrío y vengativo justo detrás suyo.

—Por todos los diablos, una vez juré que la vería colgada, y al fin ha llegado el momento —contestó el capitán Bolt. Y, acordándose de cuando *Plunqwette* dejó caer cierto líquido maloliente sobre su sombrero, añadió—: Y también haré que cuelguen a su estúpido loro.

La señora Orchid ya había oído suficiente, así que se alejó en busca de más bebidas. En la planta de abajo, otros clientes menos poderosos, o quizá menos ricos, no paraban de gritar y aplaudir. Pero estas aclamaciones no eran para otra que para Pirática. La señora Orchid ahora podía escuchar cómo cantaban canciones narrando las aventuras de la valiente Pirática.

¿Realmente había logrado hacerse con tantas embarcaciones? La señora Orchid no acababa de creérselo, pues quinientas, tal y como decía alguna de aquellas canciones, era el total de los navíos que había saqueado.

Estallido salió escopeteado —razón por la que lo llamaban así— del brazo de la señora Orchid y se fue pitando por la escalera de madera hacia el salón principal de la taberna. No tenía tiempo para escuchar más memeces de los hombres ricos y poderosos; además, no tenía ninguna necesidad de hacerlo. «Qué espabilado», pensaba la señora Orchid.

Le cantamos al valor de una pirata tan valiente,
que ha logrado robar el oro hasta al más pudiente:
capitanes y comerciantes, desde el Caribe
  hasta Africay,
escapándose de la justicia, allá donde la hay.

Le cantamos a Pirática, Reina de los Siete Mares,
que ahora está entre rejas, sin arrepentirse
  de sus males.

Le cantamos a su coraje, a sus burlas y a sus trucos
que ha regalado por todas partes de este mundo.

Pues jamás ha existido alguien tan audaz
como para escapar de las garras de la justicia con tal
  comodidad.

451

Lloramos por Pirática, Reina de las reinas
que, recordando un mundo de bambalinas,
descansará por siempre entre aguas aguamarinas.

Ebad Vooms logró escuchar la canción desde los muelles, pues ésta había ganado popularidad entre los asistentes y no paraban de repetirla. Parecía como las canciones de antaño escritas exclusivamente para la obra de teatro... para Molly.

Pero, por encima de la orilla y de esa canción, se hallaba ese escenario fúnebre y sombrío, las horcas, con sus soportes, la barra cruzada y la soga ya lista.

El viento soplaba como si se avecinara una gran tormenta. Incluso las turbias aguas del Tamsis se movían bruscamente y burbujeaban. De pronto, empezó a llover, pero nadie pareció darse cuenta.

Ebad estaba allí, entre la multitud, muy cerca del espectáculo que estaba a punto de comenzar. La noche anterior, había tenido que luchar con un hombre para poder conseguir la entrada. Ebad no parecía él mismo: se había teñido el cabello y las cejas con harina para así emblanquecerlos, se pintó dos o tres cicatrices bastante convincentes y se metió paja entre la ropa para parecer más gordo. Ahora, daba la sensación de que era un hombre corpulento, jorobado y mayor. Sabía muy bien cómo disfrazarse, a pesar de que para ello había tenido que robar harina, paja y pintura para el rostro. No cabía duda de que había sido actor.

Ninguno de sus antiguos compañeros sabía que él estaría allí. Habían intentado impedírselo de todas las maneras posibles desde el momento en que lograron escapar de la cárcel por la chimenea. Una vez en Saint Martins, intentaron averiguar cómo podrían rescatar a Art, pero llegaron a la conclusión de que era imposible hacerlo. Art había cavilado la manera para salvarles el pellejo. De qué serviría ponerse otra vez en peligro inmediatamente después de escapar intentando salvarla, cuando ella ya no tenía ninguna posibilidad de salvarse. Sabían exactamente cómo iba a salir el plan, desastroso. Además, tenían que tener en cuenta que una prisionera tan famosa como lo era Art estaría rodeada por decenas de guardias de seguridad armados hasta los dientes y con la policía lundinense cerca. Y ahora Ebad veía con sus propios ojos cómo todo esto era verdad, pues una gran cantidad de policías estaban merodeando por la zona.

Realmente, no les había resultado muy complicado trepar por la chimenea, pues estaban bastante delgados y en forma como para inmiscuirse por esos estrechos pasadizos. Había un par de sitios por donde el camino se hacía más angosto, y Ebad y Whuskery habían tenido que utilizar la barra de hierro, que arrancaron de la chimenea, para poder romper algunos ladrillos y así ensanchar el camino. Después, salir por el tejado y descender por la pared con las sábanas y las mantas les había sido bastante sencillo y nadie advirtió su presencia. Además, los carceleros y guardias de seguridad habían estado bebiendo en el jardín, con lo cual sus reflejos habían disminuido considerablemente.

Una vez hubieron pasado los jardines, encontraron un establo donde resguardarse, a pesar de que nadie les dirigió la palabra durante la gélida noche, pero eso no les importaba, pues al fin eran hombres libres.

Lo que sí les importaba era Art, y no podían ayudarla. Llegaron a esa conclusión al alba del día siguiente. Entonces, empezaron a escupir y a comportarse como si eso no les importara de verdad, aunque realmente no lograron aparentarlo. En los barrios bajos de Lundres, donde habitaban todos los actores en paro, las tabernas llenas de mosquitos y las cajas de cerillas que se hacían llamar tiendas siempre daban cobijo a los fugitivos; al menos, aquél era un lugar seguro para esconderse.

Habían jurado reunirse en Grinwich al cabo de un mes.

Ninguno de ellos se quedaría en Lundres, pues no querían ser testigos de la muerte de su capitana, la hija de Molly, Art.

—Casi consigue convertirnos en los hombres más ricos de la tierra.

—Casi consigue convertirnos en comida para gusanos, por Dios.

—Bueno, pagará por eso en dos días, así que cierra el pico.

—Claro. Está cerrado.

Ahora Ebad, disfrazado y solo entre la muchedumbre, estaba tan cerca del patíbulo que le daba la sensación de que si se estiraba un poco podría tocarlo con esa pistola que consiguió a crédito en un callejón. Su plan quizá era un poco desesperanzador, pues seguramente le resultaría muy difícil apuntar, disparar, herir o incluso matar a alguien —eso ya no le importaba—, para así sembrar la confusión y aprovechar ese momento para salvar a Art. No era un plan demasiado bueno, pero ¿qué más podía hacer?

Detrás de Ebad, a unos veinte metros de la multitud, un vendedor ambulante con cabello voluminoso, con ropajes andrajosos y barba poblada, vendía dulces y manzanas calientes acarameladas al gentío.

—Oh, vamos, cielo, jamás olvidarás un bonito día como éste.

Dirk, cubierto de heno, había abrazado a Whuskery en el establo de Tottershill, donde habían logrado esconderse.

—Volveré un poco tarde esta noche, Whusk, pero no te preocupes. Tendré cuidado y no lograrán cogerme, pero tengo que ver a alguien esta noche, antes de que huyamos otra vez.

—Bueno —había dicho Whuskery—, yo tengo que hacer un par de recados aún.

Ahora, Dirk se sentía mucho más aliviado, porque en un principio había pensado que el hecho de salir solo por ahí causaría una enorme discusión entre él y Whuskery.

Ahora, Dirk vendía sus manzanas, que previamente había robado a un vendedor borracho tirado en la orilla del río, a sabiendas de que también se había llevado una pistola y un cuchillo bajo un viejo abrigo que había cambiado por el suyo a un vagabundo en la avenida Sheerditch. Dirk tampoco había ideado un gran plan, pero pensaba que quizá podría salir bien. Su vida jamás había sido tan sencilla hasta que se topó con Whusk, y ese golpe de suerte siempre le hacía pensar que alguien lo protegía, aunque jamás había podido adivinar quién. Así que no esperaba morir en el intento al lanzarse en picado mientras apuntaba con la pistola a carceleros y policías para después rescatar a Art del patíbulo. Además, le contentaba la idea de pensar que Whuskery no se vería envuelto en el plan. Hubiera lamentado mucho poner en peligro la seguridad de Whuskery; además, estaba seguro de que Whusk habría intentado por todos los modos tirarle por tierra su plan.

En la orilla del río, una mujerona de cierta edad, con aspecto de lavandera y con el rostro empolvado con sombra azul y un poblado bigote que se había afeitado cuidadosamente el día anterior, intentaba inmiscuirse entre la muchedumbre. Era de envergadura fuerte, pero esa fortaleza no podía venir simplemente de los lavados. La mujer lloriqueaba con voz de pito:

—Vamos... dejen pasar a esta pobre viejecita... sólo quiero estar un poco cerca de Tree... ¿cómo quieren que vea algo desde aquí atrás?

—De acuerdo... Pobre mujer, déjenla pasar.

Whuskery, sin barba ni bigote, y con el corazón en un puño, también había escondido una pistola en su falda. El resto de la ropa que había birlado a una jovencita en el río la guardaba cerca de la calle Rabbit Warren. Él también tenía un plan, y también era consciente de que no funcionaría. Pero tenía que intentarlo... quizá Art, en medio de la confusión, sería capaz de escapar, aunque tal vez Whuskery no. Bueno, al menos Dirk no se vería envuelto en su plan. Dirk estaba a salvo, y eso era lo que más le importaba.

Honest Liar se hallaba entre los zancos de El último en entrar, El primero en salir. El nombre del mirador del patíbulo lo había dejado perplejo. No captaba el chiste, que decía que aquel que era ejecutado en Lockscald siempre era el último de la multitud en llegar y el primero en salir cuando la soga cumplía con su deber.

Honest también se había disfrazado. Ahora parecía más exótico. Se había pintado la piel de marrón oscuro y se había colocado un turbante blanco sobre la cabeza. Además, llevaba una toga preciosamente bordada, pues había sido una magnífica cortina antes de que suplicara por ella a unos antiguos amigos del teatro:

—Aún soy actor —les había intentado explicar inocentemente.

Este tipo de personas, soñadoras y distraídas, vivían en una especie de mundo paralelo de fantasía, a pesar de que habitaban entre la chatarra. Eran capaces de recitar todas las obras que se habían hecho en Lundres, pero no tenían la menor idea sobre piratas o ejecuciones.

457

Honest llevaba una pistola que Ebad le había entregado, a pesar de que no sabía muy bien cómo utilizarla si llegaba el momento de disparar. Y es que jamás había tenido que disparar una pistola sobre el escenario. Además, no le gustaban. Al contrario que el nadar, o aprender algunas líneas, las pistolas no le resultaban algo natural en su vida. Pensaba que quizá aparecería algún plan inesperado, alguna ocasión propicia para ayudar a Art. Sabía que, a pesar de que esa ocasión no se presentara, él intentaría salvar la vida a Art. Sin embargo, ninguno de los demás, que eran más sensibles que él, se había atrevido a ir hasta allí.

Mientras tanto, Salt Walter intentaba abrirse paso entre la muchedumbre. Se había teñido su rojizo cabello de negro azabache pero con un tinte de mala calidad, así que, finalmente, tenía un color verde oxidado, cosa que parecía encantar a toda la multitud. Todo el mundo se giraba para verlo, hablaba de él y de su cabello, cuando lo único que quería era pasar desapercibido. Sólo pensaba que cuando llegara el momento, debería enfurecerse lo suficiente como para abalanzarse sobre los guardias que protegían, por así decirlo, a Art. Estaba contento de haberse podido deshacer de Peter, de que éste no hubiera sospechado de su plan y no hubiera intentado acompañarlo.

Pero Salt Peter también estaba allí, a pesar de que tan sólo se las había arreglado para vararse al otro lado de la orilla. Se había rapado la cabeza —después de ver el destrozo que el tinte había causado en Walter—, se había colocado un parche negro sobre un ojo y se había vestido con tres sacos apestantes. Ésa era la razón por la que la gente de su alrededor se alejaba tanto de él dejándole suficiente espacio para que cuando llegara el momento pudiera desenvainar su espada y abalanzarse sobre el verdugo. Desafortunadamente, el olor que desprendía no sirvió para otra cosa que para que el bullicio lo empujara bruscamente. Ahora, Peter intentaba subir a un bote que lo acercara a las horcas, pero nadie quería subirlo a bordo —y no sólo por el olor—. Aun así, daba las gracias a Dios de que Walt se hubiera mantenido al margen de todo este asunto.

Eerie O'Shea estaba dentro de la taberna, vestido con ropa de monje y aguantando una enorme biblia, obviamente falsa, donde ocultaba su pistola. Estaba bebiendo desmesuradamente, apuntándose al coro de hombres que le cantaban a Pirática con su voz de tenor y llorando.

Se había asegurado que ninguno de los otros se percatara de que intentaría salvar a Art. Sabía lo que hacía. Intentaría aguantarse las ganas hasta ver que la soga le rodeaba el cuello, entonces dispararía contra la soga y, mientras cayera, cogería a Art y se irían corriendo, dejando atrás una muchedumbre dispersa y sobresaltada al ver con sus propios ojos tal hazaña. Había atado un caballo, que previamente había robado, justo detrás de la taberna. No era un gran caballo, pero serviría. Eerie jamás se había sentido un actor trágico, ni tampoco un héroe. Ni siquiera se sentía a él mismo.

Glad Cuthbert había entrado en la taberna, pero no había logrado reconocer a Eerie. Cuthbert estaba completamente desconocido. A pesar de que jamás había ejercido como actor, también se había disfrazado. En el mercado de la calle Ox-Ford, Cuthbert avistó a un policía lundinense y se acercó a él cautelosamente. Una vez estuvo lo suficientemente cerca, le asestó un golpe que lo dejó aturdido, lo maniató y lo metió en una casucha de mala muerte. Entonces, Cuthbert aprovechó la ocasión para robarle el uniforme. La verdad es que le sentaba bastante bien. Pero lo que no le favorecía tanto era ese delgado bigote que se había dejado, o esas verrugas deformes que se había pegado por la nariz y las mejillas.

Glad Cuthbert pensaba en su mujer y en su viola de rueda. Se preguntaba si volvería a verlas alguna vez. ¿Y su plan? Un farol. Cuando trajeran a Art, él, que se habría adelantado hasta situarse en primera fila del patíbulo, empezaría a chillar como un loco palabras sin sentido hacia uno de los guardias. Cuthbert diría que ese hombre era un ladrón muy buscado. Armaría un escándalo. Quizá funcionara. Pero probablemente no. Alguien más tenía que hacer algo, él solo no sería capaz de hacerlo todo. El resto de la tripulación de la *Inoportuna* lo había decepcionado mucho, pues eran como la familia de Art y la conocían desde que era una cría, pero eso no les importó y ni siquiera intentaron salvarla.

Muck, el perro más limpio de toda Inglaterra, ahora seguramente era el más sucio de todos ellos. Se había retozado en estiércol, en nieve a medio derretir y en basura hasta conseguir ese olor inmundo que ahora desprendía por el pelo de un color grisáceo. Después de haber enterrado su enorme hueso de loro en un lugar muy seguro, ni más ni menos que en el jardín de una enorme mansión cerca de May-fair, *Muck* había salido corriendo hacia la cárcel de Oldengate y los muelles de Execution. Quizá él también tenía un plan. O quizá pensaba que tenía un plan. O quizá no tenía ningún plan. Quizá su plan no era muy viable, pues un perro amarillento cubierto de suciedad nauseabunda no podía tener un plan muy elaborado. Pero allí estaba.

¿Y *Plunqwette*?

Si alguien alzaba la mirada hacia la más alta chimenea de El último en entrar, El primero en salir vería a *Plunqwette*, a pesar de que no era muy fácil reconocerla. Aquella cosa roja y verde que parecía una bola de peluche ahora tenía las plumas completamente alborotadas por las fuertes ráfagas de viento.

Plunqwette no había pensado ningún plan. Tenía más de un siglo de edad, o incluso más. Sabía, al igual que todos los loros, que el destino estaba a merced de poderes más altos, pero también se había desplazado hasta allí.

Entonces, acompañada de la lluvia y el viento, la colosal puerta de hierro de Oldengate se abrió mientras chirriaba con agudeza. Parecía un alarido proveniente de la mismísima puerta del infierno.

Snargale tenía que esforzarse para lograr ver algo a través de la ventana de la taberna, pues con la lluvia, ésta se había empañado.

—¿Es ésa la chica?

—Sin duda. Mira qué horror. Vestida con ropajes masculinos. La verdad es que puede llegar a desconcertar. Os lo digo yo, que la primera vez que la vi, la confundí con un muchacho...

—Por todos los tritones y sirenas, ¡es ella! —exclamó Harry.

—Por el mismísimo diablo... —dijo Perry estirando un poco el cuello.

El capitán Bolt había cruzado los brazos y, sin musitar palabra, observaba el espectáculo con satisfacción.

Entonces Snargale murmuró en voz baja:

—Está a punto de sufrir un trágico final. Pero su rostro desprende calma y tranquilidad. No tiene miedo. Es una mujer muy valiente.

—Es una actriz —terció el señor Coffee con rabia—. Es una actriz, señor. Está actuando.

—Entonces, señor, actúa extremadamente bien. ¡Bravo, señorita! —contestó Snargale. Y entonces, se dijo a sí mismo: «Es una pena que haya acabado así».

461

Art caminaba con la cabeza altiva, mirando hacia el cielo, acompañada por varios guardias de seguridad y con las manos atadas, pero esta vez no con cuerdas, sino con esposas. Miraba hacia delante y veía el poste, la barra y la soga.

Diez kilómetros hacia arriba. Sí, las horcas parecían estar a esa distancia. A unos diez kilómetros. Diez equivalía a la letra J, que era la décima letra del alfabeto. J de juicio, de jurado, de justicia...

«Interpreta tu papel. Sí, interpreta. Es lo único que te queda. Estás sobre un escenario. Mira qué público.»

El público no paraba de aclamar y aplaudir (¿quizá porque la querían ver colgada en la soga? No, estaban gritando su nombre. Ese nombre de la obra, el nombre de Molly... el nombre de Art...).

—¡Pirática! ¡Estamos contigo, Pirática, Reina de los Siete Mares! ¡Buena suerte, Pirática! ¡Buena suerte! ¡Irás al cielo! ¡Te queremos, Pirática!

Los guardias se sentían intranquilos. Habían intentado retirar a los asistentes todo tipo de armas, como porras y pistolas, pero aun así, éstos no se cansaban de gritar y aplaudir, y arrojaban ramilletes de hojas perennes —pues era invierno— que el viento se encargaba de esparcir por todas partes, de forma que los guardias se veían obligados a respingarse como caballos.

—Le cantamos al valor de una pirata tan valiente...

Y empezó una vez más la canción.

Perpleja, Art miraba a su alrededor a pesar de que intentaba disimularlo manteniendo la pose que ya había adoptado. Así que, como respuesta, saludaba con la cabeza a la multitud, más bien como asintiendo, intentando no mostrar en ningún momento un gesto dramático.

Y la muchedumbre, su público, se volvía loca de satisfacción. Las fuertes ráfagas de viento también intentaban poner su granito de arena, soplando muy fuerte y dejando escapar, de vez en cuando, algunas gotas de lluvia.

Entonces, llegaron los pasos.

«Es un escenario. El mundo en sí es un escenario. No dejaré que la muerte presuma... Valparaíso, un valiente paraíso... Mamá...»

Cada paso que daba retumbaba en la madera que pisaba. Al fin, había llegado al patíbulo.

Los diez kilómetros que antes la separaban de la soga habían desaparecido, pues ahora podía sentir el tacto de la cuerda en su mejilla. El verdugo le retiró suavemente el cabello para colocarle una venda en los ojos, pero ella se negó rotundamente y después le ajustaron el nudo de la soga casi apretándole el cuello.

De repente, el silencio reinó sobre la muchedumbre. Ni un aplauso, ni un lloro. Ni siquiera el viento se atrevía a soplar con fuerza, y las pequeñas gotas de lluvia desaparecieron. Parecía una calma ecuatorial oceánica.

Pero entonces algo...

Alguien...

Alguien estaba sobre el patíbulo junto a ella. Justo a

su lado, como el típico truco que se utiliza sobre un escenario, un efecto mágico... ¿Cómo lo había hecho?

Entonces, el enigmático individuo se giró y miró al verdugo, a los guardias y a la policía que se estaba preparando para arremeter contra él. No estaba armado, y así se lo demostró a todos los presentes. Sus ojos eran de un azul cristalino, su rostro era tan... ¿diferente? a cualquier otro que quizá por esta razón los policías vacilaban y dudaban en atacar.

—Concededme un poco de tiempo para explicarme —rogó con una melodiosa voz que llegaba a cada centímetro de la orilla del río. Sin duda era la voz de un célebre cantante.

Entonces, les lanzó una mirada acusadora al verdugo y a los guardias, y con una encantadora sonrisa Felix Phoenix les dijo:

—Serán sólo unos pocos minutos. No os preocupéis. ¿Me los concedéis?

De pronto, varias voces provenientes del gentío que había acudido a contemplar el espectáculo gritaron:

—¡Déjenle hablar!

Esas varias voces fueron incrementándose a cientos de voces, y después, otras miles gritando a coro.

Nervioso, el verdugo se alejó del nudo que acababa de ajustar alrededor del cuello de la pirata Pirática, dejándolo aún un poco suelto. Los guardias estaban completamente alarmados mientras discutían entre ellos. Mientras tanto, los gritos y plegarias de la muchedumbre se iban incrementando sin cesar, hasta que de pronto los guardias bajaron sus armas.

—Se lo agradezco —dijo Felix mientras el gentío se

calmaba y les volvió la espalda otra vez a esos hombres armados del patíbulo, como también a esa jovencita con el cuello enlazado por una soga, y se dirigió hacia el público. Quizá de una manera vaga, si hubiese mirado hacia donde le alcanzaba la vista, habría visto un cierto alboroto, justo en la ventana de la taberna, pero ni tan siquiera se dio cuenta.

Al fin, Felix le habló a la muchedumbre.

—¿Queréis verla muerta?

Completo silencio. Sobrecogido por la pregunta, un hombre contestó:

—¿Que si la queremos ver muerta? Claro que no. Pero, ¿qué elección tenemos? La justicia inglesa ya ha decidido...

—Pero —continuó Felix humildemente— vosotros le habéis escrito una canción, a ella, a Pirática, Reina de los Siete Mares. Una canción de admiración y afecto.

Felix vestía ropajes limpios pero de pobre, su cabello era del mismo color que el de la luna llena. Jamás había estado tan bello como ese día. Y en sus ojos se podía ver reflejada su alma.

—Ella es vuestra heroína, esta joven de aquí, la capitana Art Blastside, Pirática. Una de las mujeres más espléndidas de toda Inglaterra.

A pie de escenario, un policía lundinense gritó con severidad:

—¡No! ¡Es una pirata! ¡Es escoria!

Entonces, el policía que se encontraba junto a él le propinó disimuladamente una pequeña patada en la rodilla.

—Una pirata —continuó Felix dirigiéndose hacia el

gentío—, que consigue su botín gracias a sus inteligentes trucos y a su astucia, pero que no hace daño a nadie, ni roba objetos que tengan un valor sentimental para sus propietarios, y que tampoco hunde embarcaciones.

Por encima de las cabezas de los asistentes, el mirador-ventana de la taberna se quebró en mil pedazos tras una explosión en un abrir y cerrar de ojos. Al capitán Bolt le salía humo por las orejas:

—¡Robó mi embarcación!

—Pero ahí está, caballero, gritando como un loco. Ni siquiera un arañazo. Dígame, ¿qué pirata le hubiera dejado irse así? ¿O me equivoco? ¿Es que acaso Pirática lo mató?

Al instante, la muchedumbre empezó a carcajearse.

Entonces, el capitán Bolt se abalanzó hacia delante con tal furia que casi se cae por la ventana. Alguien, al parecer Landsir Snargale o el almirante, lo sujetaba y Felix volvió a concentrarse, una vez más, en el público.

—Mi tío tenía una preciosa embarcación que los piratas se encargaron de atacar. Sin piedad, lo mataron, así como también asesinaron a todos aquellos que iban a bordo, incluyendo hombres, mujeres y niños. Y eso mató a mi padre, a mi madre y a mis hermanos. Juré vengarme por todos los medios posibles. Y entonces conocí a Pirática.

Acto seguido, Felix se dio la vuelta, mirando de lleno a Art.

Los ojos de Art parecían cristales plateados. ¿Podría ver a Felix a través de ellos? Pero Art no musitó palabra.

—La mujer que estáis a punto de colgar es mi única amiga en este mundo —empezó a decir Felix con franqueza—. Se suponía que yo debía traicionarla, pero en lugar de eso, me enamoré de ella. ¿Por qué? Porque no hay otra igual, es única en el mundo. Es una heroína y un orgullo para su especie y para su país. Yo debía haber hablado en el juicio, pero no me lo permitieron. Así es como funciona la justicia en Inglaterra. No me permitieron hablar.

De pronto, se creó un murmullo entre la multitud.

Felix se dio cuenta de cómo las armas que lo rodeaban volvían a alzarse, preparándose para disparar. Entonces, volvió a gritar:

—¿Queréis verla muerta? Pensáoslo bien. Ella es una de las vuestras, una joven de tan sólo diecisiete años. Ha sido un verdadero honor haberla conocido, y ha calado tan hondo en mí que se ha convertido en la dueña de mi alma. Sé, pueblo de Inglaterra, que en otros tiempos os alzasteis y os rebelasteis contra vuestros opresores. Bien, quizá ahora también debáis alzaros y rebelaros contra la justicia inglesa, por vuestra heroína. O... —Y con un gesto que tan sólo un actor podría haber realizado, Felix le quitó la soga a Art y se la colocó a sí mismo, y mientras se ajustaba el nudo a la cabeza, miró a Art y continuó—: O, compañeros republicanos, dejadme morir a su lado.

De pronto, la gélida y penetrante mirada de Art se desvaneció al mirar a Felix.

—Estás loco.

—No, estoy cuerdo. ¿Qué más da? Estaba muerto, y tú me diste la vida.

Entonces, Art le rodeó el cuello con el brazo derecho

467

mientras le acariciaba la mejilla con la mano izquierda. Inmediatamente después, le quitó la soga que se había colocado él mismo alrededor del cuello y la arrojó. Sorprendentemente, nadie osó interrumpir la romántica escena. Justo en ese preciso instante, Art lo abrazó apasionadamente.

Segundos después se fundieron en un cálido beso que, sobre el patíbulo y bajo un cielo tormentoso al que *Plunqwette* llamaba el poder más alto, les hizo olvidar todo lo que les rodeaba: la multitud, la vida, la muerte...

En ese momento, el mundo cambió la orientación de sus velas, variando a su vez el rumbo de sus vidas.

De pronto, ocho personas saltaron hacia el patíbulo: un hombre mayor con el pelo canoso que parecía ser demasiado mayor como para ser capaz de dar tal salto; un vendedor ambulante que arrojaba su bandeja para poder desplazarse hasta el patíbulo; una lavandera con bigote; un policía, que utilizaba a otro policía como plataforma de lanzamiento; un cura con una botella en la mano; un tipo con el cabello verde; una especie de sultán oriental con un turbante; y el último en llegar, pero no por eso el menos importante, el perro más mugriento y maloliente que jamás se había visto.

Pero este extraño surtido era tan sólo la punta del iceberg.

De pronto, dieciséis hombres más se abalanzaron también hacia el patíbulo. Dieciséis hombres seguidos de treinta mujeres, seguidas a la vez por sesenta, noventa, doscientas personas... y el iceberg seguía creciendo y creciendo. Esa multitud se abalanzó sobre las posiciones que habían adoptado los guardias, se arrojaron sobre ellos, incluso sobre el verdugo, que acabó cayendo de espaldas, y los policías volaron por los aires como las cartas de una baraja mientras se escuchaba el retumbar de las pistolas, que, gracias a Dios, sólo se dirigían hacia el aire.

Mientras tanto, en la otra orilla del río, un vagabundo rapado hacía cabriolas y cantaba con alegría, lo cual no era muy agradable considerando el tufo que desprendía...

El público, la ciudad entera, tenía las manos levantadas mientras gritaba:

—¡La República! ¡Justicia para el pueblo!

—¡Salvemos a nuestra heroína!

—¡Viva Pirática, la Reina de los Siete Mares!

—¡Justicia!

De repente, el capitán Bolt apuntó con su pistola desde la ventana rota de El último en entrar, El primero en salir. Estaba a punto de disparar a Felix Phoenix justo en la cabeza, cuando, inesperadamente, Landsir Snargale se abalanzó sobre él rasgándole ligeramente la mandíbula y derribándolo al suelo.

—Que te lleven los demonios, caballero. No permitiré que dispares a ese hombre. Por todos los mástiles, cuando era más joven siempre estaba en el océano, y su tío, el honorable Solomon era un buen amigo mío. Y su padre, Adam Makepeace, también. Ahora reconozco a ese muchacho, gracias a Dios. Es el chico que intenté buscar cuando llegué a casa después de cuatro años de viaje, para rescatarlo de la casa de caridad en la que estaba, pero no había ni huella del hijo menor de mi más viejo amigo. Debería ser rico. Y Pirática, perdonada. Y su tripulación, por la bandera del hurón, también. Así que, capitán Bolt, si se le vuelve a ocurrir la idea de disparar al hijo de mi buen amigo, no le auguro un bonito futuro. Lo veo confinado a Australia o enviado, con una patada en el culo, al planeta Marte.

Pero el capitán Bolt no lo escuchaba, sólo contemplaba el exterior de la taberna.

Tampoco lo escuchaban Harry y Perry, quienes estaban más que entusiasmados con el giro que había dado el espectáculo.

—¡Es ese bandido, Jack Cuckoo! ¿Recuerdas, Perry? ¿Crees que aceptaría un duelo con nosotros si lo retáramos?

—¡No digas chorradas! ¡Yo le disparé aquella noche!

—¡Anda ya!

—¿Estás diciendo que miento?

Harry y Perry siguieron discutiendo mientras se abofeteaban el uno al otro con sus respectivos guantes. Seguramente, al día siguiente, se enfrentarían en un duelo.

Fuera, en los muelles de Execution, se había armado un gran alboroto. Pero un alboroto sin disparos ni armas, sino un alboroto de risas, aplausos y canciones. Aunque, al parecer, Art y Felix no prestaban mucha atención a tal alboroto.

Plunqwette, que ahora estaba posada sobre la cima de las horcas, fue la primera en ver al ganso. Volaba en dirección sur sobre el Tamsis, sin percatarse de todo el caos que se había formado en las orillas más cercanas a Lockscald mientras un pequeño bote de remos de madera navegaba pesadamente.

—¡Detened a ese ganso! El tipo me dijo que estaría preparado y listo para asar, pero míralo, está vivito y coleando. ¡Ayúdame! Míralo, se nos está escapando. Además, he estado persiguiendo a ese maldito ganso desde anoche...

La llovizna, el cielo oscuro y la tormenta se habían desvanecido. Ahora, la atmósfera estaba mucho más tranquila que las mismísimas calmas ecuatoriales.

El ganso se alejaba volando, tranquilo, y *Plunqwette* fue testigo directo de ello.

Una vez que el ganso logró alejarse de las aguas que bañaban la ciudad, el enorme pájaro se detuvo un momento sobre el agua, tranquilo por haberse librado de su perseguidor. De pronto, un papel mojado y encerado, semejante a un pequeño barco, apareció cerca de allí. Puede que a algunos hombres, una vez desdoblado, eso les recordara a un mapa, a un mapa del tesoro que había viajado kilómetros y kilómetros hasta llegar a sus manos, pero para un animal que acababa de escapar de ser convertido en cena, ese barquito no significaba, ni mucho menos, un mapa. Así que el ganso agarró el mapa de la Isla del Tesoro con el pico y se lo llevó consigo mientras se alejaba volando hacia el cielo azul.

471

ESTE LIBRO UTILIZA EL TIPO ALDUS, QUE TOMA SU NOMBRE
DEL VANGUARDISTA IMPRESOR DEL RENACIMIENTO
ITALIANO ALDUS MANUTIUS. HERMANN ZAPF
DISEÑÓ EL TIPO ALDUS PARA LA IMPRENTA
STEMPEL EN 1954, COMO UNA RÉPLICA
MÁS LIGERA Y ELEGANTE DEL
POPULAR TIPO
PALATINO

* * *

* *

*

PIRÁTICA SE ACABÓ DE IMPRIMIR EN UN DÍA DE
OTOÑO DE 2006, EN LOS TALLERES DE BROSMAC, S. L.
CARRETERA VILLAVICIOSA - MÓSTOLES, KM 1
VILLAVICIOSA DE ODÓN
(MADRID)

* * *

* *

*